안락사회

안락사회

나우주 소설집

BOOKTIQUE

차례

코쿤룸

'집이 사람을 인식합니다.'

명품 브랜드 아파트의 홍보 문구 옆에 세련된 이미지의 여배우 사진을 배치한다. 발코니 쪽에서 들려오는 엄마의 전화 통화 소리에 미간을 구기면서도 나는 일의 속도를 늦추지 않는다.

배치된 사진 위로 페이지별 메뉴의 제목을 올린다. '브랜드 소개, 분양 안내, 평형별 인테리어, 3D 가상체험관.' 마지막 메뉴인 '3D 가상체험관' 페이지를 열고 아파트의 VR 화면을 점검한다. 현장감 있는 영상이 천천히 재생된다. 아파트 내부 곳곳을 직접 보면서 걸어가는 것처럼 체험할 수 있다. 옷을 입어 보지 않아도 착용한 후의 모습을 보여 주는 매직미러, 날씨와 뉴스, 교통정보, 주차 위치 등을 보여 주는 트랜스폼미러, 단지 안에서 놀고 있는 아이의 위치 정보를 제공하는 디지털 티브이, 밖에서 휴대폰으로 집 안의 가전제품을 가동시킬 수 있는 홈네트워크시스템.

'시대를 앞서가는 사람들의 선택. 최첨단 유비쿼터스 아파트' VR 화면 밑에 고딕체로 디자인된 문구를 입력한다. 건설회사의 사이버 모델하우스를 꾸미는 일은 까다롭다. 화면 안의 각 요소들을 디자인하고 배치하느라 잠을 포기한 지 사흘째다. 디자인 이미지만 세 대의 모니터에 열 개씩 펼쳐 놓고 선별했다 바꿨다가 반복하느라 눈이 시리고 뻑뻑하다. 마우스를 쥔 오른손은 다운받은 이미지를 옮겨 오느라 왼손은 키보드 단축키로 붙이기를 하느라 쉴 새가 없다.

프로젝트 매니저가 업무용 PC 메신저로 메시지를 보내온다.

- 8시까지는 초안이 나와야 합니다. 참, 내일 회의실에서 미팅 있는 거 알고 있죠?

- 네, 걱정 마세요. 내일 뵐게요.

대답하곤 디자인 1팀 정에게 메시지를 보낸다.

- 시간 맞춰 마감할 수 있을 거예요. 그쪽은요? ^^

- 저도요~ ^^

디자인 1팀 소속인 정과 나는 각자 다른 장소에서 같은 프로젝트를 분담받아 수행한다. 정은 회사의 사무실에서 나는 내 원룸에서. 직접 대면하지 않고도 함께 업무를 진행하기엔 메신저가 더없이 유용하다. 어색한 유대감은 이모티콘으로 대신한다.

내 메신저는 회사 전용이다. 홈페이지제작 1팀 프로젝트 매니저, 기획실의 최, 개발팀의 김, 디자인팀의 정이 등록되어 있고 이외 조직도연동, 알림연동, 원격제어, 화상통화, 화면공유, 일정관리, 모바일지원이 가능하다. 회사의 모든 부서와 필요한 시스템에 연결되어 있는 셈이다. 제작 1팀원들은 PC 메신저 말고 스마트폰 메신저에도 등록되어 있다. 수시로 연락하는 데는 아무래도 스마트폰이 편했다. 이 메신저에는 이름이 몇 명 더 등록되어 있다. 부모님, 안부 문자만 몇 년째 주고받는 친구 둘, 웹디자이너클럽 카페의 회원으로 웹에 관한 정보를 공유하는 열두 명의 유저 그리고 두 살 터울의 동생 소은이다.

와인 마케팅 디렉터인 동생은 출장이 잦아 외국에 나가 있을 때가 많다. 한국에 잠깐씩 머물 때면 함께 사는 부모님 집의 제 방을 놔두고 레지던스호텔을 이용한다. 동생의 메신저 프로필에는 며칠째 '칠레 마이보 밸리'라고 쓰여 있다. 아직도 칠레에 머물고 있나 보다. 나는 습관처럼 웹디자이너클럽 카페의 단체 대화창을 열어 본다. 이은정, 윤혜원, 정희, 김영민, 허찬, 이하늘, 김용수, 한동연, 문미정, 윤소담, 이소연, 윤은미 그리고 나 이소정까지 열셋이 어제 늦은 밤까지 나눈 대화 내용이 고스란히 남아 있다. 지금은 다들 일하느라 정신없을 시간이다.

메신저 창을 닫고 허리를 의자에 기댄다. 양팔을 머리 위로 들고 두 손을 깍지 낀다. 어깻죽지에서 우두둑 소리가 난다.

내가 거주하는 실평수 열일곱 평형의 원룸은 이른바 '풀옵션'이다. 빌트인으로 붙박이장과 화장대, 슈퍼싱글 침대, 책장이 딸린 책상, 에어컨, 싱크대, 드럼세탁기, 소형 냉장고, 1인용 식탁, 전자레인지, 밥솥, 식기세척기가 설치되어 있다. 주방의 맞은편에는 욕실이 있고 그 옆은 현관이다. 레지던스호텔을 스튜디오형 아파트로 개조해선지 살았던 원룸보다 욕실이 비교적 크다. 욕조도 딸려 있다. 복도가 넓은 편이고 엘리베이터가 여섯 개 있어 이웃과 마주칠 일이 적다. 이사 온 둘째 날인가, 1층 로비에서 입주민 네 명이 각각 제 앞에 멈춘 네 개의 엘리베이터 안으로 들어갔다. 마음에 들었다.

내가 들여온 건 이삿짐 박스 다섯 개와 여행용 가방 하나가 전부였다. 매트리스를 새것으로 교체하고 보조 책상 하나와 스탠딩 책상 하나를 더 들여놓았다. 이사 갈 때 버리기 좋은 인터넷 쇼핑몰 저가 제품들이었다. 입주 전날엔 주거환경 전문가가 빌트인된 옷장, 싱크대, 가구 안팎을 오존으로 소독해 주었다. 의뢰비가 적지 않았지만 누가 쓰던 가구를 그대로 쓰는 건 찝찝했다. 습관적인 절차를 거치고 짐을 풀었다. 옷장과 화장대를 정리하고, 싱크대에 단출한 살림을 채웠다. 붙박이 책상 옆에 새로 산 책상을 나란히 놓았다. 그 위에 박스에서 꺼낸 책과 컴퓨터 본체 하나, 대형 모니터 한 대, 중형 모니터 두 대, 자판기, 스캔 복사 팩스 겸용 프린터, 초경량 노트북, 태블릿 PC를 꺼내 제자리에 놓았다. 기기에 딸린 선을 연결하고, 구멍이 여러 개 달린 5미터, 3미터, 2미터, 1미터짜리 멀티탭에 기기의 플러그를 꽂고, 탭의 코드를 벽에 딸린 콘센트에 꽂았다. 통신사에 전화하자 기사가 두 시간 만에 도착해 인터넷 유무선 망을 연결해 주었다. 컴퓨터 전원 버튼을 눌렀다. 인터넷 연결은 잘 되었다. 업무용 메신저를 열어 회사의 네트워크에 원격접속을 했다. 원활했다. 방은 나를 위한 맞춤형 사무실이 되었다.

고층 오피스텔과 주상복합 아파트가 밀집해 있는 이곳은 상근 웹디자이너로 5년, 재택근무로 7년, 도합 12년 차인 내가 마련할 수 있는 최상의 공간이다. 나는 이 안에서 잘 조합된 시스템의 일부처럼 조용히 자리 잡은 채 주어진 업무를 하며 하루하루를 보낸다. 한데 두 시간 전부터 단조로운 내 일상이 뭉개지고 있다. 불만에 달뜬 목소리가 원룸 구석구석을 휘젓는다.

"그러니 내가 속이 안 터져. 그 양반이 내 말을 들어 먹는 사람이야?……."

목소리의 주인공은 엄마다. 방에 들어오자마자 엄마는 두 시간째 외가 쪽이며 친가 쪽 식구들과 연이어 통화를 해 댔다.

엄마는 아버지를 피해 내 방으로 도망쳐 왔다. 정확히 말하자면 아버지에게 반항이란 걸 한답시고 생애 처음 가출을 해 버린 것이다. 도시에서 나고 자라 지금껏 살아온 엄마에게 아버지가 난데없이 '귀농'을 고집하고 있다는 거였다. 아버지는 인천을 떠나 강원도 봉평에서 감자와 배추도 심고 허브 농장도 하겠노라는 아주 구체적인 계획을 갖고 있단다. 엄마는 공업단지에서 벗어나 남들 다 사는 아파트 단지에 들어와 산 지 5년밖에 안 되었다며 억울해했다. 철물점과 보험설계사까지 하며 발품 팔아 산 집이었다. 엄마가 강조하는 '대기업 브랜드 아파트 32평형'짜리였다. 엄마는 휴대폰을 붙잡고 호소했다. 자기가 한 게 뭐가 있느냐, 친구들 다 여기 있는데 거기 가서 뭐 하자는 거냐, 농사가 쉬운 줄 아느냐, 엄마는 아버지에게 감히 따져 묻지 못한 말을 친척들에게 풀어 냈다. 요는 아버지 좀 말려 달라는 거였다. 엄마는 아버지에게 싫다, 가려면 혼자 가라고 했다. 이번만큼은 아버지 뜻대로 안 된다며 집을 나서긴 했는데 갈 데가 마땅치 않았다. 생각다 못해 서울에 사는 나에게 전화를 했다. 아버지가 뜻을 바꿀 때까지만 신세를 지겠다는 거였다. 나는 선뜻 그러라고 하지 못했다. 지금껏 내 원룸에 누구도 들인 적이 없었다. 망설임을 누른 건 엄마에 대한 오랜 부채감이었다. 나는 엄마가 편히 쉬다 갈 수 있게 해 보리라 마음먹었다. 그랬는데 엄마가 현관에 발을 들이자마자 까닭 없이 불안해졌다. 집이 왜 이리 어둡냐며 엄마가 줄곧 닫혀 있던 암막 커튼과 창문을 열어 젖혔을 때는 쏟아져 들어오는 햇살에 현기증마저 일었다.

엄마는 통화를 끝내고 다시 누군가에게 전화를 건다. 이내 푸념을 늘어놓는다. 나는 상기된 엄마의 얼굴에서 벌게진 아버지의 얼굴을 본다. 지금쯤 엄마의 스마트폰에는 아버지의 전화번호가 수십 개는 누적되어 있을 것이다. 아버지는 엄마를 찾느라 외가에도 전화했을 테고 어쩌면 이 순간 소주 세 병째의 마지막 한 모금을 넘기고 있을는지도 모른다.

*

어릴 때부터 나는 엄마를 찾는 아버지를 보아 왔다. 뉴스가 시작되는 밤 9시에 아버지가 어김없이 철물점의 간판 불을 끄고 셔터 문을 닫을 때쯤 엄마는 대체로 집에 없었다. 그 시간에도 길가에 늘어선 타일 가게, 지물포, 유리 전문점, 미장 가게, 시멘트 도매점, 용접 공장 등에선 낮에 미처 못다 한 일이 계속되거나 인부들의 늦은 저녁 식사에 곁들여진 술잔 부딪히는 소리로 동네가 벅적거렸다.

엄마는 아버지 대신 목장갑을 낀 채 인근의 가게를 기웃거리며

품을 팔고, 아버지의 배관 일감을 따내느라 아쉬운 소리를 하며 돌아다녔다. 때론 동생과 나의 수업 준비물 살 돈을 빌리러 지물포에 갔다가 그대로 퍼질러 앉아 수다를 떨었다. 집으로 돌아오다 길가에 쓸 만한 물건이 버려져 있으면 냉큼 주워 들었고, 모여서 고기를 굽고 있는 동네 사람들 틈에 끼어서 삼겹살을 몇 점 집어 먹기도 했다.

엄마의 그악스러움 덕분에 아버지는 자신의 명의로 된 철물점과 안에 딸린 작은 집이나마 마련할 수 있었다. 아버지는 철물점에 손님이 와도 방 안에서 쉬이 나오지를 않았다. 엄마가 이웃한 가게에서 받아 온 배관공사 일거리를 건네주어도 한참을 못마땅한 얼굴로 뭉개다가 마지못해 일을 하러 나갔다. 아버지는 매일 난초, 벤자민, 고무나무 따위들에 물과 거름을 주고 분갈이를 하면서 많은 시간을 허비했다. 동네 사람들이 모여 술잔을 기울일 때도, 방 안에서 혼자 말없이 〈9시 뉴스〉만 보았다. 그리고는 10시 정각에 자리에 누웠다. 그런 아버지를 사람들은 '샌님'이라고 했다. 아버지만 그 사실을 몰랐다.

초여름의 꿉꿉했던 어느 토요일 밤, 엄마는 종종 그랬듯 밤늦도록 집으로 돌아오지 않았다. 아버지도 엄마의 늦은 귀가가 유독 못마땅한 날이면 으레 그랬듯 〈9시 뉴스〉가 끝났는데도 잠자리에 들지 않았다. 이웃 사람들의 왁자한 목소리가 방 안까지 새어 들었다. 엄마의 웃음소리도 섞여 있었다. 아버지는 벽시계를 흘깃 올려다보며 말했다.

"니 엄마 왜 이렇게 늦는 거냐."

그러곤 열 살인 내게 소주를 사 오라며 돈을 쥐여 주었다. 나는 밖으로 나가자마자 유리 전문점 앞 평상으로 달려가 엄마의 옷자락을 잡아끌었다. 엄마는 상추와 삼겹살로 쌈을 싸서 내 입에 넣어 주려 했다. 나는 엄마의 손을 뿌리쳤다. 아버지 화났어, 빨리 가자. 엄마는 아버지도 나오시라고 해, 했다. 아버지가 나오지 않으리란 걸 알면서도 늘상 같은 소리였다. 평상에 앉은 아저씨들이 아버지에게 들릴 만큼 큰 소리로 그러게 당최 이 사장 얼굴을 볼 수가 없네, 하며 추임새를 넣었다. 엄마는 입이 잔뜩 나온 나를 보며 괜찮아, 먼저 가 있어, 하고는 고기쌈을 다시 내 입에 밀어 넣으려고 했다. 고개를 돌리자 계집애가 성질은…… 하며 엄마는 쌈을 자신의 입에 넣었다. 나는 치미는 부아를 누르며 소주를 사러 슈퍼로 달려갔다.

술에 취한 아버지는 엄마를 두고 체면도 모르는 무식한 여편네라며 혼자 중얼댔다. 동네 사람들을 대학도 못 나온 무식쟁이라고도 했다. 그래 놓고 명절마다 큰집에 가면 지방대학 농업학과를 나온 아버지는 서울대학교를 졸업한 형제들 사이에서 이방인처럼 혼자 겉돌았다. 아버지는 회사 생활 4년 만에 사직서를 썼다. 배관

공인 외삼촌에게 일을 배운 건 오직 출퇴근을 하지 않아도 된다는 이유에서였다. 나는 동네 사람들과의 술자리에 동참하지도 못하는 아버지의 소심함이 한심했다. 초저녁잠이 깊은 동생처럼 나도 맞은편 쪽방에서 일찌감치 잠들었으면 좋았을걸 후회도 했다.

밖이 잠잠해질 즈음 얼굴이 붉어진 아버지가 말했다.

"니 엄마 데려와라."

밖으로 나갔을 때는 이미 술자리가 파해 있었다. 엄마는 언제 또 미장 가게에 들렀는지 그 집 아줌마와 함께 안에서 나오고 있었다. 나는 오금 저린 사람처럼 발을 동동거리며 엄마를 기다렸다. 엄마는 웃음기가 채 가시지 않은 얼굴로 다가와 괜찮아, 종일 일하다 수다 좀 떨었는데 뭘, 하며 일그러진 내 얼굴을 어루만졌다. 하지만 엄마는 반쯤 닫힌 셔터 문 안으로 발을 들이기도 전에 아버지에게 머리채를 잡힌 채 가게 안으로 끌려 들어갔다. 나는 원망인지 연민인지 모를 감정과 그보다 앞선 부끄러움으로 얼른 셔터 문을 닫았다. 술에 취한 아버지가 몸을 가누지 못하는 사이 엄마는 신발을 들고 쪽방에 딸려 있는 다락방으로 가 숨었다. 아버지는 엄마가 밖으로 달아난 거라며 분해하면서도 찾아 나서지 못하고 집 안만 서성거렸다. 다락방은 열어 보지도 않았다. 그 안에는 엄마와 함께, 엄마가 주워 온 물건들과 오랫동안 간직했던 세간들이 낮게 숨죽이고 있었다.

*

갑자기 밀려든 햇살에 놀란 방은 아직도 어색하다. 고개를 들어 창밖을 본다. 맞은편의 내부가 다 보일 정도로 건물은 배려 없이 지어져 있다. 대각선에 있는 사무실로 시선이 가닿는다. 책상 앞에 앉아 키보드를 두드리고 있는 여자 옆으로 한 남자가 머그잔을 들고 다가가 무슨 말인가를 건넨다. 나도 7년 전에는 직장 동료들과 얼굴을 마주하고 일을 했다. 커피를 나눠 마시고 일상의 시시콜콜한 이야기를 주고받으며. 지금 나는 저곳에 있지 않은 게 다행스럽다.

내가 소속되어 있는 회사는 메이저급 웹 에이전시다. 일에 대한 완벽증 때문에 나는 입사한 지 얼마 지나지 않아 업무 능력을 인정받아 팀장으로 승진했다. 5년 만에 재택근무를 요청했을 때 회사는 선뜻 업무를 내어 주었다. 미국 IT 시장엔 진작부터 '홈워커'가 활성화되어 있다며 나를 필두로 지원자를 더 받기도 했다. 대신 승진 대상에서는 제외, 급여는 실적과 경력만큼 지불한다는 조건이었다. 지금은 나처럼 집에서 원격근무를 하는 사원이 서너 명쯤 된다. 나는 애초부터 직장 생활이 체질에 맞지 않았다. 책상이 다닥다닥 붙어 있는 사무실의 구조, 정시에 출근하고 퇴근하는 관습적인 일상, 동료들과 나누어야 하는 의무적인 수다, 모든 게 피곤했다. 그것들로부터의 해방을 위해 사회적 지위나 그럴듯한 직함 따위는 포기한 셈이다. 인터넷을 통해 회사와 소통하며 일할 수 있는 지금이 최상의 근무 환경이다. 금융, 쇼핑, 우편, 민원서류, 각종 잔심부름까지 인터넷으로 해결한다. 식료품도 온라인 마트를 이용하는데 요즘은 쌀, 반찬, 과일까지 1인 분량으로 한 팩씩 포장이 되어 있어 여러모로 편리하다.

창밖에 두었던 시선을 거두고 방 안으로 고개를 돌린다. 못 볼 걸 본다. 액자와 시계, 새해라고 선물 받은 탁상용 달력, 두 달 사용한 빗이 바닥에 널려 있다. 버리려고 재활용으로 분리해 현관에 내다 놓은 것들이다. 엄마의 수집병은 여전한가 보다. 나는 엄마가 들고 온 허섭스레기들에서 기어 나온 세균 때문에 팔을 긁는다.

“이런 걸 왜 버리냐? 이 아까운 걸…….”

그랬다. 엄마와 달리 나는 물건을 쉽게 버렸다. 살고 있는 방도 불편하다 싶어지면 바로 짐을 꾸리고 이사했다. 풀옵션 덕분에 이삿짐 박스 몇 개와 몸만 옮기면 되었다. 교제하던 남자와 헤어지는 것도 방을 옮기듯 했다. ‘웹디자이너클럽’의 회원과 채팅을 할 때에도 내게 호감을 갖고 접근하는 남자에게서 은근한 감정적 유희를 즐기다가도 귀찮아지면 미련 없이 메신저를 꺼 버렸다. 나는 방에서 방으로, 온라인에서 오프라인으로, 내키는 대로 옮겨 다녔다.

'카톡', '카톡' 스마트폰이 메시지 도착을 알린다. 메신저 창을 연다. 동생이다.

- 언니야. 엄마 가출했대.

- 아버지가 그래?

- 응. 방금 집에 전화했더니…….

아버지와 대화다운 대화를 나눌 수 있는 사람은 동생뿐이다.

- 엄마 여기 계셔.

- 그래? ^^

- 지금 어디니?

- 런던이야. 호텔. 신상품 카탈로그 제작 땜에.

- 엄마 왜 가출했는지 들었어?

- 대충. 왜들 그러신대. 아, 회의 시작한다. 잠깐만~

동생은 런던의 한 호텔에서 한국 본사와 스마트폰으로 회의를 하는 모양이다. 칠레에 있다고 하지 않았나. 공간을 이리저리 넘나들며 사는 동생의 스케줄은 가늠할 수가 없다. 이국의 거리 어디에서 길을 잃어도 GPS가 목적지까지 무사히 길 안내를 해 준다니, 아직까지 노트북으로 미드나 다운받아 보는 나보다 몇 배 진일보한 인생이다. 웹 작업 중인 유비쿼터스 아파트는 동생에게 어울릴 것 같다. 회의가 길어지는지 이십 분이 지나도록 대답이 없다. 일을 중단하고 앉아 마냥 답신을 기다리고 있자니 점점 언짧아진다. 나도 당장 해야 할 업무로 바쁘다. 엄마 때문에 예민해져 있는 지금은 더욱이 속내를 감출 기분이 아니다. 나는 스마트폰을 서랍 안에 넣어 버린다. 바닥에 널려 있는 온갖 세균 덩어리 때문에 팔에 닭살이 돋는다. 욕지기가 난다.

"제발 좀 버리라고!"

엄마가 원룸에 들어선 지 세 시간 만에 기어이 나는 엄마에게 발끈한다. 이내 발끈하는 내게 발끈한다. 엄마에게 이래서는 안 된다고 속을 달래면서도 방바닥에 떨어져 있는 짧고 꼬불꼬불한 머리카락에 눈이 간다. 줍고 싶다. 줍지 말자. 머리카락을 향해 뻗어 나가려는 손을 멈추려고 팔에 힘을 준다. 그럴수록 저려 오는 곳은 팔이 아니라 무릎이다.

*

저린 무릎을 펴지 않고 장시간 견뎌 내는 건 열 살의 내게 익숙한 일이었다.

그 밤 내내 나는 다락방에서 숨죽이고 있을 엄마와 잠든 동생을 대신해 아버지 앞에서 무릎을 꿇고 있었다. 아버지는 여느 때처럼 불려온 외할머니에게, 엄마를 데려가라며 윽박질렀다. 평소와 다를 바 없었다. 그러나 일요일인 다음 날은 시에서 주최하는 학교 대항 무용대회가 열리기로 되어 있었다. 없는 돈을 끌어다가 두 자매를 무용반에 넣은 엄마 덕분에 나와 동생도 대회에 나가야 했다. 딴에는 내가 프리마돈나였다.

나는 그 와중에도 다음 날 열릴 안무의 줄거리를 잊지 않으려고 1, 2, 3, 4…… 순서를 매겨 가며 머릿속으로 동작을 연습했다. 초등학생을 대상으로 한 대회가 그렇듯 교훈적이고 빤한 스토리의 구성과 안무였다.

열두 개의 누에고치가 바닥에 누워 있다. 그 속에서 나방 요정들이 빠져나오려고 몸부림을 친다. 나방 요정들은 나뭇가지에게 도움을 구한다. 고치의 구멍을 뚫어 주세요. 그중에 단 한 마리의 나방 요정만이 나뭇가지의 도움 없이 저 혼자 구멍을 뚫고 나오려고 안간힘을 쓴다. 이윽고 모두들 고치에서 나와 날개를 달고 하늘을 난다. 혼자 구멍을 뚫고 나온 나방 요정은 제일 늦게 날개를 펼친다. 동생을 포함한 열한 마리의 나방 요정은 갈수록 힘을 잃고 자리에 눕는다. 혼자 구멍을 뚫고 나온 나만이 끝까지 살아남아 무대 위에 긴 포물선을 그리며 훨훨 날아오른다. 역경이 사람을 더 강하게 만든다는 식의 교과서적 귀결이었다.

역동적이면서도 우아하게 날아야 하는 프리마돈나는 예쁘게 화장을 해야 했고, 깜찍하게 머리를 틀어 올려야 했다. 하지만 밤새 뜬눈으로 엄마를 찾는 아버지 때문에 다음 날 아침에도 엄마는 다락방에서 내려오지 못했다. 동생은 평소처럼 아침에 깨어나 엉망인 방을 보고서야 지난밤에 벌어진 일을 짐작했다. 나는 발레복 두 벌과 엄마의 화장품들을 가방 안에 쓰셔 넣고서 동생을 데리고 대회장으로 갔다.

대회장의 출연자 대기실은 각 학교별로 모여든 아이들이 제 엄마 옆에서 화장을 받느라 부산스러웠다. 리허설을 앞두고 잔뜩 긴장한 표정의 무용 선생님은 아이들을 하나하나 체크하며 내 쪽으로 다가왔다. 급하게 책가방을 열다 헛손질을 한 탓에 우르르 화장품들이 쏟아졌다. 주섬주섬 모아 봐도 뭐가 뭔지 구분이 안 됐다. 겨우 찾은 립스틱을 들고 입술 내밀어 봐, 동생을 채근했다. 여덟 살인 동생은 눈을 지그시 감고서 내게 얼굴을 맡겼다. 서툰 손놀림으로 동생의 입술에 빨간 칠을 하고 볼에는 둥글둥글하게 연지를 그렸다.

뭐 하니 지금? 얘 얼굴은 이게 뭐며, 넌, 주인공이 어쩌자고 맨 얼굴이야? 나 망신 줄 참이야? 평소 살갑던 선생님이 새청 같은 소리를 지르며 나와 동생을 몰아세웠다. 당장 엄마 불러 와! 선생님은 올 수 없는 엄마를 데려오라고 했다. 뭐가 그리 바쁜지 다급하게 여기저기 뛰어다니는 선생님에게, 제 아이 챙기느라 정신없는 누군가의 엄마들에게도, 대신 화장을 해 달라는 부탁 따위 엄두조차 내지 못했다. 나는 공중 전화기 쪽으로 갔다. 전화기 앞에서 쭈뼛거리다 내처 버튼을 눌렀다. 한편으론 아무도 받지 말라고 빌었다. 딸깍, 누군가 수화기를 들었다. 외할머니였다. 더듬더듬 말이 새어 나왔다.

"엄마가……, 엄마가……, 와야 한대."

"니 엄마 어젯밤에 도망갔잖여. 니 애비 때매 도망갔잖여. 다신 안 올텨."

외할머니의 말에서 아버지에 대한 원망이 묻어났다.

"엄마 다락방에 있어. 진짜 있어. 무용 선생님이 당장 데려오래."

엄마는 오래지 않아 집과 멀지 않은 대회장으로 왔다. 헝클어진 머리는 손으로 대충 빗어 넘긴 듯했고 목 주변의 피멍이 블라우스 밖으로 얼핏얼핏 드러나 보였다. 엄마는 내 눈두덩에 색조 화장을 해 주었고 볼에 분홍색 새도를 발라 주었다. 나는 무대 위에서 발끝을 세우고 훨훨 나는 듯이 뛰었다. 관객들로부터 박수를 받았고 선생님에게 트로피를 안겨 줬으며 대회가 끝난 후엔 이리저리 끌려다니며 여러 장의 사진을 찍었다. 그러면서도 내내 엄마의 눈치를 보았다.

나와 동생이 엄마의 양손을 하나씩 붙잡고 집에 들어서자마자 아버지가 엄마에게 달려들었다. 훅, 술 냄새가 끼쳐 왔다.

"저기 숨었었다고? 저기? 코앞에서? 쥐새끼처럼!"

방바닥엔 다락방에 쌓여 있던 낡은 텔레비전과 물이 새는 고무

다라이와 찌그러진 양은 주전자가 형광등 불빛 아래에서 누추함을 경쟁하고 있었다.

*

저린 무릎을 두 손으로 주무른다. 주먹으로 허벅지를 팍팍 쳐 대다가는 냉장고 위에 있는 살균제를 들고 와 키보드와 마우스에 뿌린다. 욕실로 들어가 손 전용 항균제로 양손을 씻는다. 수건으로 물기를 닦으려다 찝찝함에 다시 항균제를 묻혀 손을 씻는다.

욕실 문을 열고 방으로 나오자 엄마가 신발장을 열어 보고 있다. 예순이 다 되도록 일만 해 온 엄마는 지금도 바지런을 떠느라 부산스럽다. 아버지의 귀농 계획은 어느새 잊은 건지, 달력 하나 없는 벽이 휑하다며 이제는 벽에다 못을 박겠단다. 책상 앞 의자에 앉은 채로 내 눈은 엄마를 좇는다. 엄마는 망치를 찾느라 이번엔 붙박이장을 뒤진다. 허락도 없이 서랍을 열었다가 닫기를 반복한다. 얼마 전에 소독한 신발장과 붙박이장과 서랍장엔 엄마의 지문이 찍히고 있다.

"엄마, 못 없어. 망치도 없고."

엄마의 관심을 돌리려고 말을 붙인다.

"작업 끝나면 이따가 맛있는 거 먹으러 가자. 옷도 사자. 원피스

같은 거."

엄마는 내게 다가와 앉으며 정말? 하고 웃는다. 엄마는 단순하다. 엄마의 꿈도 단순했다. 그저 남들처럼 주택가라고 불리는 곳에서 한번 살아 보는 거였다. 그러기 위해 30년 넘게 일만 해 왔는데, 유비쿼터스는커녕 평범한 32평 아파트에서 채 5년밖에 살아 보지 못하고 귀농이라니. 새삼 아버지의 뒤늦은 포부가 억지스럽다는 생각이 든다. 허브 농장? 방 안에서 온종일 화초만 만지작거렸던 사람이 그게 무슨 열정이라도 되었던 양 이제야 세워 보는 계획이라니. 어디로든 도망치고 싶어 지어낸 핑계만 같다. 자신조차 감당 못 하는 주제에 화초의 성장을 위해 물을 주고 분갈이를 해 주며 살아온 그. 화초의 뿌리가 굵어질수록 아버지의 다리는 가늘어져만 갔다.

"아버지가 시골 가자니까 억울하지?"

"말이라고 하냐. 억울해서도 나는 못 간다."

그러면서도 내 얼굴을 보고 웃는 엄마를 보며 나는 입술을 문다. 엄마는 모처럼 입을 연 나를 놓칠세라 말을 잇는다.

"근데 소정아, 너 종일 방에서 컴퓨터만 하고 있어도 되냐?"

"나 노는 거 같아?"

"하긴, 지물포네 아들도 집에서 주식만 한다는데, 돈은 또 버는 모양이야. 근데 야, 은행 직원이 내 핸드폰에다 뭘 해 줬는데, 이

거로 계좌이체하라고……. 근데 뭐가 뭔지 모르겠더라."

"줘 봐, 가르쳐 줄게."

나는 엄마에게 모바일 뱅킹에 접속하는 법을 알려 준다. 엄마의 스마트폰은 보급형이다. 엄마는 고개를 갸우뚱하며 키패드를 톡톡 쳐 보다가는 못 하겠다고 손을 내젓고 만다. 스마트폰을 방바닥에 팽개쳐 놓고 방 걸레를 찾아 든다. 나는 엄마와 같은 공간에서 세 시간이 넘도록 단둘이 있어 본 게 언제였던가 짚어 본다.

고등학교 졸업 후였던가. 4년 전액 장학금을 약속받은 서울의 한 대학에 하향 지원해 입학하자마자, 나는 집을 떠났다. 학교 근처에 반지하 월세방을 얻었다. 엄마에게 받은 보증금을 갚기 위해 학교를 다니면서 할 수 있는 온갖 종류의 아르바이트를 했다. 아주 더디게나마 돈을 갚아 가면서 월세와 생활비도 충당했다. 나는 수업을 듣고 아르바이트를 하고 남은 시간엔 그저 잤다. 1년 혹은 2년에 한 번 집에 가 겨우 얼굴만 비추고 돌아오는 나를 엄마는 서운해했다. 부득불 보증금을 갚는 내게 정머리 없다고도 했다. 직장을 가지면서 조금씩 넓고 쾌적한 방으로 이사를 했다. 방이 여러 개인 집보다 원룸이 좋았다. 부동산엔 갈수록 원룸 매물만 넘쳐 났고, 대개가 월세였다. 나로선 선택의 폭이 넓어져 나쁠 게 없었다.

열일곱 평 원룸에 안주한 나는 재택근무로 바뀌고서 인터넷으로만 세상과 소통했다. 내 동선은 점점 짧아져 갔다. 창문에는 암막 커튼을 치고 볕 한 점 들어오지 않게 했다. 일이 없는 날에는 침대 밑으로 꺼져 드는 아득함에 취해 죽은 듯이 잠만 잤다. 나는 내게 주어진 시간을 방 안에서 다 썼다. 이따금 택배회사 직원이 초인종을 누르면 없는 척을 했다. 결국 경비실로 가서 물건을 찾아와야 하면서도 초인종 소리에는 몸이 먼저 굳었다. 그럴 때면 내 자신이 쥐새끼 같다는 생각을 했다.

나는 무심코 잡고 있던 마우스에서 손을 뗀다. 문득 이 방에는 없는 또 다른 소독제가 간절해진다. 냉장고 위에 놓여 있는 소독용품을 본다. 여섯 개다. 에어컨 전용 살균제, 집 안 세균 박멸제, 곰팡이 제거제, 섬유 속 세균제, 손 전용 항균제, 매트리스 전용 세균 퇴치제. 그것들에는 '사용 후 반드시 환기를 시키세요.'라는 주의 사항이 씌어 있다. 나는 환기를 시키지 않았다. 내 몸 구석구석도 함께 살균되기를 바랐다. 어딘가에서 알싸한 염소계 성분의 소독약 냄새가 난다. 그것은 내가 건너온 유년의 냄새다.

*

내가 나방이 되어 무대 위를 훨훨 날았던 그날, 엄마는 술 취한 아버지에 의해 발가벗겨졌다.

"서방 속이고 다락방에 숨어? 다시는 나돌아 다니지 못하게 아주 개망신을 당해 봐."

아버지는 엄마의 머리채를 잡고 밖으로 끌고 나갔다.

"내 여편네한테 일거리를 줬어? 넙죽 받아먹는 '샌님' 비웃으려고? 이 무식쟁이들아!"

나는 담요를 들고 엄마에게로 달려가다, 같은 반 남자애와 눈이 마주쳤다. 나는 동생의 손을 낚아채고 돌아서 쪽방으로 뛰어 들어갔다. 술주정뱅이의 딸이란 것도, 알몸으로 머리채를 잡힌 여자의 딸이란 것도 부끄러웠다. 이 모든 게 다 나 때문이었다. 이제 더 이상, 엄마를 위한 다락방은 없었다. 그래서, 나는 아버지를 죽이기로 했다.

다음 날 하굣길에 가게에 들러 락스를 샀다. 내가 알고 있는 가장 독한 살균제는 그것뿐이었다. 소주도 한 병 샀다. 비어 있는 쪽방에 들어가 문을 잠그고 창밖에다 소주를 모조리 부어 병을 비웠다. 락스의 뚜껑을 열자 독한 냄새가 폐부 깊숙이 파고들어 왔다. 윗니로 아랫입술을 꽈악 깨물었다. 떨리는 오른손을 왼손으로 부여잡고 빈 소주병 안에 락스를 담아 뚜껑을 닫고 책가방 안에 감추었다. 그날 밤 나는 아버지가 내미는 돈을 받아 들고 가게로 가서 소주 세 병을 샀다. 집으로 돌아와 동생이 잠든 쪽방으로 먼저 들어갔다. 책가방에서 소주병을 꺼내 술이 든 검은 봉지 안에 함께 넣었다. 나는 아버지에게 세 개의 술병을 내놓았다. 나머지 하나는 문 앞에 놓아두었다.

아버지는 병째로 목이 마른 사람처럼 소주를 마셨다. 두 병째를 연거푸 마셨다. 얼굴이 벌게졌다. 세 병째를 들이켰다. 네 병째의 소주. 아버지는 문 앞에 있는 그 소주병을 주저 없이 입에 들이댔다. 나는 반쯤 닫힌 셔터 문 사이로 기어 나와 맨발로 무작정 달음질을 쳤다. 죽어라, 죽지 마라, 죽어라, 죽지 마라, 제발 죽어라, 제발 죽지 마라……. 나는 십자가가 보이는 곳으로 뛰어들었다. 숨이 끊어질 듯 가빴다. 머리가 어질어질했다. 교회당의 대리석 바닥에 쓰러지듯 엎어졌다. 십자가를 볼 수가 없었다. 마주 잡은 손이 덜덜 떨렸다.

*

나는 내게 주어진 삶이란 걸 살고 있다. 주 1회의 업무 미팅을 무리 없이 이행하고 만나든 안 만나든 약속을 나누는 친구들도 있으며 웹디자이너클럽 카페의 회원들과 매일 대화를 하고 이미지 파일을 공유하고 품평도 한다. 또래의 친구들보다 조금 더 많은 정도의 봉급을 받고 시슬리 화장품을 애용하며 버버리나 샤넬의 옷을 즐겨 입는다. 손을 자주 씻거나 가스 밸브가 잠긴 것을 몇 번이고 확인하는 나를 피곤해할 줄도 안다. 게다가 지금은 내 원룸에서 엄마와 다섯 시간이나 함께 있다. 대화도 나눈다. 도란도란이라고 할 순 없지만, 이 정도면 별 문제 없는 모녀의 모습을 연출하고 있는 셈이다. 버티다 보면 어떻게 되겠지, 엄마는 말한다. 어떻게든 될 것이라는 믿음과 일단 살고 보자는 생활력을 지닌 엄마가 나에겐 아버지의 폭력보다 더 두려울 때가 있다.

*

삼거리에서 엄마의 유방과 치모가 적나라하게 드러났던 그날 이후에도 엄마는 그 거리에서 철물을 팔고 아버지의 일감을 따오기 위해 아쉬운 부탁을 하고 다녔다. 아버지는 방구석에서 몸통이 커진 화초를 더 큰 화분으로 옮겨 심는 일에 열중했다. 방은 그만큼 좁아질 수밖에 없었다. 나는 매일 엄마의 나체를 목격한 동네 아이들과 학교에서 마주쳤다. 동생이 다른 동네로 이사 가자며 조를 때마다 엄마는 한마디 말로 일축해 버렸다. 괜찮아. 수모를 당한 엄마가 괜찮다는데, 모욕을 준 아버지도 그에 일조한 딸도 할 말이 있을 리가 없었다.

사람들에게 술기운 탓이라고 아버지를 변명하며 위신을 세워준 건 엄마였다. 엄마는 자신이 괜찮으니 다들 그럴 것이라고 믿고 싶은 것 같았다. 괜찮은 건 엄마뿐이었다. 다들 가면을 쓰고 있었다. 동네 사람들은 '시치미'라는 가면을, 아버지는 '망각'이란 가면을, 어쩌면 엄마도 '태연함'이란 가면을 쓰고 있는지 몰랐다. 동생은 어땠을까. 모르겠다. 나는 가면을 잘 못 골랐다. '무심함'을 쓰기엔 뻔뻔해질 수가 없었고, '태연함'은 상상도 할 수 없었다. 그래서 '당당함'을 썼다. 무참함에서 당당함까지의 괴리는 컸다.

아버지는 다시는 엄마를 때리지 않았다. '망각'하지 못했다는 증거였다.

나는 학교에서 수업을 듣고 있다가도 문득 교실 유리창을 박살 내 버리고 싶은 충동을 억눌러야 했다. 밤이면 아버지의 화초들을 밖으로 집어던져 모조리 부숴 버리고 싶었다. 말수가 점점 줄어 갔다. 동생처럼 엄마에게 무언가를 해 달라거나 사 달라고 조르지도 않았다.

그 동네에서의 일상을 아무렇지 않은 척 버티던 유년기와 사춘기를 보내는 동안 나는 내게 다가오는 사람들을 있는 그대로 보지 못하게 되었다. 속내를 감추고 살아온 나처럼 그들에게도 채 드러내지 않은 이면이 있으리라 의심되었다. 맨얼굴, 아기 속살같이 맑은 얼굴만 수긍했고 그렇다고 여겨지는 사람들에게만 곁을 내주었다. 그런 나의 집요한 시선을 사귀는 남자들은 더욱 힘들어했다. 나는 남자가 결혼 얘기를 꺼낼 때면 통보도 없이 사라지곤 했다. 내 안에 뿌리내리려고 하는 남자가 섬뜩했다.

*

손을 씻고 책상 쪽으로 가다 전신 거울 앞에서 멈춘다. 긴 머리를 아무렇게나 틀어 올린 깡마른 몸집의 내가 있다. 창백하리만치 흰 피부와 큰 눈, 얇은 다리. 부정하고 싶지만 아버지를 쏙 빼닮았다. 걸음을 빨리해 책상 앞으로 간다. 의자에 털썩, 앉는다. 동생에게 메시지를 보낸다.

- 엄마 니가 모셔 가라.

- 회의 막 끝났다. 휴~ ㅋ 언니. 나 런던이래두. ㅋㅋ

크크인지, 킥킥인지 알 수 없는 저 불완전한 자음의 나열에 속이 뒤틀린다.

- 그래. 어디든 네 멋대로 다닐 수 있어 좋겠지. 이 꼴 저 꼴 안 보고. 나만 보고.

소은이가 문장에서 웃음기를 거두고 대꾸한다.

- 나 지금 해외 출장 중인 거 알잖아. 그리고.

잠시 뜸을 들이다 이내 문장이 이어진다.

- 집을 버리고 떠난 건 언니야. 이 꼴 저 꼴 안 보려고.

- 그럼, 니가 보고 살았다는 거야? 니가 뭐라도 하고 살았다고?

내 말이 억지라는 걸 알고 있다. 책임 운운하며 엄마를 짐짝 취급하고 있다는 것도.

- 어려서부터

나는 '어려서부터'를 보내 놓고 곧바로 후회한다. 과거로 퇴행할수록 불리해지는 건 나다. 동생은 지우고 싶은 말을 놓치지 않는다.

- 어려서부터 언니가 더 많이 감당했다는 거 알아.

의외의 말이 나온다.

- 언니 기억나? 무용대회 때, 나 되게 웃긴 나방 탈 쓰고 죽은 척하고 있었잖아. 언니는 훨훨 날던 프리마돈나였고. 난 언니가 너무 예쁘고 자랑스러워서 살짝 실눈을 뜨고 지켜봤어. 나, 언니가 집을 나가 버린 것에 대해 원망한 적 없어. 언니의 선택이니까.

동생은 시간을 의도적으로 건너뛰고 있다. 무용대회와 성인이 되자마자 감행한 가출. 두 개의 사건이 가진 연관성을 알면서도 숨기고 있다. 나는 동생의 속내가 미심쩍다. 네게 이해를 구한 적 없다는 반발심이 인다.

무용 선생님은 대회를 앞두고 아이들을 연습시키면서 말했다. 동화책에 이런 내용이 있어. 한 소년이 누에고치 속에서 나방이 나오려고 애쓰는 걸 보았대. 소년은 그 모습이 너무 딱하더래. 그래서 칼로 구멍을 찢어 주었지. 그랬더니 밖으로 나온 나방이 얼마 못 가 죽어 버렸대. 나방은 누에고치에서 빠져나오려는 과정을 겪어야만 죽지에 힘이 생겨 날 수 있게 되는 거야.

아이들은 고개를 주억거리며 진지한 표정을 지었다. 나는 소년의 오만한 동정과 무지한 선의에 분개했다. 그래서였을 것이다. 무용 선생님의 이야기가 온전히 각인되어 지금까지도 소년의 칼날이 내 겨드랑이를 찢고 달아나는 악몽에 시달리곤 하는 것은.

동생은 내가 자랑스러웠다고 한다. 그날의 나방은 오래된 사진 속에 박제되어 있다. 거기엔 철이 없어도 분위기는 읽을 줄 아는 동생의 기운 없는 표정과 카메라를 외면하고 있는 나, 무표정한 엄마의 얼굴이 있다. 누가 찍어 줬는지도 모를 그날의 사진을 볼 때마다 가슴이 결려 옷장 어디 깊숙한 곳에 처박아 둔 지도 스물다섯 해가 지났다.

초등학교를 졸업하고 배정받은 중학교로 고등학교로 가는 데까지는 버스로 한 시간 남짓 걸렸다. 차창 밖 풍경은 날이 갈수록 빠르게 바뀌어 갔다. 동네에서 멀어질수록 주택가는 아파트 단지로 변해 갔고 저층 건물이 있던 자리마다 백화점과 대형마트가 들어섰다.

우리 동네도 달라졌다. 용접 가게가 늘고 공터엔 목재들이 쌓였다. 옆 블록에 4층짜리 빌라가 몇 채 생겼고 가게 사람들은 대부분 그리로 이사를 갔다. 가게에서 살림살이만 빼내 빌라로 옮기는 식이었다. 우리 집도 마찬가지였다. 집을 나서면 길 건너편 이 바로 우리 철물점이었다. 동네엔 더 많은 철물이 쌓이고 나무가 쌓였다. 빌라로 집을 옮겼어도 새벽까지 나무 자르는 소리가 방 안까지 들려왔다. 어느 날 동네 시멘트 벽에 긴 간판이 붙었다. '목재공업단지'. 사람들은 배운 게 도둑질인 듯 공업단지가 된 동네에 남아 여전히 무언가를 자르고 붙이는 일을 했나.

나는 동생 말대로 성인이 되자마자 혼자만 그 동네를 빠져나왔다. 그러면서도 여전히 그리 멀리 떠나오지 못했음을 잘 알고 있다. 스물다섯 해 전 나방이었던 나는 다시 고치 속으로 기어들어가 그대로 굳어져 버렸는지도 몰랐다. 아니다. 고치 밖으로 나와 보지도 못했는지 모른다.

키패드를 때리듯 두드린다.

- 그래서, 아버지는 어쩔 건데? 집에 남아 버텨 온 니가 책임감 있게 말해 보지 그래?

- 오늘 정말 삐딱하다. 솔직히, 난 내 삶이 젤 중요해. 언닌 안 그래? 두 분이 귀농해서 다복하게 살아 주면 우리야 안심되고, 더 자유로울 수 있으니 그 이상 바랄 게 없지.

- 다복? 퍽이나.

- 나는 아버지와 엄마의 툭탁대는 삶도 두 분 나름의 복이라고 생각해. 남들이 어떻게 보건 부모님이 선택한 살아가기의 방식이

라고.

동생의 말에 부아가 나면서도 부럽다. 꿈을 꾸며 살아도 좋을 자격이란 게 있다면 그건 동생에게만 허락된, 애초 영악하지 않았던 그 애에게만 부여된 선물 같다.

- 난 언니가 좀 더 활동적으로 살았으면 좋겠어.

- 조언까지 바란 적 없어.

- 안타까워서 하는 말이야.

동생과 얼굴을 맞대고 대화를 나눈 지 1년이 넘었다. 오가는 문자 속에선 동생의 표정과 뉘앙스가 느껴지지 않는다.

- 그만하자. 나 일해야 해.

- 언니. 난 내 직업이 좋아. 머무는 건 체질에 안 맞아. 부모님 인생은 부모님께 맡기자. 응?

- 나 일하러 간다.

자신의 삶이 제일 중요하다고 말할 수 있는 자유…… 동생은 적어도 '살고' 있는 것 같다.

마감까지 겨우 한 시간 남았다. 일에 관한 한 한 번도 약속을 어긴 적이 없다. 집중을 위해 관자놀이를 양 손가락으로 누르며 컴퓨터 화면에 뜬 '언제든, 어느 곳에서든, 집으로 간다.'란 문장을 노려본다. 언.제.든.어.느.곳.에.서.든.집.으.로.간.다.집.으.로.간.다. 반복해서 읊조려 보지만 낱말 사이에 끼어드는 이질감에 몸이 움츠러든다. 손바닥으로 눈자위를 비비며 모니터 위의 마무리해야 할 페이지를 본다. 아파트가 조기에 분양될 수 있도록 황홀한 이미지를 만들어야 한다. 그 안에서 우아하면서도 편리하게 살아갈 밑그림이 사람들의 머릿속에 그려져야만 한다.

덜그럭, 소리가 들린다. 움찔, 다리에 경련이 인다. 엄마가 싱크대에 달린 찬상을 열어 본다. 다음엔 냉장고 문을 열어 반찬통을 꺼내고 그 안을 정리한다. 움직임 하나하나가 오감에 낱낱이 감지된다. 신경이 팽팽해진다. 엄마가 설거지를 끝내고 바닥에 떨어진 물기를 행주로 닦는다. 가슴속에 휙 을씨년스러운 바람이 지난다. 감각기관이 일시에 열린다. 나는 참지 못하고 소리를 내지른다.

"행주잖아! 걸레가 아니고 행주잖아!"

엄마가 난데없다는 듯 대꾸한다.

"왜 그렇게 화를 내냐. 내가 뭘 잘못했다고?"

모르겠다. 엄마가 뭘 잘못하고 있는지. 오히려 잘못은 내가 하고 있다. 그런데도 화가 난다. 엄마가 달래듯 묻는다.

"일에 방해돼서 그러냐? 아님 아버지 일 땜에 신경 쓰여 그러냐?"

엄마의 존재 자체가 내 작은 원룸에는 너무 벅차다고, 나는 속으로만 답한다.

"아버지 일은 잘될 거야. 걱정 마라, 괜찮으니까 걱정 마."

익숙한 대답에 어깨가 파르르 떨린다.

"뭐가 만날 다 괜찮아 엄마는. 왜, 왜 다 괜찮은 거냐고!"

온몸에 소름이 돋는다. 다 기억하면서. 엄마에게 처음 다락방으로 숨으라고 그 안으로 밀어 넣은 게 나였다는 걸. 안 들어가겠단 엄마를 숨겨 준 것도 고자질한 것도 나였다는 걸.

"다 기억하면서. 다, 다 기억하잖아!"

엄마는 내 얼굴을 빤히 쳐다본다. 버릇처럼 손사래를 친다.

"넌 뭘 그렇게 심각하게 사냐. 너처럼 기억력 좋았으면 난 벌써 죽었다."

숨이 멎는다. 엄마는 무심한 얼굴로 쯧, 혀를 찬다. 멈췄던 숨이 토해진다. 이 또한 무심함이로구나. 차라리 못된 년이라고 욕해 주지. 날 용서할 기회라도 주지. 체면도, 예의도, 부끄러움도 엄마의 그악스러운 생명력 앞에서는 보잘것없는 것이 된다. 동네를 벗어나고 싶어 했던 내 수치심도 사치가 된다. 피곤하다. 혼자 있고 싶다. 바싹 말라 갈라진 입술에서 샌 핏물이 입 안으로 스민다. 엄마는 바닥을 마저 닦고는 행주를 빨아 싱크대에 건다. 잠시도 가만있질 못한다.

나는 스마트폰을 들고 현관 밖으로 나와 복도 끝에 있는 비상계단의 문을 열고 들어간다. 어두컴컴한 계단에 서서 전화번호를 찾아 누른다. '통화 연결 중' 화면이 뜨자마자 '종료'를 누른다. 대신 메시지를 작성해 '전송'에 손가락을 갖다 댄다. 누른다.

- 엄마 여기 있어요. 데려가세요.

아버지는 자신이 마신 게 락스인지도 모르고 구토를 했다. 그저 술이 과한 사람의 체기처럼. 정말, 그랬을까? 나는 아버지의 눈을 똑바로 보지 못하고 살았다. 지난 25년의 세월 같은 몇 초가 흐른다. 답신 문자가 온다.

- 알았다.

계단에 주저앉는다. 그래 봐야 어차피 나름의 견디는 방식일 뿐이다. 그뿐이다. 동생 말대로 각자의 삶이 중요하고……. 그래서 선택하고……. 몸을 웅크린다. 자신의 성장 대신 화분의 크기만 넓혀 온 아버지나 방의 크기만 넓혀 온 나나, 같은 족속이었다. 머릿속 고치 안에 숨어 진저리를 치고 있는 나방, 아니 누에 한 마리가 맴을 돈다.

건물에 딸린 부동산에 전화를 건다.

"여기, 1005호. 방 내놓습니다. ……. 네, 1005호예요."

*

그렇게 엄마를 보냈다. 이번 프로젝트를 마치자마자 회사에 한 달간의 휴가를 신청했다.

엄마가 아버지를 따라 강원도 봉평으로 가게 되었다는 전화를 걸어 왔을 때, 나도 이삿짐을 꾸리고 있었다. 정해진 이삿날까지는 한 달 정도의 기일이 남아 있었지만 딱히 할 일도 없었다. 이삿짐이라고 해 봐야 옷가지들과 화장품, 몇 개 없는 식기류, 컴퓨터 따위 기기들과 그것들을 연결하는 코드 줄을 콘센트에서 빼고 항균제를 뿌린 박스 안에 제각각 집어넣기만 하면 되었다.

이삿짐을 꾸리다가 걸핏하면 하던 일을 멈추고 밖으로 나갔다. 갑자기 원룸이 갑갑해진 탓이었다. 동네 여기저기를 걷다 보면 꽃집이 있던 자리에 커피숍이 들어서 있는 걸 보게 되거나 가끔 다니던 치과 건물이 대리석 외관으로 리모델링되어 있는 걸 보고 어리벙벙해질 때가 잦았다. 이사 올 때 펜스로 가려져 있던 자리에 15층 빌딩이 있는가 하면, 한방병원은 언제 사라졌는지도 모르게 고층 주상복합 오피스텔로 바뀌어 있었다. 일주일에 한 번, 길면 한 달에 한 번씩은 업무 미팅을 위해 외출을 했었는데 이렇게 바뀌도록 모를 수가 있나 싶었다.

집에 돌아와 누워 있으면 세상의 시계와 나의 시계가 달리 돌아가고 있는 것만 같았다. 현실의 시간은 기억을 품고 가기엔 숨가쁘게 빨랐다. 가슴이 막혀 올 때면 번화가까지 나가 정처 없이 걸었다. 곡선으로 된 빌딩, 통유리로 된 빌딩, 마름모꼴 빌딩이 디자인 경쟁을 하듯 늘어서 있었다. 하나같이 고층이었고 하나같이 인조적이었다. 그 길가를 지나는 사람들 사이를 헤집고 다니면서 엄마, 아버지, 동생과 닮은 사람들을 보았다. 타일 가게 아저씨와 용접공들, 정과 같은 사람도 보았다. 그러나 나와 가장 많은 대화를 나누던 메신저 대화방의 웹디자이너클럽 회원들과 닮은 사람은 볼 수 없었다. 나처럼 재택근무자인 이은정, 항상 체중이 늘어 걱정인 윤혜원, 일 중독자 정희, 여자는 얼굴보다 몸매라고 주장하는 김영민, 앤디 워홀을 추종하는 허찬, 채식주의자 이하늘, 상사의 예민한 성격에 죽을 맛이라는 김용수, 이미지 파일만 쏙 빼가곤 하는 한동연, 스타벅스 프라푸치노 중독자인 문미정, 허리디스크 때문에 요가를 시작했다는 윤소담, 청담동 원룸으로 이사가는 게 꿈인 이소연, 마흔다섯인데도 20대 같다는 소릴 듣는다며 자랑하는 윤은미. 스타벅스 창가에 앉아 프라푸치노를 마시며 노트북을 두드리고 있는 저 여자가 문미정일 수도 있고, 귀에 이어폰을 꽂은 채 걷고 있는 여자가 윤혜원일 수도 있다. 그들은 인터넷과 스마트폰 안에만 존재하는 사람들이었다.

스마트폰을 꺼내 메신저를 열었다. 대화방에다 '요즘은 무슨 프로젝트?' 말을 걸었다. 김용수가 '호텔 모델하우스 디자인요, 대머리 과장 닦달에 죽을 맛' 답글을 올렸다. '나는 3일째 날밤 샜어. 재택근무가 아니라 종일근무야.' 이은정이었다. '회사에 나오면 상사 얼굴 봐야 하는데?' 윤은미가 올리자 이은정이 '아 노 땡큐. 댁네 사장도 일중독이야?' 물었다. '근데 소정 씨는 무슨 프로젝트? 요즘 대형 아파트는 수요가 없지 않아?' 문미정이 내게 물었다. '놀아. ㅎㅎ', '우와 로또 맞았어?', '부럽다', 내 대답에 또 수다스러운 푸념이 줄줄이 올라왔다. 나는 이은정에게 오늘 밥이라도 먹을까? 일대일 대화창을 열어 보내려다가 말았다. 뭐라고 답이 올까. 한 번도 만난 적 없는 사람끼리 난데없이 밥이라니, 생각만으로 오소소 소름이 돋았다.

스마트폰을 주머니에 넣었다. 어디서 쏟아져 나온 건지 사람들이 점점 많아졌다. 갈 데가 없다는 생각이 들었고 그러면 택시를 타고 원룸으로 왔다. 그러고는 다음 날에도 밖으로 나갔다. 풍경에 낯설어하고 사람들 속에서 멍해지고 그러면 스마트폰을 꺼내 대화를 하고 그러다 다시 스마트폰을 주머니에 집어넣었다. 거리를 헤매다가 피로해지면 원룸으로 돌아오다 마트에 들러 락스를 10여 개씩 샀다.

이삿짐을 전부 꾸리고서야 외출을 멈추었다. 암막 커튼으로 가려진 방엔 햇살 한 줄기 새어 들지 않았다. 스마트폰의 전원마저 꺼 버리자 세상과 완전히 차단되었다. 20여 일간 물건을 소독하며 짐을 꾸리고 걷기만 하던 나는 거꾸로 거의 먹지도 않고 죽은 듯이 잠만 잤다. 밤인지 낮인지 구별할 수 없는 날들이 지나갔다.

이제 더는 잠도 오지 않는다. 누운 채로 옆집에서 소근대는 소리를 듣고 있다. 말을 하고 싶다. 스마트폰에 충전기를 끼우고 콘센트에 코드를 꽂으면 누군가와 만날 수 있다. 나는 몸을 반쯤 일으키고 무릎걸음으로 가 이삿짐 박스 안을 살핀다. 따로 넣어 둔 기기의 코드 줄들이 엉켜 있다. 나는 엉킨 줄을 풀다 말고 창가로 기어가 암막 커튼을 획, 젖힌다. 맞은편 사무실에선 야근을 하는지 불빛이 환하다. 늘 그 자리에 앉아 있는 여사원이 한 손으로 턱을 받치고 한 손으론 마우스를 쥔 채 모니터를 보고 있다. 창 아래를 본다. 가로등 빛을 받아 두셋씩 무리 지어 걷는 사람들의 머리통이 둥둥 떠다닌다. 나는 무릎을 모아 세우고 고개를 파묻는다. 눈을 감는다.

얼마나 지났을까. 일어나 커튼을 닫는다. 이삿짐 박스 앞으로 가, 엉킨 코드 줄들과 연결 탭들을 가슴에 그러모으고 욕실로 간다. 그것들을 욕실 한편에 모아 둔다. 물이 반쯤 차 있는 욕조 안에 그동안 사들인 락스를 모조리 붓는다. 줄과 연결 탭을 들어 욕조 안에 던져 넣는다. 얼굴에 락스 방울이 튄다. 욕조의 모서리에 앉아 연노란빛의 액체에 손을 담그고 휘휘 젓는다. 락스의 냄새는 생각보다 독하지 않다. 오래전 나는 왜 이것을 내장까지 녹여 버릴 죽음의 냄새라고 오해했을까.

옷을 벗고 욕조 안에 몸을 담그자 액체가 출렁이며 욕조 밖으로 넘쳐흐른다. 몸을 누이려 욕조 깊숙이 파고든다. 미끌한 액체가 배꼽, 가슴, 목을 휘감는다. 엉덩이 밑에 깔린 여러 개의 줄에 살이 눌린다. 줄을 들어 올린다. 5구, 4구, 3구짜리 멀티탭에 난 두 개의 깊은 구멍들이 사람의 눈 같다. 긴 줄을 펴 양 발목에, 허벅지에, 허리에, 양팔에, 손목에 둘둘 말아 묶는다.

휘발되어 가는 락스의 냄새를 맡으며 눈을 감는다. 몸을 내려 정수리까지 묻는다. 입과 코 속으로 액체가 넘어 들어온다. 입을 벌려 마신다. 뇌로 스며든 락스가 썩어 가는 세포를 살균한다. 녹여 버린다. 위장이 싸륵싸륵하다. 토할 것만 같다. 욕조 밖으로 얼굴이 튀어 오른다. 락스 위로 토악질을 한다. 이를 악물고 다시 상체를 내려 정수리까지 묻는다. 얼마 못 가 다시 튀어 오른다. 토악질을 한다. 더럽다. 나가고 싶다. 일어서려는데 몸이 움직이지 않는다. 켜켜이 감아 놓은 코드 줄이 팽팽하다. 빠져나오려 몸을 비튼다. 그럴수록 미끈거리는 욕조 안으로 상체가 끌려 내려간다. 락스가 코와 입 안으로 밀려들어 온다. 몸을 움직여 겨우 고개를 내민다. 입을 벌리기도 전에 몸이 끌려 내려간다.

나는 결박된 발목을 버둥대며 발끝으로 욕조의 모서리를 더듬는다. 발바닥으로 모서리를 세차게 밀친다. 반동으로 상체가 욕조를 타고 오르다가 바닥으로 맥없이 미끄러져 내린다. 락스가 이룬 결들이 출렁거린다. 가슴 저 깊은 곳에서 부언가 뜨거운 것이

치받아 올라온다. 그것은 아주 오랜만에 느껴 보는, 처음 가져 보는 것일지 모를 생에 대한 기력이다.

한 떼의 나방이 펄럭대며 날아오는 소리를 듣는다. 아득해지려는 정신을 가다듬으려 몸을 이리저리 뒤튼다. 웅, 웅, 나방들이 더 가까이 몰려온다. 나는 저 무리들과 꼭 만나야 할 것 같아, 다시금 결박된 두 발을 있는 힘껏 들어 올린다.

집구석 환경 조사서

책상 앞에 앉아 한 시간째 같은 동작만 반복하고 있었다.

두 손으로 턱을 괸 채 컴퓨터 모니터를 보다가 창밖으로 고개를 돌렸다가 '진로 희망사항 조사표'를 보고 관자놀이 누르기. 몇 번째 반복하는데도 별다른 소득 없이 한숨만 나왔다. 다시 모니터를 보았다. 나이스 사이트에서 제공한 민수의 학교생활기록부에는 별다른 특이사항이 보이지 않았다.

이전 담임들의 기록에 따르면 1학년 때 민수는 '성격이 밝고 교우관계가 원만'한 아이였다. 2학년 땐 '상황 판단이나 이해력'이 빨랐고 3학년 땐 '자신의 꿈이 우주 비행사라고 차분하게 발표'한 적이 있으며 4학년 땐 '생각이 깊고 성실'했다. 5학년 담임인 나는 뭐라고 적어야 하나. '5학년에 실시한 '진로 희망사항 조사표'

에 따르면 아이의 진로 희망은 '정규직'이다.' 아, '참고로 부모가 바라는 아이의 진로 희망도 정규직이다.' 이렇게 적어야 하나? 나도 모르게 이휴, 맥 빠지는 소리가 튀어나왔다.

나는 창밖으로 고개를 돌렸다. 운동장에 남아 있던 아이 몇몇이 교문을 향해 뛰어가고 있었다. 고개는 책상 위에 놓인 종이로 돌아왔다. 나도 모르게 입에서 후, 바람이 샜다.

언제 내 교실로 들어왔는지 옆 반 최 선생이 어깨를 툭 쳤다.

"아직도 민수 생각이야?"

작년 민수 담임이었던 그녀가 문득 생각난 듯이 검지를 허공에 찍으며 덧붙였다.

"오픈 수업 때 민수네 부모님이 못 왔어. 민수네만 그런 건 아니고. 애들 지도에 참고할 겸 전화했지, 못 오신 부모들한테. 다 통화를 했는데 민수네 어머님과는 문자로만 대화했어. 퇴근 시간이 늦더라고. 밤 11시. 아버님은 밤 9시."

"밤 11시? 늦네……."

"그렇다고 애가 과제를 안 해 오거나 한 적은 없어. 평범해, 정말."

난데없이 '집구석'이란 단어가 떠올랐다.

"애가 티브이를 너무 많이 봐서 그래. 요즘 애들이 얼마나 현실적인데. 대통령이니 과학자니 우리 땐 헛소리 심하게 했지. 지금 남자 열에 일곱은 축구선수 아님 프로게이머. 여자애들은 의상디자이너야. 정규직이라니, 세상 좀 아네. 잘 살겠어. 근데 유의 사항 안 읽었나? 구체적 직업의 명칭을 적어 주세요. 디자이너 안 됨, 의상디자이너 오케이. 이랬는데 직종도 아니고 고용 상태로 답하다? 인생 좀 아시네!"

집구석이 문제야. 이놈의 집구석……. 집구석이란 난어에선 애증의 냄새가 난다. 가정과 집구석 중에, 가족과 어울리는 단어는 단연 집구석이다.

이 선생! 하는 소리에 놀라 어깨가 흠칫거렸다.

"아까부터 3반 교실에 다 모였어. 세기의 대결인데. 인공지능 대 인간. 가자고. 안 가?"

교실 밖으로 나가던 최 선생이 심각하긴, 하면서 웃었다.

그녀 말마따나 진로 희망을 묻는 데에 고용 상태로 대답한 것은 티브이를 너무 자주 봐서 정규직을 직종의 이름으로 착각하고 있거나, 무엇이 되든지 간에 정규직이면 된다는 생각이거나일 거였다. 그런데 부모님까지 이러시면, 나는 어쩌느냐는 심정이 되었다. 이대로 생활기록부에 입력할 수는 없는 노릇이었다. 모니터를 보았다. 수차례 보았던 기록들을 또 보느라 마우스만 딸칵딸칵 눌러 댔다. 아이에 대해 더 많은 정보를 얻고 싶었지만 요즘은 부모의 직업조차 묻지 못하게 되어 있었다. 사생활 침해라는 이유였다. 학창 시절의 내가 적어야 했던 조사서에 비하면 대단히 인간적인 배려였다.

축구선수도 아니고 무려 우주 비행사를 꿈꾸던 아이였다. 불과 2년 후 그 꿈은 정규직으로 변해 있었다. 나는 퇴근을 미루면서까지 빈 교실에 앉아, 규칙적인 일상을 꿈꾸는 규칙적이지 못한 아이의 가족에 대해 생각했다. 그럴수록 마뜩잖게도 내 가족의 모습만 떠올랐다.

*

아, 이놈의 집구석!

그 소리를 아빠로부터 자주 듣던 어느 봄, 나름대로 다 컸다고 착각한 나는 한껏 시니컬해져 있었다. 그래 봐야 여고 2학년, 드라마틱한 생에 대해 미련이 남아 있는 10대였다. 학기 초, 배려 없게도 담임은 '가정 환경 조사서'를 작성해 오라며 나눠 주었다. 아빠 말마따나, 집구석이 망해 버린 마당에 그런 조사서를 작성해야 하다니. 집과 가게는 은행에 저당 잡혀 있었고 빚을 갚으라는 독촉장이 끊임없이 날아왔다. 참으로 대책 없는 현실이었다. 그래서 나는 몇 가지 환경을 위조했다.

48년생인 아빠, 이정구 씨의 학력은 고졸, 직업은 건축업. 53년생인 엄마, 김금자 씨의 학력도 고졸, 직업은 영양사. 76년생인 오빠 이상민 군은 대학원생. 80년생인 언니 이현주 양은 전문대 졸업자로 직업은 인터넷 쇼핑몰 MD, 라고 적었다.

볼수록 대한민국에서 가장 흔해 빠진 이름의 소유자들이었다. 정구라고 불리는 48년생과 금자라고 불리는 53년생은 이 땅에 널렸다. 매 학년마다 아빠와 엄마 이름만큼이나 내 이름과 같은 수진이가 두셋은 되었다. 이름 평범하기로는 오빠나 언니도 다를 바 없었다.

'가정 환경 조사서'의 끄트머리에는 '장래 희망'을 적으라고 되어 있었다. 담임은 내 희망보다 우리 집의 현실이 더 궁금한 거였다. 하긴 학교가 그렇단 것쯤은 일찌감치 눈치채고 있었다. 게다가 당시의 내겐 꿈이랄 수 있는 것도 없었다. 그보다는 꿈이란 단어조차 어느새 낯설어져 있었다. 입시라든가, 대학이라든가, 돈이라든가, 망해 가는 집이라든가, 하는 것들에 익숙해질수록 꿈을 꾸기가 민망해져 버린 탓이었다. 나는 할 수 없이 '장래 희망'란을 비워 두었다.

고1 때만 해도 희망이란 게 있었다. 나름대로는 진지했던 꿈, 화가였다. 중학교 2학년 때 문제집을 사기 위해 들른 서점에서, 우연히 고흐의 화집을 펼쳐 보다 '자화상'을 맞닥뜨리고 까닭 없이 전율에 사로잡힌 날, 나는 화가를 꿈꿨다. 오랫동안 고흐의 화집이 내 보물 1호이기도 했다. 그러나 미대에 가려면 학원을 다녀야 했고 학원비는 부모님 월수입으로 감당하기엔 턱없이 많은 금액이었다. 나는 꿈을 접었다. 쉽게 내린 결정은 아니었지만 고집할 만한 처지도 못 되었다.

정말로 연예인 같은 뜬구름 잡는 꿈이라면 동네 슈퍼 집 아들 오중이가 꾸고 있었다. 1초에 열다섯 음절을 뱉겠다고 대대거리는 걸 보면 가관도 아니었다. 집집마다 덜떨어진 문제아 하나씩은 있는 법인데, 슈퍼 집은 오중이가, 우리 집은 언니가 그 모양이었다.

여고 1학년에 진학했을 때 '가정 환경 조사서'를 앞에 두고 내가, 장래 희망을 뭐라고 쓸까? 하고 묻자 아빠는 앞뒤 없이 말했었다.

"무조건 좋은 대학 가고 볼 일이다. 넌 우리나라 최고 대학에 가라."

옆에 있던 언니가 참견했다.

"환경이 받쳐 줘야지. 거저 가나? 돈 쓴 만큼 좋은 대학도 가는 거라고."

언니는 전문대 의상학과에 겨우 들어간 것을 그런 식으로 변명했다. 나는 아무 말도 않고 멀뚱히 아빠를 쳐다보았다. 그런 나를 향해 아빠가 비장하게 덧붙였다.

"개천에서 용 난다."

"언제 적 얘기야. 피라미도 어려울걸."

그럼 서울의 명문대에 들어간 오빠는 이무기란 말인가. 안 그래도 집안이 뒤숭숭한데 눈치도 없는 언니는 아빠에게 엉덩이를 걷어차였다.

아빠가 그토록 학벌에 집착하는 이유는 아빠 자신의 회한 때문이었다. 아빠는 엄밀히 말해서 고졸이 아니라 고교 중퇴였고 직업도 건축업자가 아니라 미장공이었다. 사실 아빠의 직업이나 학력을 위조한 것은 내가 아니라 아빠였다. '가정 환경 조사서'를 써내야 했던 언니와 오빠에게, 아빠는 자신의 직업을 일관되게 말해 왔다. 건축업자라고 써.

미장뿐 아니라 보일러 설비, 배관까지 하는 아빠였으니 건축업 관련 종사자인 건 맞았다. 대답을 뭉뚱그리면 난처함도 모면케 해 주는 법이었다.

학력은? 묻는 언니에게 아빠는 또 얼버무리듯 배울 만큼은 다 배웠다, 라며 눙쳤다. 언니가 눈을 흘기자 고졸, 하고 대답하고는 슬쩍 일어나 자리를 피했다. 아빠가 고교 중퇴라는 사실을 누설한 사람은 시골에 있는 할아버지였다.

개천에서 용 난다고 믿었던 할아버지의 시대엔 어떻게든 명문대에만 진학시켜 놓으면, 판사도 되고 의사도 되어 집안을 일으키는 인생 역전 드라마가 곳곳에서 목격되기도 했단다. 충청도 촌부였던 할아버지는 그 신념으로 선산까지 팔아 아들 넷 중 하나를 제외하곤 모두 서울로 진학시켰다.

실패한 단 한 명의 아들이 우리 아빠였다. 학교도 빼먹고 읍내에서 껄렁거리는 것을 붙잡아다가 대학 가라며 몽둥이로 개 패듯 팼어도 소용없었다고 했다. 아빠는 공부와 농사짓기만 아니면 뭐든 할 자신이 있었고 할아버지는 공부와 농사 둘 중에 하나만 고집했다. 끝내 아빠는 가출을 했다.

아빠는 인천의 한 중소 건설회사에서 보일러 설비와 배관과 미장일을 배웠다. 건물이 쭉쭉 올라가던 시대에 그만한 직업도 없다고 믿었다. 그렇게 해서 자리 잡은 아빠는 엄마와 결혼을 했고 집과 자동차도 샀다. 막내 삼촌이 대학을 졸업해 사법고시에 패스할 때까지 뒷바라지도 했다. 그럴 만큼, 우리 집도 한때는 엄청 잘살았다고 누구나 한번씩은 내세우는 그러나 확인할 길 없는 전설 같은 이야기였다.

내가 코흘리개 딱지를 떼고 초등학교에 입학할 무렵, 아빠는 회사를 퇴직하고 자기 소유의 미장 가게를 차렸다. 직원도 서넛 두었다. 가게와 가까운 곳에 땅을 사서 집도 지었다. 작지만 마당도 있고, 화단도 있고, 달랑 한 그루지만 은행나무도 있는 집이었다. 그 나무는 맞은편 높은 아파트 때문에 햇빛을 받지 못해 줄기는 가늘고 키만 큰 데다, 열매 한번 맺을 줄 몰랐다. 그런데도 아빠는 처음으로 지은 집을 기념하는 나무라며 뿌듯해했다. 함박 웃는 얼굴에서 충만감을 보았던 건 나뿐만이 아니었다. 그러니 아빠가 자신을 건축업자라고 주장하는 데에도 근거는 있는 셈이었다.

아빠는 주택 사업으로 일을 확장하고, 회사 동료였던 친구와 동업해 빌라 두 동을 지었다. 막 분양을 시작했을 즈음에 불길한 풍문이 돌았다. 얼마 지나지 않아 풍문이 사실로 드러났다. 나라가 망했다는 거였다. 그즈음엔 뉴스에서도 드라마에서도 심지어 개그 프로에서마저도 IMF 얘기를 했다. 가게와 집을 담보로 대출받아 지었던 빌라는 고작 세 채가 분양되었을 뿐이었다. 그 후로 4년여간 집이 한 채 분양되면 은행 빚을 갚고 또 한 채 분양되면 빚을 갚는 식으로 빠듯하고 위태한 날들을 보냈다. 한데 아빠와 의형제라던 동업자가 빌라를 담보로 몰래 대출을 받아 도망을 쳐버렸다. 은행에서는 빚을 갚으라는 독촉장을 보내왔다.

그때 아빠는 깨달았다고 했다. 인생 스스로 개척해 보겠다며 가진 것 없이 세상에 뛰어들었지만, 고생 끝에 다시금 빈손으로 내쳐진 자신의 처지를. 변호사로, 대기업 상무로, 입시 학원 원장으로 자리를 잡은 형제들은 모름지기 화이트칼라였고 아빠는 이른바 3D업종의 종사자였다. 그러니 학벌이 부족하면 할 수 있는 일은 고작 육체노동밖에 없다고, 시대가 변해도 이 땅에서 살아남으려면 학벌부터 갖춰야 한다고 했다. 아빠는 무작정 가출했던 그날, 인생의 첫 단추가 잘못 꿰어진 거라며 뒤늦게 후회했다.

아빠는 가게와 이웃한 오중이네 슈퍼 앞 평상에 앉아, 오중이 아빠랑 소주를 마실 때도 같은 소리를 했다. 그러면 오중이 아빠도 거들었다.

“난들 별수 있나. 큰 길 앞에 생긴 대형마트 때문에 우리 슈퍼도 망해 가.”

“아, 이놈의 집구석…….”

둘 중에 누가 뱉은 소리인지 알 수 없었다.

결국 집과 가게는 은행에 의해 차압되었다. 아빠 명의로 된 집이었고, 엄마 명의로 된 가게였다. 아빠와 엄마는 동시에 신용불량자가 되었다. 아빠는 자신이 지은 집에만은 미련을 버리지 못했다. 아빠의 전부였던 집은 결국 형제들의 도움을 받아 반년 만에 경매로 다시 되샀다. 재산이 압류된 상태여서 아빠와 엄마의 이름으로는 경매에 입찰할 수가 없었다. 그래서 오빠의 이름으로 낙찰받아 명의를 이전했다.

엄마는 생활비의 일부라도 벌겠다며 동네 식품 공장에 딸린 사내 식당에 취직했다. 나는 조사서에 엄마의 직업을 ‘영양사’라고 적었다. 우리 집 월수입도 멋대로 400만 원이라고 썼다. 대한민국의 표준 월수입이 얼마인진 몰랐지만 맞벌이 부부의 경우 이 정도는 벌어 주는 게 적정선 아닐까, 어쨌든 그렇게 뻥쳤다. 엄마의 월급은 100만 원 정도였고, 아빠의 수입은 들쑥날쑥이어서 종잡을 수 없었으니까. 이렇듯 나의 '가정 환경 조사서'는 항상 위조될 수밖에 없었다. 불평등한 대접을 피하기 위해 이만한 영특함은 필요했다. 그 조사서에는 우리 가족이 어쩌다 이렇게 되었는지 구구절절 풀어 넣을 만한 여백이 없었다. 그러니 나도 뭉뚱그려 써 넣어 난처함을 피할 수밖에. 바야흐로 감수성에 목숨 거는 10대였다. 그러니 배려 없이 그런 걸 나눠 주는 선생을 탓하는 것이 정신 건강에 좋을 거라 생각하면서도 앞으로는 좀 떳떳하게 써 넣어도 좋을 만큼 우리 집의 환경이 나아졌으면, 하고 내심 바랐다.

하지만 '가정 환경 조사서'를 위조하던 그 당시, 우리 집엔 신용불량 예정자만 두 명 더 늘어나 있었다. 오빠와 언니. 그러니 우리 집 '가정 환경 조사서'는 사실 한 문장이면 족했다. '이 집구석에는 네 명의 신용불량자가 삽니다.'

집은 겨우 되찾았지만 미처 갚지 못한 다른 빚들은 그대로 남아 있었다. 우리 형제들의 학비도 만만치가 않았다. 가게를 잃은 아빠는 일용직으로 미장일을 했지만 빚과 생활비를 감당하기엔 턱없이 부족했다. 아빠는 집을 담보로 집 근처 길가에 가게를 전세로 얻고 재기의 꿈을 꾸었다. 물론 오빠 명의였다. 자동차도, 전화도, 그 외의 모든 것이 다 오빠의 명의로 되어 있었다. 사업 실패 후 아빠는 채무를 해결하기 위해 동분서주했지만, 이런저런 명목의 독촉장이 하루가 멀다 하고 날아들었다. 통신료부터 밀린 자동차 보험료까지. 오빠 앞으로 오는 독촉장이었다. 그 때문에 오빠도 그해 봄 신용불량자에 등재된다는 최고장을 받았다. 안 그래도 오빠는 취업이 안 되어 학자금 대출을 받아 대학원을 다닌 탓에 졸업 후 그 빚을 갚고 있었다. 그러니 빚 위에 쌓이는 빚이었다. 아빠는 오빠가 불이익이라도 받을까 봐 안간힘을 다해 빚을 갚아 나갔다.

그런 판국에 언니도 신용불량 예정자가 되었다. 카드 대금 때문이었다. 전문대를 졸업하고 인터넷 쇼핑몰에서 계약직 MD로 일하는 언니는 서울에 있는 원룸에서 친구와 둘이 살았다. 얼마 되지도 않는 급여에 월세를 내고 나면 생활비마저 빠듯한 언니가 명절이나 부모님 생일에 샤넬 백, 구찌 구두, 버버리 원피스를 입고 나타날 때면, 나는 언니가 명품족이 되어 버린 거라고 확신했다. 싹수는 스무 살 때부터 보였다. 명동 거리에서 길거리 캐스팅을 받은 언니는 대학 시절 내내 연예인이 되겠다며 학교보다 서울에 있는 엔터테인먼트 회사에 뻔질나게 드나들었다. 언니는 예쁘지만 연예인이 될 정도는 아무래도 아니었다. 이미 연예인이 되기로 한 언니는 연기 트레이닝, 표정 트레이닝, 댄스 트레이닝

따위를 받아야 한다면서 아르바이트로 내레이터 모델도 했다. 새로 오픈한 가게 앞에서 짧은 치마 입고 춤추는 것도 내레이터 모델이라면 말이다.

여하튼 언니 대신 빚을 갚으라는 카드 회사의 협박 전화에, 아빠는 그날로 언니의 다리를 분지르기 위해 서울로 올라갔다. 아빠에게 붙잡혀 온 언니의 두 발은 멀쩡했지만, 석삼이 반항을 했는지 머리는 산발이었다. 하여튼 매를 부르는 주둥이였다. 또 무슨 헛소리를 해 댔을지 짐작이 되고도 남았다.

“남들은 집에서 밀어준다는데!”

“남들만큼 못 해 준 게 뭐냐. 나는 못 입었어도 너 입을 옷을 안 사 줬냐, 학교를 안 보내 줬냐?”

엄마는 언니를 붙잡고 따졌다.

“그것도 안 해 줘 그럼? 딴 애들은 집에서 레슨비며 옷이며 다 사 줘. 난 내가 벌어서 나한테 쓰는 거잖아. 연예인 되는 데 이 정도 투자는 해야지 그럼. 이 정도도 안 해?”

자식 땜에 참고 사는 것은 구시대적 발상이라지만, 이미 그렇게 살아온 부모에게 이 무슨 배은망덕한 소리인지. 난 되바라졌어도 그 정도 머리는 돌아갔다. 나는 종종 언니의 머릿속을 해부해 보고 싶은 충동을 느끼곤 했다.

언니는 애초 공부엔 관심 없는 날라리였다. 대학도 드라마 주인공을 따라 의상 디자인과를 택했다. 망한 집을 보고도 치아 교정 해 달라고 떼쓸 때 보면 제정신인가 싶었다. 언니의 소시지 같은 쌍꺼풀진 눈과 값비싼 명품들은 언니의 가치를 높여 주기 위한 아낌없는 투자인 셈이었다. 아빠는 체념한 듯 말했다.

"남의 돈으로 너 갖고 싶은 거 갖는 게 투자냐? 이 빚은 다 어쩔 거냐. 가족에게 피해는 주지 말아야 할 거 아니냐?"

언니의 들썩이는 입을 보고 나는 언니의 팔을 몰래 꼬집었다. 제발 그만 좀 하라고. 아빠는 우는 언니를 외면하고 안방으로 들어가 버렸다. 물론 이 말을 빼먹을 리가 없었다. 에~라이, 이놈의 집구석!

그 밤, 언니는 누워서도 훌쩍거렸다.

"이러니까 내가 여태 못 뜨고 있는 거라고."

"연예인은 아무나 해?"

언니가 되쏘았다.

"다 고친 거야. 얼굴 안 고친 애 하나도 없어."

"뭐 하고 싶은 건데? 노래 못하잖아. 연기자? 댄서?"

"무슨 상관이야. 연예인이면 되지."

이건 또 무슨 소리냐 싶어 빤히 쳐다보는 내게 언니는 답답하다는 어투로 말했다.

"너 연예인이 광고 한 번 찍고 받는 돈이 얼만지나 알아? 광고

세 번 찍으면 우리 집도 사겠다."

그러니까 언니는 얼굴을 싹 다 고치고 연예인으로 떠서 인생 역전을 이루겠다는 야무진 꿈을 착실히 실천 중이라는 얘기였다. 언니에겐 토익 점수나 각종 면허증보다 잘 수술된 쌍꺼풀이 더욱 믿음직스러울 거였다.

"뜨는 거 순간이야. 그땐 너 유학도 보내 줄게."

나는 언니 얼굴을 빤히 보았다. 코를 좀 높이는 게 좋을 것 같았다.

언제인가부터 아빠는 학벌 얘기를 좀체 하지 않게 되었다. 아빠가 사업에 실패한 뒤로 잘나가던 아빠의 형제들마저 명예퇴직이니 희망퇴직이니 하는 말에 불안해하고, 경영난에 시달리는 것을 지켜본 때문이었다. 그런 데다 일류대를 졸업한, 학점도 좋고, 토익 점수도 900점 이상인 데다 온갖 자격증을 갖춘 오빠가 취업을 못 하고 있으니 그럴 만도 했다.

오빠는 대학원에 진학한 다음에도 스펙을 쌓기 위해 자격증 시험을 봤고 이름 있는 회사마다 이력서를 제출했지만 번번이 면접에서 떨어졌다. 사상 최악의 취업난이라는 뉴스가 남의 말이 아니었다. 몽타주가 북방계라서 그래, 언니는 딱 제 식의 진단을 내렸다. 언니의 논리대로라면 세상은 키 크고, 몸매 좋고, 몽타주가 남방계인 미남 미녀만이 최상의 경쟁력을 갖춘 곳이었다. 오빠가 언니의 황당한 의견에 동요된 것은 아닐 테지만, 어쨌든 오빠는 취업 포기 선언을 했다. 집구석이 또 한 번 발칵 뒤집어졌음은 말할 것도 없었다.

오빠의 말인즉, 자신은 사회적 성공이나 기준 따위에 미련이 없단다. 일자리를 제공해 주지 않는 나라에는 세금도 안 낼 거고, 대신 시간의 자유를 얻을 거란다. 아르바이트를 하면서 남은 시간으로 많이 보고 즐기겠다고. 즐기겠다는 말이 왜 그리 낯설었는지. 많이 들어 본 말인데도 정말 실천하겠다고 나서는 오빠가 멀게만 느껴졌다. 그런 인생 나도 살고 싶지만 대학은 가고 볼 일이었다. 왜냐고 물으면 남들 다 하니까 식의 대답밖에는 달리 할 말이 없겠지만.

오빠의 앞날은 오빠가 결정할 일이겠지만 나는 어쩐지 내 부모의 말년이 걱정되었다. 아빠는 왜냐, 왜냐, 묻기만 하다가 이게 다 취업이 안 돼서 오는 일시적인 스트레스 때문이라고 결론을 내리곤 안방으로 들어가 버렸다.

오빠는 대학원을 다니면서 피시방 아르바이트를 했다. 인생 즐기겠다더니 내가 보기엔 줄창 게임만 해 댔다. 엄마는 오중이네 엄마로부터, 그 집 아들 뭐 하냐는 말을 들을 때마다 뜨끔한 표정을 지었다. 대학원 다니잖아, 라는 말도 계속 써먹을 수 있는 변명이 아니었다. 앞으론 뭐라고 해야 하나, 엄마는 그런 걱정까지 했을지도 몰랐다. 나는 내심 안도했다. 마지막 '가정 환경 조사서'를 작성해야 하는 이듬해까지 오빠는 대학원생일 테니까. 백수라고 쓰기는 정말 싫었다.

그다음 해 소녀 시대의 끝자락에도 '가정 환경 조사서'는 어김이 없었다. 우리 집구석의 환경은 변함이 없었다. 아빠는 도배부터 보일러 설치, 싱크대 설치, 수도관 공사, 소소한 인테리어까지 할 수 있는 모든 일을 했다. 일거리가 없는 날에도 가게 앞에서 서성이는 아빠를 볼 수 있었다. 주말엔 텔레비전 앞에 앉아 김치 한 접시만 두고 소주를 홀짝홀짝 마셨다. 아빠만큼이나 언니의 일상도 예측 불가였다. 회사 인턴사원인 언니는 일이 하나 끝나면 새로운 기획안을 만들어 제출하고 채택되기를 기다려야 했다. 일자리가 늘 불안했다. 틈틈이 배우 오디션을 보고 기획사에 프로필 사진을 보냈지만 별다른 소식은 들려오지 않았다. 게다가 카드 회사뿐 아니라 대출 회사로부터 독촉 전화까지 걸려 왔다.

나도 여전히 가정 환경을 위조했고 이 짓도 마지막이라며 자위했다. 그러고는 또다시 '장래 희망'란 앞에서 고민했다. 나는 나의 '장래' 앞에서 문제 많은 가족들을 생각했다. 누구 하나 순탄하게 흘러가는 인생이 없었다. 생은 예측 불가라서 의미 있다고들 하지만, 한 치 앞 정도는 내다볼 수 있기를 바랐다. 내 희망은 내 가족처럼만 살지 않는 거라고 해도 좋았다. 나는 모든 막연한 것에 반감을 품고 있었다. 좀 더 현실적이고 좀 더 안전한 미래를 찾아야 했다. 나는 '장래 희망'란에다 '취직'이라고 적었다. 그 이상 뭘 더 바라는 건 욕심처럼 느껴졌다.

딱히 소망이랄 것도 꿈이랄 것도 없었다. 드라마틱한 생을 살다 불꽃처럼 사라지고 싶다는 희망은 어린 날의 치기일 뿐이었다. 막상 수험생이 되고 보니 불꽃은커녕 입시라는 관문 하나 통과하는 것도 버거운 게 현실이었다. 고작 열아홉인 주제에 그랬다. 하지만 그것만 통과하면 남은 인생 순탄할 것만 같은 생각의 아이. 그 중간 지점에서, 나는 하나의 관문을 열기 위해 독서실에서 전투적인 심정으로 문제집을 파고들었다.

머리에 쥐가 날 쯤이면 오중이에게 핸드폰으로 문자를 보내곤 했다. '집 앞 놀이터에서 보자.' 동네 토박이인 오중이는 한결같이 날 사랑했다. 그 애의 순정은 내게 있어 소녀 시대의 사치품 같은 거였다. 짝사랑해 주는 남자애 하나 없이 여고 시절을 마감한다는 건 몹시 애석한 일이잖은가.

그날도 놀이터 앞 벤치에 앉아 이어폰을 귀에 꽂은 채 머리를 흔들어 대는 오중이는 또 그놈의 랩이란 걸 한답시고 입을 대대거리고 있는 중이었다. 정말 래퍼가 되고 싶은 모양이었다. 그러나 언니 말을 빌리자면 오중이 몽타주도 하자 많은 북방계였다. 가수를 하려면 가창력보다 꽃미남이어야 했다. 그러고 보면 언니의 논리도 아주 비약은 아니었다. 나는 오중이 옆에 앉아 오중이 귀에 꽂힌 이어폰 하나를 빼서 내 귀에 꽂았다.

"투팍이야. 갱스터힙합의 전설. 어때, 좋지?"

"뭐 그냥……."

나는 심드렁하게 대답했다. 건성으로 듣는 척했지만, 비트 강한 랩에 나도 모르게 도취되어 갔다. 오중이는 랩을 따라 했다. 저 입놀림. 1초에 열다섯 음절은 너끈했다. 잠시 오중이가 빛나 보였다. 반짝이는 별, 정말 스타라도 되려는가. 나는 부신 듯 눈을 깜빡이며 오중이의 랩에 귀 기울였다. 쏘, 머 트 블 월 캔……더 월 에브리 무 패…….

"뭐라는 거야, 대체."

입을 하도 놀려 대서 가사가 휙휙 지나갔다. 반복되는 올아이즈온미, 만 되풀이하며 나는 오중이가 건네준 가사집을 훑어보았다.

'So much trouble in the world, nigga~ Can't nobody feel your pain~ The world's changing everyday, times moving fast……'

"너 뜻은 알고 부르냐?"

"당연하지, 이 세상엔 문제가 너무 많아. 아무도 네 고통을 느끼지 못해. 세상은 매일 바뀌어 가고 시간은 빠르게 흘러가. 내여……."

나는 오중이 입을 손으로 막았다.

"됐어. 놔두면 밤새겠네."

오중이는 다른 과목 성적은 시원찮았지만 신기하게도 영어 성적만큼은 좋았다. 언젠가 랩의 본고장인 미국으로 가겠다며 그토록 열심이었다. 바람직한 10대. 꿈을 꾸고, 희망하고, 도전하고. 그래, 너는 그렇게 20대를 맞아라. 내 꿈은 그래도 '취직'이다. 나는 애써, 일찌감치 건조해져 버린 나 자신을 다잡았다. 나는 멋대로 가사를 만들어 래퍼 흉내를 냈다.

"에이 요! 하여튼 문제가 많아 그래서 집구석이 되었지! 체킷업 나우, 예~"

감히 투팍 님의 랩을……. 날 보는 오중이의 표정이 딱 그랬다. 그런 오중이가 불쑥 MP3를 내게 내밀었다.

"이거 가져."

"오, 아이리버. 신형인데……."

안 그래도 내 것은 구형이라 새것이 간절하긴 했다.

"돈 어디서 났어?"

"엄마한테 학원비 뺑튀겼지."

그럼 그렇지. 나는 이다음에 오중이 같은 아들을 낳을까 봐 걱정이 되었다.

오중이네 슈퍼는 근처 대형마트 때문에 고전하다 문을 닫았다. 오중이 아빠는 업종을 변경해 '명품 크리닝'이란 이름의 세탁소를 차렸고, 오중이 엄마는 경쟁 상대였던 대형마트에 비정규직 캐셔로 취직했다. 그곳에 가면 계산대에 서 있는 아줌마를 볼 수 있었다. 삑삑, 바코드 찍는 소리가 잠자리에 누워서도 환청으로 들린다는 아줌마였다. 한번은 엄마가, 시골 할아버지가 보내 준 마늘 몇 접을 오중이네 집에 가져다주라고 시킨 적이 있었다. 아줌마는 마늘을 받더니 엉겁결에 바코드 인식기에 갖다 대는 동작을 취하곤 이내 헛, 하고 웃었다. 그렇게 적에게 투항한 아줌마였다. 오빠는 그걸 두고 치욕이라고 했다. 엄마는 먹고살아야지 별 수 있니? 하면서 오빠를 서운한 듯 바라보았다.

가끔씩 아줌마는 오중이 학원비나 수업료를 빌리러 우리 집에 오곤 했다. 한번 오면 늦도록 돌아갈 줄을 몰랐다. 엄마도 돈을 빌리러 오중이네로 가면 밤이 이슥하도록 수다를 떨다가 집으로 돌아왔다. 살림 빠듯한 두 엄마는 있는 대로 빌리고 빌려주면서 급한 불을 껐다. 그렇게 빌려 간 돈이 아이리버 MP3가 되어 내게 돌아올 줄이야. 역시 자식새끼 키워 봐야 아무 소용없다는 어른들의 말이 맞았다.

오중이는 리듬에 맞춰 미친놈처럼 계속 고개를 흔들어 대다 말고 입을 뗐다.

“우리 엄마 말이야. 입 돌아갔다. 되게 웃겨…….”

엄마를 속여 학원비를 삥땅 친 오중이는 내 경멸스러운 시선에 변명하듯 말을 이었다.

“동생이랑 컴퓨터 때문에 대판 싸웠거든. 아 이 자식이 엄마한테 노트북을 사 달라는 거야. 무려 ‘소니 바이오’씩이나. 지가 전교 1등이면 다냐고. 독서실에서 인터넷 강의 본다고 사 달래.”

“소니 바이오가 가볍긴 하지. 몇백만 원 하겠다. 네 동생 세다.”

“나도 컴퓨터 바꿔 달라고 하다가 자식이랑 싸웠어. 근데 엄마가 갑자기 컴퓨터 본체를 들어서는 방바닥에 패대기를 치는 거야. 구형이라서 별로 아깝지도 않지만 그래도 그렇지. 계속해서 집 안 물건을 닥치는 대로 집어던지더라고. 우리 엄마 그러는 거 첨 봤어. 지긋지긋한 놈의 집구석이라고 소리치고, 흥분해서는 막 울고, 세탁소도 때려치우라고 아빠한테 소리치고. 그러더니 다음 날 입이 돌아갔어.”

그놈의 노트북이 문제구나, 나는 흙바닥에 운동화 코를 쿡쿡 찌르며 생각했다. 카드 빚 때문에 원룸의 보증금도 까먹고 아빠에게 잡혀 와 집에 눌러앉게 된 언니는 서울로 출퇴근을 하고 있었다. 인터넷 쇼핑몰 MD라는 직업에는 사양 높은 노트북이 필수였다. 그동안 저가의 노트북을 쓰고 있던 언니도 얼마 전부터 ‘소니 바이오’ 타령을 해 댔다. 엄마는 근심 섞인 한숨만 내쉬었다. 언제나 돈이 문제였다.

“마스크 쓰고 일하러 갔어, 오늘도.”

문득 아줌마가 헛웃음을 웃었던 그날의 일화를 오중이에게 말해 줄까, 하다가 달리 말했다.

"너희 집구석도 문제구나."

"아, MP3를 산 건 엄마 입 돌아가기 전이야."

아무튼 여름이 끝날 때까지 나는 오중이한테서 받은 아이리버 MP3를 서랍 속에 넣어만 두었다. 그사이 오중이네 엄마는 동네 한약방에서 침을 맞았고, 약을 복용하면서 치료를 받았다.

가을에 접어들자 언니는 엄마의 권유로 신용 회복을 위해 워크아웃 심사를 신청했다. 오빠는 대학원 졸업을 앞두고 논문 쓰는데 여념이 없었다. 피시방 알바도 계속하고 있었다. 엄마는 식당 일로 관절염이 생겼으며, 아빠의 작업복은 여전히 흙투성이였다. 나도 쳇바퀴 돌듯 학교와 학원과 독서실을 오갔다.

오랜만에 가족들이 모두 모인 주말 저녁이었다. 그래 봐야 기껏 텔레비전 개그 프로에 고개를 처박고 있는데 마당에 나가 있던 아빠가 소리를 질렀다.

"은행이 열렸다!"

"우리 집 은행나무에? 저게 암놈이었어?"

오빠는 믿기 힘들다며 맨 먼저 마당으로 나갔다. 시큰둥한 언니만 빼고, 나와 엄마도 그 뒤를 따랐다. 고개를 빼고 올려다보아도 은행 열매는 보이지 않았다.

"저기 봐라. 저 위에 안 보이냐?"

아빠가 가리키는 손가락 끝을 좇아 한참을 두리번거린 끝에 누렇고 작은 열매가 듬성듬성 매달려 있는 것을 보았다. 나도 모르게 피식 웃음이 새어 나왔다.

"달랑 저거야? 애쓴다, 애써."

오빠는 은행나무를 향한 내 비아냥을 흘려듣고는 아빠에게 의아한 듯 물었다.

"지금껏 한 번도 안 열리던 은행이 어째서 지금?"

"저 맞은편 아파트 단지에 얼마 전 은행나무를 심었잖냐. 아마 수나무를 심은 모양이다. 꽃가루가 여기까지 날아온 거지. 고놈 참 기특하네."

아빠가 은행나무의 둥치를 쓰다듬으며 그럴싸한 추리를 해 냈다. 엄마도 거들었다.

"이제는 우리 집에도 좋은 일만 있으려나 보다. 그치?"

엄마다운 발상이었다. 눈을 씻고 봐야 고작 은행 몇 알이었다. 그런데도 그 열매 몇 알에 한동안 아빠의 표정이 밝았다. 그 무렵 오중이 엄마의 입도 제 위치로 돌아와 나는 아이리버 MP3를 사용할 수 있게 되었다.

수학능력시험이 얼마 남지 않은 늦가을 밤, 학원 수업을 마친 귀갓길에 나는 오빠가 일하는 피시방에 들렀다. 마지막 입시 준비는 어떻게 해야 하는지, 지금의 내신으로 어느 정도의 대학을 바라볼 수 있을지 상의하고 싶었다. 밤에 아르바이트를 하거나 대학원에 가고 낮에 자는 오빠의 백수 생활은 나랑 시간이 맞지 않아서 도무지 얼굴 보기가 힘들었다. 피시방에 들어서자 문을 등지고 앉은 오빠의 뒤통수가 보였다. 오빠는 게임 속의 적군에게 총을 쏘아 대느라 열을 올리고 있었나. 한심한 인간. 이게 오빠가 말하는 문화 향유란 건가? 부아가 났다. 나는 오빠의 등 뒤에서 툭툭 어깨를 두드렸다. 꿈쩍도 하지 않았다. 오빠는 족히 30분을 더 총질을 한 후에야 카운터를 단골 고객에게 맡기곤 밖으로 나왔다. 게임 중독자가 된 한심한 오빠에게 내 미래를 상담하고 싶은 마음이 싹 가셔 버렸다. 그보다는 참아 온 불만이 솟구쳐 입이 다 근질거렸다.

"오빠. 왜 취직하기 싫어?"

"싫긴, 못 하는 거지. 그런데 프리터가 되고 보니 어느새 느린 삶에 길들여졌다."

"눈을 조금 낮추면 되잖아. 아빠가 일용직도 마다않는 것처럼 오빠는 왜 그렇게 못 하는 건데?"

나는 우기고 싶었다. 아무 일이나 하라고, 알바족이니 뭐니 하는 오빠의 궤변 따위 이제 그만 접고 가족을 위해 희생하라고. 오빠는 내 머리를 쓰다듬었다. 여덟 살 터울의 오빠는 내게 어른 같은 존재였다.

“꿈마저 잃은 루저로 살라는 거니? 글쎄다. 나도 처자식이 생기면 그렇게 될지도……. 모르겠다. 지금은 그저 하루에 하나씩, 하루는 내가 좋아하는 음악에 취하고, 하루는 게임 속 캐릭터에 취하고, 하루는 도서관에서 책 속에 파묻히고, 그렇게 살고 싶다.”

“그럼 도태되잖아.”

“그러면 왜 안 되는데?”

왜 안 되냐고? 그러면 현상 유지가 안 되니까. 죽도록 노력해도 쉽지 않은 세상이니까. 죽도록 공부해도 원하는 대학 들어가기 어렵고, 죽도록 애써도 돈 많은 신랑감 만나기 힘들고, 죽도록 공부해도 취직조차 안 되는데. 그러니까, 하루 종일 노래만 듣고, 게임만 하고, 책만 읽을 수는 없잖아. 나는 터져 나오려는 그 말을 눌렀다. 이런 식의 패기 없는 젊음, 스스로에 의해 유폐된 열정, 그런 내 자신에게 문득 경멸이 인 탓이었다. 오빠와 헤어지고 집으로 돌아가는 길이 유난히 어둡고 길게 느껴졌다.

동네로 들어서니 ‘태양 설비’라고 쓰인 아빠의 가게 간판에 이미 불이 꺼져 있었다. 미용실과 약국을 지나 아빠의 가게를 지나 골목으로 접어드는 모퉁이에 오중이네 세탁소가 있었다. 골목 안쪽으로 좀 더 들어가면 우리 집이었다. 걸음을 빨리했다. 세탁소에 거의 다다랐을 때 나는 멈칫 그 자리에서 서 버리고 말았다. 어쩐지 몸짓이 부산한 엄마와 세탁소에서 달려 나와 엄마에게로 돌진하는 아줌마. 심상치가 않았다. 엄마는 두 팔에 노트북을 감싸 안고서 뛰다가 아줌마에게 덜미를 잡혔다. 아줌마는 날렵하게 노트북을 빼앗았다. 그러자 엄마도 지지 않고 다시 아줌마에게로 달려들었다. 노트북을 가운데 두고 아줌마와 엄마의 팔이 뒤엉켰다. 그렇게 눌은 실랑이를 벌이고 있었다.

"왜? 우리 애도 조르는 거 못 사 주고 있는데. 왜 돈 빌려 간 느네는 돈도 안 갚고. 아들한테 300만 원짜리 노트북씩이나 사 주고. 어째 그런대? 이런 경우가 어디 있대?"

엄마는 타박하듯이 내뱉었다. 오빠 대학원 마지막 학기 등록금 때문에 밤잠을 설치던 엄마였다. 오중이네가 빌려 간 돈을 갚아 주었으면, 하면서 받으러 갔다가 번번이 빈손으로 돌아오곤 했었다. 오빠는 또 학자금 대출을 받아 남은 학기를 해결했고 엄마는 빚만 늘어난다며 또 한숨을 쉬었다. 그랬는데, 오중이네가 새 노트북을 사들인 모양이었다. 그렇지만 컴퓨터를 놓고 밤낮 싸우는 두 아들 때문에 입이 돌아간 아줌마였다. 나는 누구에겐지 모를 화가 북받쳤다. 노력이고 뭐고 다 때려치우고 싶은 심정이었다. 나는 당장 오빠에게 한 소리 하고 싶었다. 집안 꼴이 이런데 무슨 인생을 혼자 즐기려느냐고. 아니 아빠에게 말하고 싶었다. 왜 공부를 더 많이 하지 않았느냐고. 언니에게 화내고 싶었다. 엔터테인먼트 회사니 프로필 사진이 언니 인생의 무엇을 보장해 주느냐고. 엄마에게도 짜증이 났다. 그만그만한 형편끼리 아웅다웅하며 살아 봤자 나아지는 게 뭐냐고. 나는 못 본 척 등을 돌렸다. 다른 길을 돌아 집으로 들어가는데 먹먹한 가슴이 좀체 가시지 않았다. 지겨워, 지겨워. 나는 자꾸만 지겨웠다. 나는 대체 왜, 오빠의 느린 삶을 격려해 줄 수 없는 건지, 왜 언니의 꿈을 부정하기만 하는 건지, 왜 아빠의 시행착오가 원망스럽기만 한 건지, 엄마의 억척스러움이 왜 그리 참담한 건지, 나는 왜 가족들에게 남들보다 더 무언가가 되어야 한다고 몰아세우는 건지, 스스로에게 묻고 또 물었다. 나는 가족들에게도 묻고 싶었다. 불확실한 미래를 견디기 위한 나름의 좌표 같은 것이 당신들 가슴속에도 있는 거냐고, 정말이지 있기나 한 거냐고. 원래 가족이란 게 이런 건지, 살다 보니 그리 되는 건지, 구차하리만치 아등바등 사는데도 내 가족은 왜 다 이 모양인 건지, 알 수 없었다.

얼마 후 수학능력시험을 치렀다. 지망하는 학교에 합격할 수 있을 만큼의 성적이 나왔다. 나는 내 인생이 무척 시시해질지라도, 설사 지루하고 따분해질지라도, 불규칙적인 삶은 싫었다. 그래서 서울의 한 교육대학교에 진학했다. 교사만큼 안정적인 직업은 없다기에 미련 없이 택한 학교였다.

대학 입학과 동시에 서울로 거처를 옮겼다. 보증금 300만 원짜리의 다세대 주택 반지하 방이었다. 나는 부모님이 겨우 마련해 준 학비와 학자금 대출에 기대 매 학기를 메워 나갔다. 일찌감치 임용고시 준비에 들어갔고, 워드프로세서 1급, 컴퓨터활용능력 1급, 한자검정 1급, 한국사능력검정, 운전면허 2종 자격증을 취득했다. 토익 시험, 스피킹 시험, 인적자원관리사 시험도 봤다. 전부 오빠가 거쳐 온 과정의 반복이었다. 자유 경쟁 시대에 살아남는 길은 스스로의 가치를 높이는 것, 경쟁력을 키우는 것뿐이라고 교수들은 강조했다. 가끔 캠퍼스의 낭만이 아쉽다며 투덜대는 동기들도 있었지만 경쟁률이 높아진 임용고시 앞에서 그런 말은 그저 푸념으로 들릴 뿐이었다. 졸업식을 앞두고 나는 임용고시 합격 소식을 들었다. 그리고 몇 주 후 서울의 한 초등학교의 교사로 발령 통지를 받았다.

내가 사회에 나갈 준비를 하는 동안 내 가족도 나름의 삶을 사느라 분주했다. 아빠는 환갑을 넘기고도 벽돌을 날랐다. 빚을 줄여 나가고 있었지만 허리디스크가 심해졌다. 엄마는 관절염에 신경통까지 더해졌지만 사내 식당 일을 계속했다. 오빠는 백수 생활을 좀 더 누리다가 작은 벤처회사에 취직했지만 88만 원 세대라고 스스로를 조소하면서 다녔다. 곧 30대가 되는 언니는 20대 같은 얼굴을 유지하기 위해 돈을 처발랐다. 여전히 계약직 MD였지만 다행스럽게도 신용 회복을 위한 워크아웃은 잘 이행하고 있었다. 티브이 프로그램에 출연한 적도 있었다. 출연 소식을 동네방네 알리고 온 가족이 모여 앉아 본방 사수를 했다. 미해결된 범죄를 추적해 보는 프로그램이었는데 언니는 남녀 사기꾼 커플로 등장했다. 진짜 사기꾼같이 연기를 잘해서 우리는 말없이 각자의 방으로 갔다. 우리 집 은행나무는 그 후로 다시는 열매를 맺지 않았다. 오중이는 대학 진학을 포기하고 가수가 되겠다며 몇 년째 음반 기획사를 기웃거렸다. 아주 가끔씩 내게 전화를 해서는 아웃사이더 힙합전사의 고초를 주섬거리면서도 좋아하는 걸 하고 있으니 되었다는 둥 희망이 보인다는 둥 횡설수설하다가 끊고는 했다. 그마저도 이제는 뜸해졌지만 어쨌거나 오중이의 꿈은 여전한 모양이었다.

나는 초등학교 3학년 교사로 사회에 첫발을 디뎠다. 의욕만 넘치는 초보 선생으로 허둥지둥 살면서도 3년 차에는 보증금이 조금 더 높은 월세 원룸으로 이사를 했다. 교육공무원이라 은행에서 신용대출을 받기가 쉬웠다. 나는 통장을 두 개 만들었다. 정기적금, 펀드형 적금. 보편의 기준을 따라가려고 할수록 생은 언제나 빠듯하고 벅찼다. 살아 보니 아빠 말대로 더 나은 학벌이 아쉽기도 했고, 언니 말대로 유명 연예인만큼은 벌어야 여유 있게 살 수 있을 것 같았고, 그래서 엄마처럼 가끔은 로또 복권을 샀다. 현실의 삶을 위해 칠판 앞에 서지만, 때론 하루에 하나씩 하고 싶은 일을 하며 살고 싶다는 오빠의 말에 수긍이 가기도 했다. 하지만 뉴스를 통해 한 마트의 비정규직 시위 현장을 보고는, 그 속에 오중이네 엄마가 있는지 무의식중 살피며, 나는 지금의 내 일상에 안도했다.

*

현실에 기대어 살고 있는 내게 한 아이가 불쑥, 오래전 내 '장래 희망'을 들이밀고 있었다.

나는 아이에게 우주 비행사의 꿈을 되찾으라는 식의 말은 하고 싶지 않았다. 그렇다고 열두 살의 아이가 품은 정규직이라는 꿈을 긍정하고 싶지도 않았다. 아이에게도 나 자신에게도 무슨 말인가가 필요했다. 어쨌든 '학생생활기록부'에 아이나 아이에 대한 부모의 '진로 희망'이 정규직이라고 입력할 순 없었다.

나는 컴퓨터에 저장된 '진로 희망사항 조사표'를 새로 출력했다. 새 조사표와 함께 다시 작성해야 하는 이유가 적힌 가정통신문을 함께 전해 주어야 했다. 문서를 열어 문구를 작성했다. '포괄적 개념이 아닌 구체적인 직업을 적어 주세요. 정규직은 직업이 아니라 고용 상태이므로 무슨 직업의 정규직을 희망하는지…….' 키보드를 두드리다 말고 자리에서 일어나 창가로 갔다. 아무래도 부모님까지 정규직을 직업으로 착각할 리는 없었다. 창문에 이마를 대고 밖을 바라보았다. 텅 빈 운동장 끝자락엔 우리 집 마당 한 귀퉁이를 차지하고 있는 은행나무와는 비교도 안 될 만큼 둥치가 굵은 은행나무가 빈 가지를 흔들어 대고 있었다.

갓 발령받고 처음 맡았던 아이들에게 나는 절대로 부모님의 직업이나 사는 곳을 물어보지 않았다. 학기 초에 나눠 주는 '학교 생활지도 참고 자료'에는 부모님의 생년월일과 전화번호, 가족 관계만 기재하도록 되어 있었고 이외 특별한 일이 있어 정보 수집을 요할 시 동의하시겠느냐고 묻는 조항이 적혀 있었다. 묻지 않는 게 배려라고 생각해 온 건 지난 시절 내가 요구받았던 지나치게 자세한 질문들 때문이기도 했고, 인권 침해 방지를 위한 교육부의 방침이기도 했다.

어느새 나는 경력이 좀 되는 서른 초반의 선생님이 되어 있었다. 아이의 생활 환경에 대해 어디까지 알아야 하고, 어느 지점부터 모르는 게 배려인지 이제 와 혼란이 일었다.

오중이네 엄마가 생각났다. 아직도 마트 계산대에서 일하는 아줌마는 밤 11시가 되어서야 집으로 왔다. 지긋지긋하다고 물건을 때려 부수던 그 시절 아줌마의 꿈은 무엇이었을까.

칠순을 앞둔 아빠는 일이 없는 날에도 가게 앞을 서성였고, 일을 하고 온 날에는 밤새 끙끙 앓았다. 엄마도 식당 일을 계속했고 관절염에 좋다는 온갖 건강식품을 구입해 보내 줘도 효험이 없었다. 오빠는 취직한 지 3년 만에 벤처회사의 파산으로 다시 백수가 되었다. 취업 포기에 독신 계획까지 선언하자 집안이 또 한 번 발칵 뒤집어졌다. "이놈의 집구석!" 아빠 입에서 튀어나온 그 말은 빈도수가 나날이 늘어 갔다. 오빠는 '집구석'에 있을 수 없어 몇 년 전 서울로 독립해 왔나. 대학에 강의 나가는 날도 있고, 입시생 과외 교습도 하고, 게임도 하고, 주에 한 번은 팟캐스트 방송을 했다. 오빠가 생각하는 세상의 모든 부조리에 대해 왈가왈부해 댔는데 신기하게도 고정 청취자들이 있었다. 언니는 사기꾼 연기를 마지막으로 브라운관에서 사라졌다. 개인 워크아웃이 끝나자 다시 서울의 원룸으로 거처를 옮겼다. 쇼핑몰 MD에서 홈쇼핑 MD로 이직했는데 계약직인 건 여전했다. 언니도 결혼 생각이 없어 보였고 나도 사실은 그랬다.

창문을 열었다. 3월 중순의 대기는 봄이라고 하기엔 아직 차가웠다. 큰 들숨으로 공기를 흠뻑 들이켰다. 참지 못하고 날숨이 터졌다.

"땅 꺼지겠네."

최 선생이 교실 문 앞에서 얼굴만 빼꼼히 내밀고 말했다.

"그냥 가정통신문에 적어. 조사서 다시 작성해 달라고."

"민수 부모님이 모르고 이렇게 썼겠어?"

"어쨌든 생활기록부에 그대로 쓸 순 없잖아. 좀 그만하고 와. 접전이라고 지금. 으이그."

독촉하던 최 선생이 혀를 차며 돌아섰다. "세기의 대결을 못 보다니, 으이그."

잠시 문 쪽으로 향했던 고개가 교실 천장을 거쳐 빈 책상들을 지나 또다시 창문에 고정되었다. 아이가 커서 정규직이 되길 바라는 부모에게보다, 제 희망도 정규직이라고 적은 아이에게 무슨 말인가를 해 주고 싶었다. 하지만 그것은 내가 오래전에 잊었거나 버렸거나 잃어버린 말들이었다. 운동장을 산책해 볼 요량으로 외투를 걸치고 교실을 나섰다. 3반을 지나는데 선생님들이 한데 모여 티브이 화면만 바라보고 있었다. 나는 느릿한 걸음으로 계단을 지나 본관 문을 거쳐 운동장으로 들어섰다. 어느새 운동장 끝자락에 선 커다란 은행나무가 내 앞에 버티고 있었다. 두 팔로 둥치를 안았다. 뺨을 대고 눈을 감았다. 아이에게도 나 자신에게도 무슨 말인가가 필요했다.

주머니 안에서 스마트폰이 진동했다. 엄마였다. 늘상 하는 안부가 유난히 길게 늘어진다 싶더니 기어코, 아빠의 미장일이 줄어든 데다 수금의 어려움까지 겹쳐 애태우고 있다는 구구한 말이 변명처럼 이어졌다. 결국 돈 얘기였다. 그렇게 대놓고 말은 안 했지만 대출을 부탁하는 취지였다. 이미 두 번의 대출을 받아 주기까지 했다. 그러니 더 가능할지도 알 수 없었지만, 우리 집에서 신용대출을 받을 수 있는 사람은 나뿐이었다. 나는 거칠게 몸을 돌려 나무둥치에 던지듯 등을 기댔다. 묵혀 왔던 뭔가가 목구멍까지 차올랐다.

"엄마 나……."

엄마는 침묵했다. 격앙된 내 목소리에 주눅 든 엄마의 모습이 그려졌다.

"아니야. 알아볼게요."

말을 애써 삼키고 전화를 끊었다. 해답을 찾기도 전에 만나지는 것은 언제나 생의 복병이라고, 15년 전 나의 장래 희망과 15년 후 우리 반 아이의 장래 희망이 같더라고, 왜 이럴 것 같으냐고, 그런 투정이 하고 싶었던 것일까, 모르겠다.

나는 뛰듯이 걸어 교실로 들어갔다. 책상 앞 의자에 앉아 컴퓨터 전원을 켰다. 가정통신문서를 띄우고 아까 쓰다 멈췄던 형식적인 문장을 마저 적은 다음 출력을 했다. 뽑아 놓은 '진로 희망사항 조사표'에 '가정통신문'을 포개어 서랍 안에 넣었다. 그러곤 프린터기 위에 놓인 빈 종이 한 장을 책상 위에 펼쳤다. 방금 전 들었던 엄마의 주눅 든 목소리가 되살아났다. 나는 펜을 들었다.

'저 먼 우주에서 수만 광년을 날아온 밤하늘의 별빛처럼, 지금 네가 품은 희망도 힘겹게 네게 온 소중한 꿈이란다.'

펜을 다시금 꽉 쥐었다.

'다만 이제는 어떠한 직종의 정규직이어야 할지 고민해 보기 바란다. 그 꿈이 정해지면 선생님에게도 알려 주었으면 좋겠다.'

펜을 내려놓고 내가 쓴 메모를 보았다. 글자들이 일그러져 보였다. 종이를 반으로 접고 또 한 번 접은 다음 손으로 찢어 버리려는데 밖에서 사람들의 탄식 소리가 들려왔다. 최 선생이 가방을 어깨에 두르고 교실 안으로 들어섰다.

"졌어."

나는 리모컨을 들어 벽에 걸린 티브이를 켰다. 막 대국이 끝났는지 장내가 어수선했다. 이세돌 9단과 인공지능 컴퓨터 프로그램을 개발한 구글 팀원이 화면에 등장했다가 사라지고는 했다. 해설자가 아쉬움을 토로하는 가운데 화면 밑으로 크게 자막이 떴다.

'인류와 기계의 세기의 대국, 1승 4패 인공지능 알파고 승리로 마감'

"졌구나."

"이상하게 기분 나쁘네. 맥주나 한잔하고 가자."

나는 들고 있던 종이를 책상 위에 펼쳐 놓고 손바닥으로 접힌 부분의 주름을 폈다. 서랍을 열어 '진로 희망사항 조사표'와 '가정통신문' 사이에 메모가 적힌 종이를 끼워 넣었다.

최 선생이 리모컨을 찾아 티브이를 끄는 동안, 나는 가방을 들고 일어나 반쯤 열린 창문을 닫으며 물었다.

"혹시 투팍 알아? 갱스터힙합의 전설."

창문 밖 어둑해진 운동장 너머로 집집마다의 창문에서 형광등 빛이 소곤대듯 비어져 나오고 있었다.

"몰라. 아이돌 그룹을 물어봐 줘."

최 선생과 교실을 나섰다. 오래전 들었던 오중이의 랩이 귓가에 맴돌았다. 나는 그때처럼 고개를 까딱까딱거렸다. '이 세상엔 문제가 너무 많아. 아무도 네 고통을 느끼지 못해. 세상은 매일 바뀌고 시간은 빠르게 흐르지.'

클리타임네스트라

나는 요즘 아주 위험한 사랑을 하고 있다. 오늘 아침도 내 사랑에게, 나는 당신을 가질 것이고 당신도 나를 갖게 될 거라는 세 번째 편지를 건넸다. 이토록 나의 과분한 사랑을 받고 있는 대상은, 우리 집에 굴러들어 온 늙다리 하숙생 아저씨다. 서울 시내의 헌 집과 헌 가전제품과 헌 사람까지 알선해 주는 '벼룩시장'을 통해 배달되어 왔다.

아저씨는 자신을 극작가라고 소개했다. 드라마나 시나리오 같은 거요? 라는 내 물음에 아저씨는 정색을 하고 아니 희곡을 써, 라고 했다. 나는 그가 백수임을 간파했다. 그리고 그가 내 희곡으로 연극을 올리는 게 꿈이야, 라고 덧붙였을 때, 무수히 널린 작가 지망생 중 하나라는 결론을 내렸다. 이런 아마추어들은 꼭 자신의 꿈을 강조한다. 그게 자신의 정체성이라도 된다는 듯. 우리 반 꼴통 하나도 늘 이런 식으로 가수가 꿈이라면서 떠들고 다닌다. 그런 포부 하나 밝히는 것 따위로 자신이 특별해진 양 착각하는 꼴이라니.

아저씨가 처음 찾아온 날 나는 엄마를 쳐다보며 눈짓으로 사인을 보냈다. '하숙비 수금에 애로가 많겠어.'

엄마와 나 사이의 무언의 사인은 그간 99퍼센트의 적중률을 보여 왔다. 한데, 감각기관에 문제가 생겼는지 엄마는 내 눈짓을 읽어 내지 못하고, 백수 아저씨를 대뜸 하숙생으로 맞아들였다. 게다가 실제 작가가 아니라 작가 지망생이 분명해졌는데도 엄마는 엉뚱한 소리까지 덧붙이는 게 아닌가.

"나도 소녀 때는 시인이 되고 싶었는데, 그것도 다 옛날 얘기지만……."

소녀 때라니 그리고 시인이라니, 나로선 처음 듣는 얘기였다. 결국 이 늙다리 하숙생 아저씨는 내 사인을 놓친 엄마 덕분에, 세 개의 방 중 비어 있는 하나를 차지하게 되었다. 그리고 아저씨가 들어온 탓에 나는 원하지도 않는 보습학원엘 다닌다. 나는 대학 같은 데 갈 생각이 없었다. 그러므로 내 사교육비 충당을 이유로 하숙생을 들이는 일에 적극 반대했어야 했다. 남들 하는 건 다 해 주고 싶다는 엄마의 소박한 바람이 자기 넋두리로 옮겨 가기 전까지는 말이다. 결국 나는 엄마가 원하는 대로 입 다물고 학원이나 다녀 주는 게 최선이겠다는 생각을 했다. 그렇다고 해도 늙다리 작가 지망생이라니, 아무래도 생은 엉터리 일기예보만도 못하다.

아저씨가 하는 짓은 영 시답잖다. 매일 비디오를 두세 개씩 보고 만화책만 뒤적거리면서 낄낄대다가도, 무엇을 하느냐 물으면 한껏 심각한 표정으로 작품을 본다고 말한다. 그냥 만화책 본다고는 절대로 안 한다. 이렇게 별 볼 일 없는 아저씨를 내 첫사랑으로 삼게 된 것은 순전히 엄마 때문이다. 아저씨에게 거실이며 비디오며 맘껏 사용할 수 있는 권한을 줘 버린 건 그렇다 치자. 연속극 말곤 관심도 없던 엄마가 아저씨가 빌려 오는 비디오테이프 속의 주인공들 이름을 외우기 시작했다는 것도. 하지만 아침 6시에 엄마의 잠을 깨워 주던 알람 라디오 주파수가 10년간의 〈굿모닝 팝스〉에서 갑작스레 〈아침을 여는 영화음악〉으로 바뀌었기 때문에, 파우더뿐이던 얼굴에 분홍색 볼터치가 덧입혀졌기 때문에, 무엇보다 엄마의 꿈이 시인이었단 걸 나는 전혀 몰랐기 때문에, 그랬기 때문에 나는 온 마음을 다해 그를 사랑해 주기로 했다. 엄마를 위해 나를 기꺼이 사랑의 고통 속으로 내던진 것이다. 아저씨에게 건넨 내 편지의 내용이 엄마에게도 전해졌기를 바란다.

순구 엄마만 아니었어도, 이런 식의 순교는 안 해도 좋았다.

엄마의 건강식품점 옆에서 '세라 미용실'을 하는 순구 엄마의 넓은 오지랖은 항상 엄마와 나를 향해 있다. 엄마보다 한 살 많으면서도 엄마를 꼬박꼬박 언니라고 부르는 아줌마의 넘치는 붙임성이 나는 처음부터 맘에 들지 않았다. 엄마가 집과 인접한 시장통에 건강식품점을 냈을 때, 유달리 텃세 심한 동네라 여자 혼자는 힘들 거란 말을 해 준 것도 순구 엄마다. 맞은편 과일 가게 아저씨와 천원땡 가게 아줌마의 사이가 예사롭지 않다는 것을 알려 준 것도. 나는 종종 순구 엄마를 '순구 아줌마'라고 불러 그녀의 기분을 언짢게 만들곤 했다.

순구 엄마의 호칭은 '세라 엄마'다. 순구 엄마가 '세라 엄마'가 된 건, 아들 순구의 시대착오적인 이름을 은폐하기 위해서다. 나름대로 헤어 아티스트인 아줌마에겐 아무래도 '세라' 같은 단내 나는 이름이 필요했겠지만. 나는 아줌마의 지나친 참견이 얄미워 부득부득 순구 아줌마라고 불러 대곤 했다. 5개월 후면 고등학생이 되는 내게, 남들 다 하듯 사교육 정도는 시켜야 한다는 지론을 펼쳐 엄마를 긴장시킨 아줌마다. 급기야 얌전한 하숙생 한 명쯤 들여도 좋겠다는 쪽으로 엄마를 이끈 것도 아줌마의 넓은 오지랖과 엄마의 팔랑귀가 만든 어이없는 결과였다. 그러나 사실 아줌마를 기꺼이 세라 엄마로 불러 줘야 할 때가 더 많기는 하다. 그린마트 사장의 노골적인 시선에 대놓고 핀잔을 주는 순구 엄마가 아니었다면, 순해 빠진 엄마는 그저 어쩔 줄 몰라 하다가, 나 같은 박복한 년은…… 으로 시작하는 신파를 그 밤 내내 유행가 가사처럼 읊었을 테니까.

그럴 때마다 순구 엄마는 아빠의 실종을 이유로 당장이라도 생사불명 이혼소송을 해야 한다고 부추긴다. 이 부분에 대해선 뭐라 할 말이 없다. 아빠의 실종은 올해로 10년째다. 그러니 엄마의 '반 과부 신세'도 10년째에 접어들었다는 것만 자명할 뿐이다. 엄마는 자신의 신세를 종종 한탄했지만, 아빠를 탓하는 식은 아니었다. 자존심 있는 엄마다. 때문에 엄마가 아빠를 기다리고 있는 것인지, 아니면 추억에 빠져 있는 것인지 나는 알지 못한다. 그래서 나 역시 아빠에 대해 묻지 않는다. 엄마가 아빠를 기다리고 있다면 그건 아무래도 비극일 것이고 추억하고 있다 해도 역시 비극일 테니까. 나는 어느 쪽도 엄마에게 유리하지 않다고 생각한다.

바다 건너 뉴욕에 있다는 스탠포드호텔. 아빠가 사라지기 전 근무했던 장소다. 돈을 벌어 꼬박꼬박 엄마에게 송금하고, 주에 한 번씩 전화하고, 막 말을 배운 내 서툰 발음에 웃음을 보내던, 그랬던 아빠가 갑자기 종적을 감춘 미궁의 호텔. 그 140개의 방을 돌며 시설물을 관리했다는 아빠를 상상할 때마다, 텔레비전 드라마에 나오는 호텔 지배인의 모습이 떠오른다. 내가 아는 호텔 사람들이란 말끔한 양복을 차려입고 목에 나비넥타이를 맨 지배인의 모습뿐이다. 너무 어렸을 때 헤어진 아빠를 기억할 수는 없지만, 사진으로 각인된 아빠는 기계 설비사의 모습보다는 호텔 지배인에 더 어울렸다. 아빠도, 넓은 잔디가 있는 미국도 너무 멋졌다. 아빠의 미국 영주권 취득이 목전에 있을 즈음, 엄마는 IMF 때문에 어렵다는 친구들의 고민 앞에서 아빠의 선견지명을 다행스러워하곤 했다. 정확히 말하자면 엄마의 선견지명이랄 수 있었다. 마침 스탠포드호텔 한국인 사장과의 멀다면 멀고 가깝다면 가까운 친분이 아빠의 미국행을 성사시켰다. 아빠가 미국으로 가기까지의 이야기는 엄마를 통해 숱하게 들었다. 그렇게도 바라던, 미국 이민이라는 엄마의 오랜 꿈이 곧 현실로 다가오고 있었다. 라디오 채널 〈굿모닝 팝스〉로 아침을 열기 시작한 엄마는, 진행자가 "굿모닝 에브리원." 하고 인사할 때마다, 최대한 말려진 혀로 "굿모오닝 에브리워언." 하며, 흉내를 내곤 했다. 아빠의 송금이 조금씩 늦어지고, 전화가 뜸해지고 있었지만 엄마의 기대는 여전했다. 나는 동네 꼬마들에게 미국으로 갈 거라며 자랑하고 다녔다. 그즈음 아빠가 사라졌다. 수소문할수록 아빠의 실종이 확실시되고, 사고가 아닌 의도적인 사라짐이었다는 정황이 분명해질수록 엄마는 일곱 살인 나를 여러 날씩 방치해 두기 일쑤였다. 엄마 자신도 방치되어 있었다고 해야 맞겠다. 그런 어느 날 밤, 엄마는 락스를 가득 담은 대접을 앞에 두고 내게 말했다.

"먹고 죽자."

나는 그때 락스를 먹으면 정말 죽는 건 줄 알았다. 엄마가 왜 하필 독약이나 수면제도 아닌 락스를 먹자고 했는지는 아직도 의문이다. 하지만 그날 밤 락스를 마시고 정말 죽을 뻔한 건 나였다. 아빠가 나를 버렸다는 사실이 얼마나 큰 슬픔인 건지 나는 몰랐으므로, 사실 죽어야 할 이유는 없었다. 사진 속의 아빠와 전화선 저쪽의 아빠 목소리를 좋아했지만, 실종과 배신을 연결시키지 못하고 있던 나였다. 다만 엄마가 너무 서글프게 울고 또 울어서, 반대로 나는 그저 배가 고프기만 해서, 엄마의 슬픔에 동참하고 싶다는 의리로 원샷을 해 버렸을 뿐이다. 엄마는 나를 업고 새벽길을 달렸다. 들썩대는 엄마 등에 락스를 다 토해 버리고 탈진한 채 업혀 가면서, 미친년, 미친년 하는 엄마의 울음 섞인 말을 들었다. 나를 향한 것인지 엄마 자신을 향한 것인지 알 수 없었지만, 적어도 박복한 년 같은 소리는 아니라서 다행이었다. 락스가 내 위장을 살균하는 동안, '까맣게 탔다'는 엄마의 심장도 표백되었을 거라고 나는 믿었다.

엄마는 순수하고 감상적인 사람이다. 솔직히 말하면 철딱서니가 없다. 당사자는 세상물정 모른 채로 살면 그만이겠지만, 지켜보는 나는 그 아슬아슬함 때문에 희생을 강요받는 기분으로 엄마의 인생에 적극 개입하게 된다. 늘 어디가 아프다며 엄마는 곧잘 엄살을 부린다. 올해만도 벌써 두 번이나 간 검사와 갑상선 검사를 받고, 소변 검사와 미네랄 검사를 받고도 간암이 아닐까 걱정하는 엄마를 다독여 주어야 했다. 실제로 엄마의 몸에 이상이 있는 것은 아니었다. 거듭된 '노멀' 판정이 그 증거다. 게다가 나는 하루에도 수십 번씩 걸레질을 하는 엄마를 볼 때마다 어쩔 줄 몰라 해야 하고, 급기야 유한락스로 벽지까지 소독해 댈 때는 손쉬운 세균 박멸 제품 어디 없나 인터넷을 샅샅이 뒤지기까지 했다. 다단계 외판원들의 상품을 걸핏하면 12개월 무이자 할부로 사들이는 통에 그 물건들을 매번 되돌려 보내야 하고, 엄마에게 수작을 거는 세탁소 아저씨와 그린마트 사장을 열심히 흘겨보아야 한다. 아침에 일어나면 늘 방문을 열어 내 생존 여부를 확인하는 엄마에게, 크게 가슴을 들썩이며 두어 번 숨 쉬는 시늉을 해 주는 일은 락스 사건 후로 이제 일상이 되었다. 도대체가 세상에 대한 엄마의 순해 빠진 시선은 어디에서 근거한 건지 모르겠다. 우리 모녀가 함께 겪어 온 녹록지 않은 경험들 속에서 냉소를 키운 건 오직 나뿐이었다.

그런 데다 이제는 자기보다 일곱 살이나 어린 하숙생 아저씨

앞에서 소녀 시절의 꿈까지 떠올리는 엄마라니! 엄마가 나만큼만 철이 들었어도 이런 걱정 따윈 안 했을 거다. 엄마가 목숨 걸고 보는 불륜 드라마 속의 주인공들에게 배울 건 좀 배워야 하지 않은가. 가난한 데다 애까지 딸린 미혼모가 재벌 집 총각 아들로부터 집이며 차며 생활비며 심지어 목숨까지도 곧잘 뺏어 온다는 뭐 그런 유의 드라마처럼 말이다. 그 정도까진 못하더라도, 하숙비조차 위태한 백수 작가 지망생은 아니어야 하지 않은가. 정말이지 눈이 낮아도 너무 낮다. 거기다 립스틱을 바르기 시작한 엄마 때문에 나는 이제 골치가 다 아프다. 어떻게든 엄마와 아저씨를 엮어 보려는 순구 엄마의 웃기는 중매질까지 합세했으니 해도 너무한 상황이 아닐 수 없다. 분명, 순구 엄마는 내 엄마와 하숙생 아저씨를 부추기고 있다. 아줌마의 네 살 연하 남편은 그렇다 치자. 요즘 연상 연하 커플이 대세라고도 해 주자. 그렇지만, 과년한 딸이 두 눈 시퍼렇게 뜨고 있는데 난데없이 웬 삼류 멜로란 말인가.

그러니 엄마와 순구 엄마의 잦은 대화는 위험하다. 그런 생각이 들자, 나는 학교에서 엄마 가게까지 40분 남짓한 거리를 25분 만에 달려왔다. 발칵 문을 열자 예상대로 순구 엄마가 입을 놀리고 있다. 저 입은 쉴 줄을 모른다. 그런데 예상치 못했던 하숙생 아저씨도 있다. 아저씨도 나를 보더니 놀란다. 얼음 땡 놀이라도 하는 모양이다. 내가 땡을 해 준 것도 아닌데, 아저씨는 우리 소크라테시 왔니? 하고는 끼우던 전구를 다시 돌린다. '소크라테시'는 아저씨가 지어 준 내 별명이다. 소크라테스 같은 알 수 없는 소리만 하는 여자아이에겐 딱 어울리는 이름이란다. '소크라'는 웃기지만, '테시'의 어감은 나쁘지 않다. 뭐, 아무렇든.

"역시 남자가 있으니까 다르긴 다르네. 우리 세라 아빠도 나보다 어린데. 우리 작가 선생님처럼."

작가 선생님이 아니라 작가 지망생이라고, 세라 아빠가 아니라 순구 아빠라고 정정해 주고 싶은 것을 참느라 입이 근질거린다. 대신 엄마를 흘겨보지만, 엄마는 비싼 홍삼 엑기스를 아저씨에게 건네며 내 시선을 피했다. 정말 웃기는 건, 내가 일찌감치 공구 세트까지 사다 놓고 드릴로 못 박는 법하며 나사 조이는 법까지 알려 줬건만, 곧잘 하던 엄마가 저 하찮은 전구 하나를 제 손으로 못 끼워 남자를 필요로 했다는 사실이다. 아저씨가 자발적으로 전구를 끼워 주었든, 요청에 의한 것이었든, 전구 따위는 엄마도 끼울 줄 안다. 나는 아저씨를 향해 큰 소리로 묻는다.

"내 편지 읽었어요?"

"어, 그래……."

전구를 끼우던 아저씨의 손이 헛돈다.

"어땠어요?"

"어, 그래……."

대체 뭐가 어, 그래…… 라는 말이지? 내가 입을 떼려 하자 순구 엄마가 내 볼을 꼬집으며, 학원 잘 다니지? 엉뚱한 질문을 한다.

"순구는 미술학원 잘 다녀요, 순구 아줌마?"

순구 엄마는 나를 곧 잡아먹을 거 같다.

엄마는 내게 무슨 편지냐고 묻지 않는다. 내용을 알고 있음이 분명하다. 엄마의 얼굴에 핀 분홍빛이 자연산인지, 볼터치인지 가늠해 보려 했지만 쉽지 않았다.

지금 내 기분을 질투라고 한다면, 엄마에 대한 질투여야 하는지 아저씨에 대한 질투여야 하는지 나도 헷갈린다. 물론 아저씨를 적으로 삼을 수도 있었다. 하지만 그건 머리 나쁜 아이의 발상이다. 자칫 어린애의 투정으로 여겨질 수도 있기 때문이다. 그러므로 역시 내가 할 수 있는 일은 하나다. 일테면, 여자로서 엄마와 겨루는 일.

홍삼 엑기스를 벌컥벌컥 들이켜는 아저씨의 젖힌 목 위로 굵은 목젖이 보인다. 세상엔 낯선 것들이 도처에 있다. 엄마의 시선도 나와 같은 곳에 있다고 여겨지는 건 나만의 착각일까?

"앞으로 이런 일은 저를 시키세요. 아까처럼 무리하지 마시고."

"언니, 집에 남자가 있으니 얼마나 좋우. 하숙생이 아니라 가족이지 뭐야 가족. 안 그래?"

가족? 누가? 우리가? 언제부터 벼룩시장이 가족까지 배달해

줬지?

"가족으로 받아 주시면 저야 좋죠. 아름다운 누님에, 똘똘한 조카까지. 제가 복이 많네요."

도대체 촌수 개념이 있는 사람인가? 내가 왜 조카인가. 나는 당신의 애인이다. 그게 당신의 복이다. 대학로에서 연극을 올린다며 티켓 두 장을 엄마에게 건넨 나의 복 터진 애인은 두툼한 가방을 어깨에 걸치고 극단이 있다는 대학로로 향했다. 순구 엄마는 낭만적인 젊은이라며 호들갑을 떤다. 맞은편 과일 가게 아저씨와 천원땡 가게 아줌마가 결국 각자의 가정을 팽개치고 함께 도망갔더라는 시답잖은 소문을 전해 줄 때만큼이나 들떠 있다. 역시 대단한 오지랖이다. 나는 엄마의 가슴을 본다. 풍성한 가슴. 괜한 질투심이 인다.

"나 가슴이 커졌어. 브래지어가 작아."

나도 모르게 튀어나온 말이다.

"그대론데?"

눈치 없는 아줌마의 참견에 화가 치민다.

"나 좋아하는 사람 생겼어. 첫사랑이야."

내뱉곤 가방을 낚아채듯 들고 뒤도 안 돌아보고 나와 버린다.

나는 정말이지 엄마가 근처 문화센터에서 도예나 꽃꽂이나 요가를 배우면서 우아하게 살아 주기를 바란다. 아니면 교회에 나가 봉사라도 했으면 한다. 그게 내가 바라는 여유 있고 삶을 즐길 줄 아는 엄마의 모습이다. 한데 엄마는 하숙생 아저씨와 맥주를 마시며 저녁 시간을 흡족해한다. 아저씨의 담배를 뜬금없이 받아 피워 보곤 기침을 해 대고, 등을 두드려 주는 어린 남자의 너털웃음에 수줍어한다. 엄마는 도대체가 응용도 못하는 불륜 연속극이나 보며 눈물을 훔치고, 순구 엄마가 건네주는 음란 비디오테이프나 보고, 그러고도 엄마 자격이 있단 말인가?

포르노 테이프? 내가 모를 거라 생각하면 오산이다. 엄마는 아저씨가 들어오기 훨씬 전부터 순구 엄마가 빌려주는 음란 비디오테이프를 나 몰래 봤다. 안방 문갑 깊숙한 데서 우연히 발견한 비디오테이프를 화면으로 봤을 때, 그야말로 동물적이랄 수밖에 없는 섹스 행위에 눈이 튀어나올 뻔했다. 인터넷 음란 사이트에서 본 그 어떤 야한 동영상보다도 훨씬 수위가 높은 포르노란 사실에 경악했다. 열심히 사이트를 뒤져 봐도 구할 수 없던 생생하고도 생생한 포르노였다. 오래 찾아 헤맨 것을 겨우 발견한 자의 전율까지 부인하지는 않겠다. 하지만 뒤이어 온 것은 언짢음이었다. 왜 하필 엄마와 나의 고요하고 평화로운 공간 속으로 이런 이물질이 침입해야 하는지. 그러니까 내가 엄마 몰래 음란 동영상을 보더라도, 그건 비밀리에 이루어진 것이라 고요를 해칠 만한 것은 아니었단 얘기다. 아니다. 이건 솔직하지 못하다. 그보다는 내 엄마가 성적인 해소를 필요로 한다는 사실이 당혹스럽다. 누군가와 성관계를 갖는 엄마의 모습은 상상할 수가 없다. 나는 비디오테이프의 필름을 손으로 뜯어냈다. 아깝지 않은 것은 아니었지만, 그걸 갖고 있는 엄마는 싫었다. 그 후, 엄마는 내게 비디오테이프의 행방을 묻지 않았다. 며칠 뒤 순구 엄마가 내 볼을 힘주어 꼬집은 순간, 나는 아줌마의 의도를 알아챘다. 방탕한 아줌마 같으니!

퉁퉁 부은 마음으로 집에 돌아온 나는 엄마의 화장대 앞에 신경질을 부리며 앉았다. 립스틱과 파우더 옆에는 '레티놀 2500'이라고 쓰인 화장품이 있다. '주름 개선용'이란 글씨가 눈에 띈다. 링클 제품이라고 쓰인 콜라겐 크림엔, 줄어드는 콜라겐을 보충해주어 주름을 개선한다고 쓰여 있다. 주름을 개선해 주는 화장품이 필요한 나이. 그게 올해 마흔 살이 된 내 엄마다. 설사 나보다 가슴이 조금 더 크다고 해도, 내 피부 속의 콜라겐은 아직도 차오르는 중이다. 레티놀 따위를 구석구석 바르지 않아도 되는 나이다. 한마디로 나는 아직 미끈하다. '미끈하다'라는 표현만큼 내 나이의 몸을 가장 잘 표현해 주는 단어가 또 있을까? 노땅들이 한번 어떻게 해 보고 싶어 안달인 원조 교제의 대상이고, 로리타 신드롬의 주인공이다. 나는 경쟁력이 있고, 엄마는 경쟁력이 없다. 그동안 나는, 이렇게 미끈한 상태로 젊음을 누리다 스물아홉엔 미련 없이 삶을 버릴 작정이었다. 솔직히 지금도 나는 너무 일찍 세상을 알아 버린 포만감 때문에 남은 생이 좀 지루하다. 그런데 열아홉도 스물아홉도 아닌 마흔이라니. 그건 엄마이기 때문에 가능한 삶이라고 생각한다. 그러니까 엄마의 스물아홉은 엄마의 여성이 살 만해서 기꺼이 살았던 생이고, 마흔엔 엄마로서니까 살아지고 있다는 얘기다. 어머니는 여자보다 강하다고, 마흔 살의 여자에게 이보다 위로가 되는 구호는 없을 거다. 미끈하지 않은 여자로 어떻게 마흔을 살 수 있겠는가. 레티놀 따위에 의존하며 살기엔, 자신을 대면해야 하는 남은 날이 너무 많다. 반면 엄마와 달리 나는 온전히 젊다. 그러므로 옆방 하숙생 아저씨를 갖는 것쯤은 어려운 일이 아니다. 얼마 전, 짧은 핫팬츠에 배꼽 나시티를 입고, 아저씨 앞에서 엉덩이를 내민 채 리모컨을 집었을 때다. 점점 불룩해지는 아저씨의 우스운 융기를 보며 속으로 쾌재를 부른 나였지 않나. 이미 효과가 입증되었으므로 앞으로의 상황도 충분히 긍정적이다.

그날 저녁, 엄마는 웬 책 한 권을 사 가지고 왔다. '여자 나이 마흔'이라는 제목이었다. 이제야 나이를 자각하려는지, 나로선 반가운 일이다. 엄마는 독서를 할 필요가 있다. 엄마의 샤워하는 소리를 거실에서 들으며 책을 건성건성 훑어보았다. 마흔의 정체성이 어쩌고, 자아가 어쩌고 하는 시시껄렁하고 빤한 문구들. 남들도 다 아는 얘기를 기발한 것인 양 해 대는 저자들은 정말이지 뻔뻔하다. 마침 욕실 문이 열리고, 동시에 현관문이 열렸다. 샤워 후 수건으로 중요 부위만 가리고 나온 엄마와, 그런 엄마를 얼빠진 듯 쳐다보며 굳어 있는 아저씨. 그 사이에서, 나야말로 무슨 짓이든 해 댈 것만 같았다. 서둘러 다시 욕실로 들어간 엄마와, 서둘러 문을 닫고 다시 밖으로 나간 아저씨 사이에서, 나는 멈췄던 숨을 몰아쉬며 분통을 터뜨렸다.

다시 빠끔하게 문을 열고 나온 엄마가 후다닥 안방으로 달려갔다. 엄마를 따라 들어간 나는 미쳤어? 문도 안 잠그고 뭐 했어? 왜 그렇게 칠칠맞지 못해? 침을 튀기며 바닥을 탕탕 쳐 댔다. 덜렁대는 며느리를 나무라는 시어머니 꼴이었다. 엄마는 속옷 하나를 찾는데 허둥대며 헛손질만 해 댄다. 대신 내가 속옷을 찾아 엄마에게 던졌다. 씩씩거리면서도 내 시선은 자꾸만 엄마의 벗은 뒤태로 향한다. 늘 봐 왔는데도 처음 보는 것처럼 낯설다. 새하얀 살결과 마흔 살 여자의 완숙한 뒤태. 몰랐을 뿐, 내 엄마는 아직 탱탱하고 예뻤다. 나는 몹시 불안해지고 말았다. 엄마의 육체가 나를 긴장하게 만들리라는 생각은 한 번도 해 본 적이 없다. 비로소 나는 아빠의 무책임한 실종에, 직무를 유기한 아빠에게, 아니, 직무를 유기한, 엄마의 남편에게 몹시 화가 났다.

아빠는 대체 어디로 사라진 걸까? 나와 엄마를 잊은 걸까? 하지만 나는 아빠가 다시 돌아오리란 기대는 하지 않는다. 엄마도 그랬으면 좋겠다. 남자란 원래 다 그러니까. 〈동물의 왕국〉 같은 프로만 보더라도, 수컷들은 교미가 끝나면 암컷을 버리고 떠난다. 그런 수컷 따위의 포유류를 볼 때마다, 저들이 초원을 떠돌다 자신의 천적을 만나, 결국엔 잡아먹히고 말리라는 악의적인 바람으로 가슴이 두근거리곤 했다. 무서운 정글의 법칙이 발목을 잡지 않았다면, 수컷은 암컷과 새끼에게 어떻게든 돌아왔을지도 모를 일이라고 믿고 싶었다. 적어도 배신은 아니었다고 말이다. 그래서 나는 아빠를 기다리지 않는다. 미국의 드넓은 정글 속에서, 멋진 격투 끝에 장렬히 전사했을 것이기 때문에. 그래서 더욱 아빠가 차라리 죽었으면 좋겠다고 생각한다. 버림받는 것보다는 그게 낫기 때문이다. 어찌 되었건 수컷 없이도 암컷은 새끼를 기른다. 도망간 수컷을 찾아 나서는 암컷은 본 적이 없다. 나는 애써 아빠의 부재를 무시하기로 한다.

뭐 하다 온 건지, 아저씨는 두 시간쯤 후 조심스럽게 초인종을 눌렀다. 허술하고 낡은 파란 대문쯤은 무심코 지나쳐 현관을 두드리던 아저씨였다. 이렇게 대문도 넘지 못하고 그 앞에서 벨을 누르는 심약함이 가소롭다. 나는 아저씨에게 적대감을 표하는 우를 절대 범하지 않으리라 이미 다짐하고 있었다. 그랬다간, 내 엄마와의 심상치 않은 기류를 인정하는 모양새가 될 뿐이니까. 아저씨는 늘 그랬듯이 몇 개의 비디오테이프를 들고 있었다. 아저씨가 빌려 오는 영화들은 대체로 흑백영화거나 아주 오래된 이태리 영화거나 아니면 프랑스 영화들이었다. 어색한 웃음을 흘리곤 방으로 서둘러 들어가려는 아저씨에게 나는 일부러 엄마까지 불러 함께 비디오를 보자고 했다. 정말이지 그래야 했다. 거실 중앙에 앉은 엄마와 아저씨의 자세가 어정쩡하다. 나는 아저씨가 빌려 온 비디오테이프 중에서 하나를 집었다. 영화가 시작되고, 냉장고 안의 맥주 캔이 줄어들수록, 엄마의 표정이 스르르 풀어진다. 어느새 아저씨도 슬쩍 소파에 등을 기대고 있다. 그런데 하필 아저씨가 빌려온 영화의 내용이 영 마뜩잖다. 저의가 의심스러울 정도다. '남과 여'란 제목의 영화에 나오는 미망인이 내 엄마와 동일시되는 것에 점점 불쾌해진다. 영화 속의 '남과 여'가 알 수 없는 눈빛을 교환하고, 어렵게 손을 잡고, 망설이며 키스를 하자, 내 배 속이 꾸륵꾸륵 요동을 친다. 홧김에 맥주 캔 하나를 따서 벌컥벌컥 마신다. 엄마는 내 손에서 캔을 낚아채고는 눈에 힘을 준다. 아무렴, 나는 당신의 딸이니까.

"무슨 영화가 화면 색이 저래. 파란색이다가 빨간색이다가 흑백이다가 노랑이다가 컬러였다가……. 헷갈리고 복잡해."

트집하는 내게 미래의 극작가께서 잘난 체를 하신다.

"모노크롬 필름을 사용한 거야. 남자가 죽은 아내를 회상하거나, 여자가 죽은 남편을 추억하거나, 현재의 사랑 때문에 갈등하거나, 그럴 때 감정선을 따라 화면 색을 조절한 거야. 영상미가 대단하지. 어때, 멋지지?"

하기는 바람난 과부와 홀아비의 사랑 따위가 무슨 재미겠는가? 영상미든, 내내 깔아 주는 저 달짝지근한 음악이든, 관객을 홀리기 위해선 그야말로 별도의 기술이 필요했다는 거 아니겠나. 사랑 같은 걸 믿으라고 집단 최면을 걸기 위해선 말이다. 빤히 보이는 수작이라니. 벌써 다섯 개째 캔 맥주를 들이키는 아저씨는 점점 말이 많아진다.

"클로드 를루슈 감독이 만든 명작이에요. 아이랑 해변을 걷는 여자를 보고 모티브를 찾았대요. 지친 여자에게, 그나마 아이가 위안이 되는 것 같아 보였다죠. 그런데 아이만으로 충분했다면 왜 바다에 왔을까? 감독은 생각했대요. 그래서 만들어진 영화라죠."

"알 것 같네요. 그러고 보니, 바다를 본 지 10년은 된 것 같아요."

정말 순진해 빠진 두 분이시군. 저 정신 사납고 현란한 영상에, 저 간지러운 음악에, 이렇게 순순히 심취해 주는 착한 관객이라니. 감독 만세다.

"저기 나오는 해변은 노르망디에 있는 도빌이란 곳이에요. 언젠가 꼭 한번 가 보려던 곳이죠. 저런 바다를 보여 드리고 싶네요……."

더는 들어 줄 수가 없다. 내가 놓은 덫에 스스로 걸려 넘어진 기분이란 게 이런 걸까. 어느 순간에 끼어드는 게 좋을까. 이 자리에서 반드시 내 편지에 대한 감상을 들어야만 한다. 내 머릿속은 빠르게 회전하고, 동시에 배 속의 공기도 자꾸만 팽창하는 것 같다.

"사는 게…… 참 외롭지요?"

아저씨의 주제넘은 물음에 이번엔 내가 엄마를 뚫어져라 쳐다보았다.

"그러네요."

엄마의 말이 떨어지자, 꾸륵대며 부풀던 속이 거짓말처럼 팽창을 멈춘다. 알 수 없는 배신감에 현기증이 다 난다. 이제는 엄마가 나에 대한 직무유기를 하고 있다. 나는 비로소 내가 위태한 상황에 놓였음을 깨달았다.

사랑은 오직 처한 환경과 상황 때문에 발생한다. 기껏 그런 동기로 시작되는 것이다. 그러니까 엄마가 처녀 시절, 부천 오류동에 있는 K화학에서 경리로 일하지 않았다면 그곳에서 기계설비 일을 하던 아빠를 만나지 못했을 것이고, 급기야 결혼까지 하는 일도 없었을 거다. 또한 하숙생 아저씨가 엄마와 내가 사는 파란 대문 집으로 오지만 않았어도, 일곱 살 연하의 남자가 마흔 살 유부녀의 외로움까지 걱정할 필요는 없었을 거란 얘기다. 결국 이

것은 운명이나 복잡미묘한 감정의 문제가 아니라, 혼자 된 여자에게 젊은 남자 하나가 어쩌다 끼어든 그저 그런 일에 불과하다는 말이다. 나 역시 불청객인 그를 원래 있던 곳으로 되돌려보내기 위해 어쩌다 위험한 사랑까지 하고 있듯이. 엄마와 아저씨가 서로를 사랑하냐고? 물론 그건 말도 안 되는 추측이다. 상황에 따른 사소한 대응들이 누적되고 있을 뿐이다. 그렇지만 누적되어 어쩔 수 없어지면 그땐 정말 낭패다. 나는 더 미룰 수가 없었다.

새벽 3시. 뒤척대다 잠들기를 포기해 버렸다. 거실로 나오자 살짝 벌어진 커튼 사이로 흘러 들어온 달빛이 내 방문만을 겨우 비추고 있었다. 어둠 속에 잠긴 엄마의 방문과 아저씨의 방문은 짙은 회색이다. 나는 엄마의 방문을 살짝 열었다. 잠든 엄마를 지나, 문갑 위의 오디오 앞에 섰다. 주파수는 얼마 전에 바뀐 표준 FM, 예약 시간은 언제나처럼 아침 6시에 맞춰져 있다. 10년째 〈굿모닝 팝스〉로 아침을 시작하면서도 여전히 "굿모닝 에브리원."밖에 할 줄 모르는 엄마지만, 익숙한 그 소리가 나는 좋았다. 그러나 10년간 고정되어 온 주파수가 아빠에 대한 기다림 때문이었다면, 엄마는 어리석다. 그 어리석음이 역설적으로 다른 만남과 기대를 가능하게 한 것은 아닐까. 엄마는 배신에 관한 한 선천성 면역 결핍증이다. 아빠의 실종만큼 강력한 백신주사를 맞고도 다시 사랑을 꿈꾸는 심각한 면역 결핍증 환자. 기껏 표준 FM의 〈영화음악〉

으로 주파수를 바꾸었대도, 그들이 내보내는 파장은 하나일 뿐임을 왜 엄마는 눈치채지 못하는 것일까. 예약 시간 6시를 두 시간 앞당겨 설정하고 돌아서자 이제는 모든 것이 명료해진 기분이다. 엄마의 방에서 나와 내 방을 지나 나머지 방문을 열었다. 만화책을 펼친 채 자고 있는 아저씨는 아무래도 백수의 조건을 완벽히 갖추고 있다. 대체 하숙비는 어디서 마련하는 걸까. 조심조심 아저씨 옆에 누웠다. 아직 가시지 않은 맥주 냄새가 눅눅하다. 얼굴을 가만 뜯어보니, 내 첫사랑의 대상으로 심하게 억울할 건 없다는 생각도 들었다. 아저씨의 입술에 조심스레 입을 갖다 댔다. 어렴풋하게 잠에서 깬 아저씨의 동공이 점점 커진다. 입술을 제대로 포개기 위해 몸을 밀착시키려 하자 아저씨가 나를 밀쳐 내는 바람에 자존심이 상해 버렸다. 늙은 남자의 까칠한 몸에는 과분한 내 몸이다. 잠옷을 벗고, 브래지어를 풀자 아저씨는 상체를 발딱 일으켰다.

"뭐 하는 거냐."

아저씨의 목소리가 떨렸다.

"가져, 갖게 될 거라고 했잖아."

그가 나가라고 했던가, 안 된다고 했던가, 이러지 말라고 했던가, 나는 그의 말을 묵살해 버렸다. 몸으로 안 되는 남자는 없다. 아저씨도 예외는 아니었다. 저항하던 몸짓에서 조금씩 힘이 풀어지는 게 느껴졌다. 미끈한 내 몸이 아저씨의 몸 위로 오른다. 돌연 내 등 뒤로 찬 기운이 스쳤다.

"나가."

엄마의 새된 목소리다.

"당장 나가."

부러 겁에 질린 얼굴을 하고 뒤를 돌아본다. 엄마는 내가 아닌 아저씨를 노려보고 있었다. 나가야 할 사람은 내가 아니라 아저씨다. 엄마가 울어 버릴지도 모른다고 생각했다. 한데 표정이 다르다. 내가 옆집 형제들과 싸워 멍이 들고 왔을 때, 맞고 다니지 말라며 나를 외려 더 때렸던 그때의 엄마 얼굴이 저랬을까. 아니다. 나를 업고 새벽길을 달리던 엄마의 표정이 저렇지 않았을까. 아마도 그랬을 거다.

엄마는 몸을 부들부들 떨어 댔다. 당장이라도 아저씨를 향해 달려들 것 같다. 당혹감을 감추지 못한 채 무슨 말인가 하려던 아저씨는 체념한 듯 나를 거칠게 떼어 놓고는 손에 잡히는 대로 옷을 걸쳐 입고 밖으로 나갔다. 그의 초라한 뒷모습. 그리고 엄마의 꺾이는 무릎. 아마도 그가 다시 오는 일은 없을 것이다. 노르망디의 도빌은 안녕이다. 엄마 방에서 음악 소리가 낮게 흐르고 있다. 나는 나의 비열함에 찬사를 보냈다. 이 순간은 분명 위대한 모성의 승리였다. 여성성을 껴안은 모성의 승리. 사랑에 빠진 자의 승리가 아니라 하는 자의 승리였다. 이면엔 고귀한 동기가 있었다. 딸이 엄마를 수컷들의 세계에서 구해 준다, 그러기 위해 자신을 희생한다는 비극적인 동기 말이다. 순결한 임무를 완수하자 기진맥진해지며 허탈이 밀려온다. 나는 엄마를 위해 치욕도 감수한 것이다. 그러고 보니 나는 정말 오래 살았다는 생각이 든다. 살아온 16년의 세월이. 아, 마흔까지 살아 낸 엄마의 모성에 감탄할 뿐이다.

다시 적정량의 고요와 평온이 엄마와 나의 집으로 찾아들었다.

엄마는 가게 일을 더 열심히 했다. 집에 있는 시간보다 가게에 나가 있는 시간이 훨씬 많아졌다. 나와 마주치는 시간이 줄어든 셈이다. 나는 엄마가 스스로를 벌하는 거라고 생각한다. 딸의 첫사랑을 넘본 죄책감 말이다. 아무렴, 자식의 사랑을 가로챌 수 있는 어미는 없다. 물론, 진짜 나의 첫사랑은 아니었다. 하지만 엄마는 달랐을 거다. 어찌 되었건, 회복의 과정이니 괜찮다. 엄마는 더 자주 집 안을 청소했다. 반복되는 욕실 청소와 싱크대 소독 덕분에 반짝반짝 표백되고 살균된 집 안 구석구석에선 락스 냄새가 진동을 한다. 손에서 걸레를 놓지 않는 엄마를 오랜만에 다시 본다. 어쩐지 안쓰럽긴 하지만, 제자리로 돌아온 익숙한 일상이니 문제될 게 없다. 그 외엔 전과 달라진 것은 아무것도 없었다. 다만 엄마의 건강염려증이 도졌다. 하긴 한동안 집처럼 드나들던 병원을 안 가고도 잘 견뎠다는 생각이 들었다. 엄마는 다시 몸에 힘이 없고 머리가 아프다고 했다. 가슴이 쥐어짜듯 조여든다고도 했다. 심장병이 아닐까, 병원 가 볼까, 하는 엄마에게 나는 그러라고 할밖에 달리 해줄 말이 없었다. 낮에 병원에 갔다 온 엄마에게, 뭐래? 라고 묻긴 했지만 사실 결과가 그리 궁금하지는 않았다. 정상이래, 하는 예견된 결과가 빤할 것이기 때문이나. 엄마는 긴 한숨을 내쉬면서 나를 가만히 쳐다보았다. 마침, 순구 엄마가 현관문을 두드리며, 안에 없어? 한다. 나는 엄마에게 쉿, 하며 집게손가락을 내 입에 댄다. 순구 엄마가 되돌아가자 나는 낮은 소리로 다시 묻는다. 뭐래? 괜찮대. 안 아프대? 그래, 괜찮대. 하지만 어쩐지 엄마의 괜찮다는 소리가 내게는 더 이상 그렇게만 들리지 않는다. 온몸이, 온 마음이 아파, 그래서 의사의 진단을 믿을 수 없어. 정작 하고픈 말은 이게 아닐까.

엄마는 문밖이 잠잠해지자 일어나 욕실로 들어갔다. 샤워기에서 쏟아지는 물소리를 들으며 나는 거실 바닥에 놓인 엄마의 처방전을 뒤적거렸다. 기껏 소화제 따위가 처방되어 있을 테지만, 혹시 다른 심각한 병명이 있는 것은 아닌지, 의사의 알 수 없는 필체를 뚫어져라 보았다. 해독 불가능이다. 거실로 나온 엄마는 늘 그렇듯 수건 하나로 몸을 허술하게 가린 채였다. 풍만한 몸매. 엄마의 몸은 여전히 나를 긴장시킨다. 내겐 풀기 어려운 숙제다. 아빠라면 풀 수 있을까. 나는 당장이라도 아빠를 찾아가 하소연이라도 하고 싶다. 정말이지 아빠 없는 나는 그런대로 견딜 만했다고 말이다. 하지만 남편 없는 엄마는 내게 너무나 어려운 과제라고. 엄마가 나보다 아빠를 먼저 만났기 때문이라고. 아빠를 만나기 전에는 나처럼 미끈한 여자애였고, 시인을 꿈꾸던 소녀였고, 지금도 뭇 남성들의 시선을 끌 만큼 매력적인 여자이기 때문이라고. 엄마의 성, 엄마의 연애, 엄마의 사랑은 〈동물의 왕국〉보다 이해하기 어렵다고. 갈수록, 점점 더 그렇다고. 그러니 엄마에게 족쇄는 실종된 아빠가 아니라 나일지도 모르겠다고.

밤새 잠을 이룰 수 없었다. 무책임한 아빠에게 하소연하는 바보짓 따위 두 번 다시 않겠다. 새벽빛이 어스름한 시각, 나는 컴퓨터를 켜고 자판을 두드렸다. 검색어는 '생사불명 이혼소송.' 내내 떠다니던 마음이 이상하리만치 차분해져 온다. 법률 상담 게시판에 올려진 유사한 사례를 꼼꼼히 읽어 보았다. 배우자의 생사가 불명일 경우엔 그것을 증명하는 것으로 자동 이혼이 된다고 했다. 그러나 생사는 분명하되 주소만 불명인 경우, '악의의 유기'를 이유로 공시 송달에 의한 이혼소송을 제기하여야 한다, 라고 되어 있다. 어딘가에 살아 있기는 하다는 내 아빠. 아빠는 우리를 '악의적'으로 '유기'한 것인가. 가슴이 뻐근해 왔다. 어쩌면 실종이란 단어에 위안받았을지 모를 엄마였다. 내가 뭐랬는가. 차라리 아빠는 죽었어야 했다. 적어도 유기당한 엄마와 나는 아닐 테니. 그러니 엄마가 해야 할 것은 '생사불명 이혼소송'이 아닌, '악의적 유기를 이유로 한 이혼소송'이어야 맞다. 머리까지 뻐근하다. 노트에 이혼 절차를 메모했다. 이혼 청구를 하고, 공시최고 신청을 한 후 판결을 기다린다. 이제 시작이다, 엄마의 자유는. 나는 숨을 크게 들이쉬고, '이혼 청구'를 하는 절차에 대해 다시 검색한다. 법원에 가서, 10년간의 '유기'를 증명하고, 그다음은…….

모쪼록, 엄마의 여성이 살 만해 하는 마흔의 생이길 바란다. 엄마의 볼에 핀 분홍빛을 다시 보고 싶다.

기억의 제단祭壇

1

뼈가 툭 불거진 앙상한 발목이 집 안을 휘적휘적 배회하고 있다. 나는 그 태평하고 느릿느릿한 걸음을 따라 눈알을 굴리며 고추장에 참기름만 넣고 비빈 밥을 입 안에 욱여넣는다. 질질 끌리던 야윈 발목이 식탁 모서리에 와 선다. 나는 고개를 든다. 엄마의 눈에는 아무런 감정도 실려 있지 않다.

일어나 아침에 끓여 두었던 죽을 냉장고에서 꺼내 냄비에 붓고 가스 불 위에 올린다. 엄마를 식탁 의자에 앉히고 수저를 꺼낸다. 죽을 데우면서 선 채로 남은 밥을 마저 먹는다.

따뜻해진 죽을 엄마에게 내놓는다. 미동이 없다. 숟가락으로 죽을 떠 입가로 가져간다. 엄마는 그제야 입을 연다. 한 숟가락, 한 숟가락, 떠 주는 대로 천천히 받아먹는다. 소 되새김질하듯 하염없이 오물거리며 그릇을 반쯤 비우곤 상체를 의자 등받이에 기댄다.

"좀 더 드세요."

엄마는 오른손으로 입을 가린다.

"좀 더 드세요. 갈수록 마르잖아."

엄마는 양손으로 입을 막고는 몸을 외튼다.

"더 먹으라고, 더. 밥때마다 힘들어 죽겠어. 왜 안 먹어 왜!"

턱까지 덜덜 떠는 내 앞에서 엄마는 예의 그 망연한 동공을 하고 나를 본다. 다시 흐느적흐느적 다리를 끌며 마루로 간다. 엄마의 아랫도리엔 아무것도 걸쳐져 있지 않다. 나는 욕실로 간다. 타일 바닥에 널브러진 엄마의 바지와 오줌내가 나는 기저귀를 주우려 허리를 숙인다. 우욱, 변기로 고개를 채 돌리기도 전에 토사물이 바닥에 쏟아진다. 고추장으로 범벅이 된 붉은 밥알이 뜯겨진 살점 같다.

*

……언제인가, 죽어 가는 태양이 떨군 피로 동네가 붉게 물들어 가던 초저녁. 나무에 묶여 있던 검은 개가 뾰족한 송곳니를 번뜩

이며 아버지의 허벅지를 콱, 찍어 물었지. 어찌나 세게 물고 늘어졌는지 턱 근육이 바들바들 떨릴 지경이었어. 개새끼의 버르장머리를! 아버지는 치켜든 칼로 개의 등허리를 휘갈겼어. 살이 찢긴 자리에서 피가 직선으로 솟구쳤지. 허리를 깊게 베인 개가 허벅지를 토해 냈어. 사지를 미친 듯 뒤챌 때마다 나무에 묶어 놓은 굵은 사슬이 번번이 개의 목을 잡아채 왔지. 울부짖듯 한 신음 소리가 온 동네를 할퀴어 댔어. 사람들이 하나둘 몰려나왔지.

개와 아버지의 몸에서 뜯겨져 나온 살점과 피로 엉겨 붙은 흙바닥은 불그죽죽했어. 이웃집 아주머니가 열 살인 너를 돌려세우며 품 안으로 끌어당겼을 때, 그녀의 치맛자락에선 갓 지은 밥 냄새가 났어…….

*

위장이 벌떡벌떡 요동친다. 남은 음식물을 마저 토해 낸다. 시큼한 위액까지 게워 내고서야 토악질이 멈춘다. 바닥에 튄 밥알을 손바닥으로 쓸어 모아 변기에 버린다. 입을 헹구고, 욕실 바닥을 닦고, 엄마에게 기저귀용 속옷과 바지를 입혀 주고, 방으로 가 옷장 안에 넣어 둔 28인치 하드 캐리어를 꺼내어 연다. 옷가지와 세면도구와 원고가 저장된 노트북과 너의 필명으로 출간된 다섯

권의 소설집을 넣는다. 문득 현기증이 인다.

오늘, 아버지가 온다. 어제 외숙부가 전화로 미리 알려 주었다. 그러니 또다시 가방을 싸야 한다. 매번 그래 왔다. 노트북만 있으면 나와 엄마는 어디로든 가 그럭저럭 살아갈 수 있었다. 소설은 어디서건 쓸 수 있었다. 탈고한 소설을 출판사 이메일 주소로 전송하면 계좌로 고료가 입금되었다. 인터넷 독서교실을 운영하는 김 원장은 내게 서른 명의 회원을 할당해 주었다. 매주 두 번씩, 한 번은 일주일간 읽어야 할 도서를 지정해 주고 한 번은 게시판에 올라온 아이들의 독후감을 읽고 일일이 첨삭해 글을 달아 주는 대가로 급여를 받았다.

평소의 나라면 외숙부의 전화를 받자마자, 아니 그가 올 것이란 걸 진즉에 미리 알아채고 서둘러 이곳을 떠났을 것이다. 대형 캐리어에는 가구나 가전제품 따위를 제외한 엄마와 나의 어지간한 살림살이는 다 담을 수 있다. 한데 어제도, 새벽에도, 오늘도 나는 캐리어에 짐을 넣었다가 도로 꺼내 놓기를 수차례 반복하고만 있다. 현관문을 창문을 방문을 잠그고 돌아서자마자 되돌아가 잘 잠겼는지 확인한다. 닦은 방을 또 닦고 씻은 손을 또 씻는다. 머릿속을 비집고 들어오는 불길에 사로잡혀 머리채를 흔들고 뜯듯이 쥐었다가 놓았다가 다시 흔든다. 엄마는 오늘 아버지가 오리란 걸 아는지 모르는지 유령처럼 마루를 떠다니듯 걷다가 바닥에 모로 누워 잠이 들었다.

목구멍이 바짝 타들어 간다. 주방으로 가 식탁 위에 놓인 물병 주둥이를 입에 대고 벌컥벌컥 들이켠다. 기도로 물이 들어갔는지 재채기가 터진다. 숨을 고르기도 전에 끄윽, 딸꾹질이 샌다. 물을 더 마셔 보아도 멈추질 않는다. 아버지의 지독한 딸꾹질이 전염된 듯 내게로 옮아왔다.

*

……어린 너는 고철 더미가 아무렇게나 쌓여 있는 텃밭 근처를 서성이고 있었어. 고철을 지키는 검은 개가 크르르 가래 끓는 소리를 낼 때면 너는 숨을 흡, 멈추곤 했지. 개가 날카로운 이빨을 드러내며 네게로 확 덤벼들라치면 나무에 걸어 놓은 굵은 사슬이 녀석을 주저앉히곤 했어. 개의 목줄과 사슬이 떠올라 심장이 두근댈 때마다 너는 텃밭으로 갔어. 마른 땅이 바람을 타고 흙먼지를 토해 내던 공터, 허물어진 집들의 잔해, 벽에 금이 간 채 방치된 무허가 주택들, 아파트 공사 현장에 무덤처럼 쌓인 시뻘건 흙더미, 포클레인과 덤프차들. 작은 소읍의 살풍경 속을 찢는 쇠 깎는 소리는 녀석의 쇠사슬과 묘하게도 어울렸지.

"아버지 있냐." 앞집 영남 아저씨는 네 대답을 들을 생각도 없이 집 쪽으로 바삐 걸어갔어. 영남 아저씨는 철거민대책위원장이 되고부터 매일 이 텃밭 앞을 수차례 오갔어. 너는 아저씨의 뒤를 따라 집으로 갔어.

"주공 측에서 임대아파트를 알선해 준대. 주거이전비를 받든지 임대아파트 입주권을 받든지 선택하래. 주공 들어갈 치들은 주민회의에도 안 나와 이제. 임대받을 치들도 안 나올 판이고. 숫제 쌈을 붙이는 거지 뭐야. 썩을 놈들야."

살짝 열린 방문턱에 앉아, 안에서 이불을 덮어쓰고 있는 아버지의 등짝에 대고 아저씨는 말을 건네고 있었어.

"어쩔 거야. 니나 내나 이전비도 못 받을 판인데. 같은 처지끼리라도 가서 최소한 잘 데는 마련해 달라 농성을 하든지. 뭐 어쩌든지 해얄 거 아냐."

아저씨는 혼잣말이라도 좋다는 듯 한숨을 섞어 가며 주절거렸어.

마을회관에서 이 집까지의 거리는 공사판을 지나서도 한참 후미진 골목길을 구불구불 돌면서 올라와야 해. 영남 아저씨네를 포함해 너와 인접해 살고 있는 주민들은 허가받지 못한 집의, 그나마 세입자인 탓에 동네 재개발로 인한 최소한의 보상금마저 받을 도리가 없었지.

뭐라 뭐라 구시렁대던 아저씨는 아버지를 덮은 이불이 들썩거릴 때마다, 그 안에서 끼윽, 윽, 하는 발꿈실이 비어져 나올 때마다 "저런." 하며 손으로 바닥을 쳤어. 이불을 제 몸에 더 꽁꽁 싸매고 있는 아버지를 남겨 두고 아저씨는 방문턱만 한번 쓰다듬고는 일어섰어. "평생 저러고 살 건가 비다." 하고는 밖으로 나갔지.

너는 마당에 서서 방 안의 아버지를 가만히 바라보았어. 아버지가 이불 밖으로 얼굴을 내밀었어. 재빠르게 기어 와 문을 쾅 소리 나게 닫았지. 너는 문밖에서 그대로 굳어 버렸어.

아버지의 딸꾹질은 말을 할 때도, 밥을 먹을 때도, 잠을 잘 때도 멈추질 않았어. 5초에 한 번. 1분에 열두 번. 한 시간에 720번. 깊은 잠과 함께 잦아들었다가도 여봐란 듯 새어 나온 딸꾹질에 아버지는 퍼뜩 놀라 깨어나곤 했지. 끼윽, 끼익, 이긱, 어걱, 대는 기괴한 발음이 목구멍에서 새어 나올 때마다 너의 발가락은 오므라들었어.

아버지는 약을 한 움큼씩 먹고 낮 내내 잤어. 해질녘에야 일어나면 주머니에 넣어 둔 접이식 칼을 꺼내어 보고는 다시 넣었지. 그러곤 술을 찾았어.

조모의 말에 따르면 아버지가 날 때부터 딸꾹질을 한 건 아니라고 해. 엄마와 결혼한 후 그러니까 네가 태어나기 전만 해도 나름 직장이란 걸 가지고 있었다더군. 영남 아저씨와 직장 동기였다나. 프레스기에 왼 손가락 네 개가 잘려 나갔는데도 보상을 받지 못하자 아버지는 사장 집 마루에 드러누웠었다지. 낮모르는 사내들에게 잡혀 집 앞에 내동댕이쳐지던 그날, 흰 러닝셔츠가 깨진 머리에서 흐른 피로 붉게 물들어 있었다고 해. 그 밤 내내 그 후로도 아버지의 딸꾹질은 멈추질 않았다고.

아버지는 회사로도 어디로도 가지 않았어. 귀신처럼 붙은 딸꾹질과 함께 육신도 방바닥에 들러붙었지…….

*

시계 초침이 두 바퀴를 지난다. 참았던 숨을 푸하, 뱉는다. 눈을 감고 가만히 있어 본다. 끼익, 딸꾹질이 샌다. 허리를 굽히고서 물을 마신다. 자세를 펴고 숨을 내쉬어 본다. 끼윽, 터지는 소리 덩이가 역겹다.

2

순간순간 박차고 일어나는 도주하고픈 충동을 애써 누르고 있다. 아버지에게서 달아난 후로 지금까지 24년이 흘렀다. 열넷의 내가 쫓기듯 서른여덟이 되어 버린 시간이다.

아버지가 치료감호소에 있던 수년여 간은 혹여나 거길 탈출해 집으로 찾아올까 봐 쪽방을 구해 살았다. 엄마가 원했기 때문에 소읍이 있던 소도시를 아주 벗어나지는 못했다. 나는 중학교만 겨우 마치고 고등학교 입학을 포기했다. 집에서 혼자 공부했고 그 소도시에서 검정고시를 치렀다.

그즈음 그가 출소했다는 소식을 들었다. 용케 엄마와 내 거처를 알아내 찾아온 아버지를 피해 도망 다니느라 1년에 한 번씩 때로 2년에 한 번꼴로 이사를 했다. 고향을 떠나 춘천으로, 서울로, 경기도의 여러 도시로 이리저리 전전했다.

식당에 딸린 쪽방에서 반지하 방에서 옥탑방에서 보증금도 없이 월세만 내고 사는 방이랄 수도 없는 곳에서 세간도 없이 지내다 한밤중에도 새벽녘에도 싸 두었던 짐 가방을 들었다.

그동안 나와 엄마는 단기직이나마 일자리를 구해 먹고살기 위한 나름의 몫을 했다. 식당 서빙, 주방 설거지, 사무실 청소, 전단지 배포 같은 허드렛일이 대부분이었다.

나는 좀 더 나은 일자리를 얻기 위해 일하는 틈틈이 학사고시 준비를 했고 졸업장을 취득한 후에는 독서지도사 자격증을 땄다. 일하고 공부하고 글을 썼다. 글은 썼다기보다는 견디기 위해 무작정 매달렸다고 해야 맞을 것이다. 어느 문예지에 투고한 소설이 당선된 후로는 청탁이 오는 대로 받아 밤마다 소설을 썼다. 인터넷 중고매장에서 노트북도 구입했다.

인터넷 구직 사이트에서 온라인 독서교실 채용 공고를 보았다.

찾아가 원장 앞에서 면접을 보았다. 일거리를 할당받은 후로는 원장을 만날 일이 좀체 없었다. 이사할 때마다 새 일자리를 구할 필요가 없어진 셈이었다.

아등바등해 온 현실의 끈을 먼저 놓아 버린 건 엄마였다. 건물 복도를 청소하던 엄마가 선 채로 오줌을 싸고는 제 오줌을 걸레로 닦으며 무심히 인사를 하더라고, 관리소장은 "아직 그럴 나이가 아닌데……." 혀를 차며 증언해 주었다.

정갈했던 엄마는 50대 중반도 채 안 되어 기저귀를 찼다. 엄마는 현실의 끈을 놓아 버렸다. 엄마에게 과거도 이제 없을 거였다.

엄마에게도, 엄마에게 눈을 뗄 수 없는 내게도 떠도는 삶은 점점 버거워만 갔다. 전세대출을 받아 서울 외곽에 있는 낡은 연립주택에 짐을 푼 건 4년 전이었다. 계약서에 사인을 하고 보증금을 내고 방이 아닌 집이란 데로 들어서던 그날이 생생하다. 경계심이 무뎌질까 봐 두려웠고 먹먹했다.

첫 살림이나마 냉장고와 책상, 식탁 정도를 들여놓았다. 출판사와의 신뢰가 쌓이고, 김 원장의 인터넷 독서교실 회원이 늘어날수록 내 재택근무도 안정적이 되어 갔다. 숨어 살기에 적당한 환경이었다. 정주(定住)의 맛은 달았다. 더는 여기저기 옮겨 다닐 자신이 없어질 만큼.

착, 착, 시계 초침 소리에 몸 안의 혈관이 하나씩 툭, 툭, 끊기는 것 같다.

나는 몸 안의 피가 전부 엄마의 것이길 바랐다. 아버지의 것은 한 방울도 섞이지 않기를 바랐다. 엄마는 교회에 다니는 사람이었기 때문이다.

*

……엄마는 시장 어귀에 있는 식당에서 일을 하고 밤 10시쯤에야 집으로 왔어. 하지만 시간에 맞춰 오는 날은 손에 꼽을 만큼 드물었지. 손님이 많은 날은 그만큼 늦었고 교회 철야 예배라도 있는 날엔 더 늦었어. 니 애미, 끄억, 찾아와라, 아버지는 재촉하곤 했어.

엄마를 찾으러 텃밭 앞을 지날 때마다 검은 개가 잠에서 깰까 봐 어깨가 움츠러들었지. 개가 아버지에게 달려들 때 보았어. 팽팽해진 사슬의 고리들이 아주 조금씩이나마 벌어지고 있는 것을. 줄은 곧 끊어질 거야. 개가 몸부림을 치면 칠수록 더 빨리.

엄마를 기다리며 정류장 기둥을 붙잡고 뱅뱅 돌다가 멈추면 저만치 보이는 반쯤 지어진 아파트가 눈앞으로 대뜸 달려들었다가는 빙빙 맴을 돌며 멀어졌어. 사람들은 저곳에 동네 주민들이 들어가 살 거라고들 했지.

막 발차한 버스가 뿜어낸 매캐한 연기 사이로 교회에서부터 걸어왔는지 한 손에는 성경책을, 다른 손에는 검은 봉지를 든 엄마가 보였어.

엄마와 함께 텃밭 앞을 지나는 네 걸음이 조심스러워졌어. 엄마는 네 손을 꼭 쥐고서 말해 주었지. 묶여 있어서, 저 개는 여기까지 못 와. 웃어 주던 엄마는 커져 가는 아버지의 딸꾹질 소리를 따라 서둘러 집으로 갔어.

너는 엄마가 있던 자리에 서서 개가 묶여 있는 나무 기둥을 보았어. 목에 매인 2미터도 채 되지 않는 사슬을 보았어. 개는 나무를 돌며 걷고, 나무 아래에서 날뛰고, 나무 옆에서 숨을 헐떡헐떡 내쉬고 있었어. 고막이 찢어져라 짖어 댄들 나무 아래였지. 목줄의 길이만큼이 개의 세계였어.

파랗게 질린 달덩이 아래 누운 개의 등뼈가 서늘하게 빛났어. 그 위를 비스듬히 가르고 지나는 기다란 상처가 금방이라도 아가리를 벌리고 제 분신 같은 개 한 마리를 꺼내 놓을 것만 같았지. 목줄 없이 살아갈 새로운 목숨을…….

3

흉흉한 악몽에 뒤채다 깬 밤이면 나는 머리맡에 둔 수첩을 펼치고 닥치는 대로 썼다. 견디기 위해서. 나를 따라다니는, 나를 괴롭히는, 가끔씩 내 머릿속에서 타오르는 불씨. 나는 머릿속에 들어찬 무수한 '너'를 증오하며 오직 잊기 위해 글을 썼다. 문장 안에 '너'를 가두고 닫아 버렸다.

*

……여름방학 내내 밤마다 네 온몸에선 신열이 났지. 까닭 없이 오금이 저렸어. 그것은 열넷의 네가 겪고 있던 아이에서 소녀로 이행하기 위해 들끓기 시작한 혈관들의 성장통이었어. 알 길 없는 너는 그저 하루하루가 주체할 수 없이 지루했고, 지루해서 어쩔 줄 몰라 하는 자신을 거추장스러워했고, 그럼에도 그것을 토로할 대상이 아무도 없다는 게 부끄러웠어.

너는 걸핏하면 아파트촌 아이들과 싸움질을 했어. 도로 하나를 사이에 두고 아파트촌과 무허가촌이 나뉘어 있었지. 재개발된 동네의 다수가 저쪽 아파트촌으로 나머지는 도로 이쪽, 야트막한 산 자루 밑에 모여든 무허가촌 사람이 되었어.

네가 살던 옛 동네의 소꿉동무들은 이제 아이에서 소년이거나 소녀가 되느라 저쪽 아파트촌에서 신열을 앓는 중이었겠지. 그들도 그것이 거추장스럽고 지루해서 견딜 수가 없었을까. 그래서 패를 나누고 서로의 적지를 향해 돌멩이를 던지며 배신자는 꺼져, 거지들아 꺼져, 악을 써 댔던 것일까.

거침없이 쏟아지는 하오의 햇살도, 약에 취해 자고 있는 아버지도, 딸꾹질도, 판자촌도, 아이들과의 전쟁도 너는 다 싫었어. 숨이 막혔어.

한낮의 적요를 참지 못하고 너는 대충 바른 시멘트로 울퉁불퉁한 벽에 연탄재를 집어 던졌어. 모서리만 부서진 채 굴러온 그것을 다시 들어 냅다, 온 힘을 다해 던졌지. 둔탁한 파열음과 함께 사방으로 재들이 흩어졌어. 허술하게 지어진 집이 쿵쿵 울리도록, 아버지에게까지 들리도록, 부수고 또 부쉈지.

온몸에 재를 뒤집어쓴 채 방으로 들어갔어. 언제 깼는지 아버지가 너를 노려보았어. 너는 방바닥에 책을 펼치고 누웠어. "독한 계집." 하며 아버지는 허벅지를 긁었어. 아버지를 의식하느라 책에 집중할 수 없었지만 태연한 척 책장을 천천히 넘겼지.

11시가 넘도록 엄마는 오지 않았어. 너는 쪽창 밖으로 보이는 아파트촌의 시뻘건 십자가를 보았지. 엄마는 신에게 무엇을 갈구하고 있을까. 어떤 기도를 하고 있을까. 무엇이었건 기도가 길어지는 만큼 너와 아버지가 서로를 견뎌야 할 시간은 길어지고 있었어. 엄마가 사 올 소주를 기다리며 아버지는 벽에 등을 대고 앉아 있었지. 너를 노려보면서.

성경책과 소주가 든 비닐봉지를 들고 엄마가 방으로 들어섰어. 아버지가 바지 주머니에서 접이식 칼을 꺼내 열었어. 노려보며 마주 선 내 앞에 칼을 들이대고는 엄마의 치마를 찢듯이 벗겼어. "저, 저 독한 계집, 끄억." 너를 노려보며 웅얼대던 아버지는 엄마를 바닥에 거칠게 눕히고는 그 위로 제 몸을 포갰어. 개에게 살점을 뜯겨 꿰맨 기다란 바늘 자국이 허벅지 위에서 살아 있는 지네처럼 꿈틀거렸어. 너는 눈을 질끈 감고서 밖으로 뛰쳐나갔지…….

4

대낮인데도 저녁처럼 어둑하다. 창문 너머로 어린 새들의 사체 더미 같은 먹장구름이 하늘을 뒤덮고 있다.

냉장고에서 소주를 한 병 꺼내 온다. 방 벽에 등을 기대고 앉아 대형 캐리어를 본다. 소주 뚜껑을 열고 한 모금 삼킨다. 텅 빈 위벽을 타고 싸르르한 통증이 지난다. 다시 한 모금 마신다. 크윽, 꺽. 딸꾹질에 사레들린 소주가 되나온다. 손으로 입가를 훔친다.

엄마가 딸꾹질을 하던 아버지와 함께 나를 만들 때부터, 엄마의 배 속에 있을 때부터, 세상에 갓 나온 순간부터, 나도 모르는 무의식만이 알고 있는 아주 먼 시절부터, 나는 그들의 세계 안에서 무방비한 채 있다 그만 이런 꼴로 살게 결정지어진 운명의 인간이 아닐까.

이 거지 같은 고리를 끝장내기 위해 틈날 때마다 수첩에 노트북에 가둬 둔 문장들은 소설이 되었고, 책이 되었다. 서점에 진열된 책의 뒷면에는 자전적, 진정성 등의 문구가 들어간 추천사가 쓰여 있다. 나는 '너'를 오랫동안 죽을 때까지 종이 위에 박제시켜 놓을 수 있다고 믿었다.

의자 등받이에 체중을 싣는다. 술기운 탓인지 눈앞이 어른어른하다.

나는 아버지의 그림자, 냄새, 침 삼키는 소리까지도 용케 알아챘다. 하나 남은 왼 손가락을 오른손으로 만지작거리며 반지하방 근처를 서성대던 아버지의 구부정한 옆모습. 옥탑방 앞 가등 밑에서 나를 기다리던 서늘한 그림자. 음습한 뒷골목에서 끼익, 끅, 허공을 가르며 울리던 음울한 딸꾹질 소리. 내 예민한 오감 덕분에 엄마와 나는 지금껏 발각되지 않을 수 있었다.

엄마는 늘 순순히 나를 따라나섰다. 나는 엄마가 잡고 있는 손의 주인이 굳이 내가 아니었어도 심지어 아버지였어도 상관없었을지 모른다는 생각을 하곤 했다. 엄마는 그가 끌면 그리로 갔을 것이다. 내가 먼저 잡았기에 여기 있을 뿐이다. 그가 오면 아마도 엄마는 밥상을 차려 줄 것만 같다. 내가 아는, 짐작하는 엄마는 아마도 그럴 것이다. 회고하건대 엄마는 언제나 기도만 하는 사람이었다.

그날. 엄마의 몸 위에 올라탄 아버지의 등을 엄마는 밀쳐 내었나? 쓰다듬어 주었나? 안아 주었나? 그랬던 것 같다. 이 반복되는 장면이 나를 괴롭힌다. 피눈물을 흘리던 개의 충혈된 눈빛은, 창백한 달빛을 받아 빛나던 목줄은, 그 굵은 사슬의 고리들은…….
텃밭 앞의 검은 개는 그 밤 내내 길고 길게 울었다.

자지러질 듯 새된 초인종 소리가 고막을 때린다. 사방을 둘러본다. 비가 오려는지 어둠이 짙다. 습기 먹은 음음한 공기가 방 안으로 스멀스멀 기어들고 있다. 다시 초인종 소리가 들린다. 눈꺼풀이 파르르 떨린다. 현관문을 거세게 두들기는 마찰음에 머리가 쿵쿵 울린다. 근육이 굳어 온다.

"안에 누구 없나?" 낯익은 남자의 목소리가 환청 같다. "안에 누구 없어요?" 경직이 멈춘다. 마루로 나간다. 연립 앞 썬마트 주인아저씨가 현관 입구에 어정쩡히 서 있다. 나는 아직도 흉몽에 사로잡힌 사람처럼 초점을 잡지 못한다. 아저씨가 몸을 반쯤 돌려 엄마를 앞세운다. 깊은 한숨이 딸꾹질에 섞여 끼익, 끅, 새 나온다. 또 언제, 몰래, 단단히 잠근 문을 열고 나갔던 것일까.

골목에 설치된 의류수거함에 비어져 나온 옷을 꺼내고 있더라고, 아무래도 간병인을 두어야지 않겠느냐고, 몇 번째인지 모를 당부를 하고 아저씨는 돌아간다. 열려 있는 문이 불안해 문고리부터 잠근다.

맨발인 엄마를 끌어 마루로 올린다. 엄마의 손에는 옷 한 벌이 들려 있다. 어찌나 단단히 쥐고 있는지 살 없는 손등의 뼈가 하얗게 불거져 있다.

엄마는 버려진 옷들을 주워 와 정성스레 개어 두곤 했다. 소년의 땀내가 묻은 티셔츠, 소년의 활기가 밴 점퍼, 소년의 단단한 뼈에 무릎이 늘어난 바지. 주워 오는 옷은 전부 그런 것들이었다.

엄마의 손에서 옷을 낚아채려 하자 나와 엄마의 손아귀 사이에서 소년의 티셔츠가 팽팽히 당겨진다. 나는 기어이 옷을 당겨 빼앗는다. 그토록 억세게 쥐고 있던 옷을 빼앗기고도 엄마는 굳은 듯 서서 입술만 앙다물고 있다. 쿵쿵 머리가 울린다. 형체 없는 손이 목을 양손으로 쥐고 누르는 것만 같다.

엄마의 바지는 기저귀 밖으로 오줌이 샜는지 축축하게 젖어 있다. 귀까지 달아오른 나는 엄마의 바지를 거칠게 벗긴다. 상의를 찢듯이 벗긴다. 종잇장 같은 살가죽에 핏기마저 사라진 몸뚱어리는 구도자의 것만 같다. 기저귀만 차고 서서 엄마는 추운지 진저리를 친다. 엄마의 왼쪽 어깨를 타고 왼쪽 허리를 지나 왼쪽 종아리에까지 덮인 쭈글쭈글한 화상 자국을 본다.

"상진아."

벼락같은 통증이 뇌리를 짓찧는다.

"상진아……."

엄마가 어루만지듯 부른다. 나를 보며 소년의 이름을 부른다.

"미쳤어? 완전히 미쳐 버려서……."

"상진아."

"진희! 나 한진희! 엄만 정상이야. 치매 아니지? 잊은 척한 거지? 일부러!"

엄마는 나를 향해 손을 뻗는다.

"상진아, 상진아아아……."

*

……그랬어. 네겐 열여섯 살에도 여섯 살 아이로 사는 지적 장애를 가진 오빠가 있었어. 엄마가 일을 하러 갈 때마다 네게 잘 돌보아 주라고 당부하던, 아파트촌 아이들에게 판자촌의 상징처럼 매도되던, 그래서 판자촌 아이들에게조차 따돌림을 당하던 오빠가 있었어. 그저 지루함을 견딜 수 없어 그 아이들과 싸워 댔을 뿐인 너를 잘 따르던, 그래서 더 병신 같았던 오빠가.

정류장 주위를 돌며 엄마를 기다리다가 오빠의 손을 잡고 교회 근처까지 걸어간 적도 있어. 오빠는 엄마를 만나러 교회 안으로 들어가려 했지만 너는 매번 망설였어. "왜?" 재촉하는 오빠에게 너는 해 줄 말이 없었어. 오빠는 거기에 들어가도 되는 사람인 것만 같았으니까.

화재가 있던 날 밤에도 오빠의 몸은 아버지의 주먹질에 피멍이 들었지. "내가 우스워? 병신새끼까지 내가 우스워? 어?" 아버지는 몸을 웅크리고만 있는 오빠에게 분풀이를 하곤 했어. 네가 아버지에게 덤빌 때마다 그는 뿌리치기만 했어. 그의 발길질은 오직 오빠만을 향했지. 엄마가 와야만 끝이 날 터였어. 그랬는데, 처음이었어. 오빠가 그에게 덤벼든 것은.

어느 틈엔가 과일 깎는 칼을 들고 온 오빠가 부들부들 떨며 달려들었어. 눈을 감고 "아아, 아아." 앞으로 내달리다가 마주친 벽에 칼을 꽂은 채 쉼 없이 "아아, 아아." 아기 같은 울음을 울었어.

새벽. 잔뜩 취한 아버지가 나란히 누워 잠든 우리들과 자신의 몸 위로 휘발유를 부었어. 엄마와 오빠는 잠들었는지 기척이 없었지만 몸에 흐르는 선득한 액체를 견디며 너는 잠든 척 눈만 감고 있었지. 곧 다 불에 타 죽을 걸 알면서도, 움쭉달싹할 수 없었어.

아버지가 빈 휘발유 통을 내던지고 서랍을 뒤졌어. 착, 착, 라이터에 불을 붙이려다 실패하자 비틀거리며 부엌으로 갔지. 일어나 다급하게 둘을 깨워 밖으로 나가려는데 라이터를 찾아 불을 켠 아버지가 끄힉, 거리며 문 앞을 가로막았어. 있는 힘껏 밀치고 엄마의 팔을 잡아채 밖으로 당겼어. 순간 휘청대며 방 밖으로 넘어진 아버지가, 방 안쪽으로 날아간 불붙은 라이터가, 화르르 인 불길이, 갇혀 버린 오빠의 외마디가, 찰나에 일어나 끝장나고 있었어.

불길에 휩싸인 판자촌에서 사람들이 뛰쳐나왔고 화염에 싸인 오빠가 울부짖음인지 신음인지 모를 소리를 내지르며 기어 나왔어. 고통에 질려 전신주에 머리를 부수며 몸부림을 쳤어.

"지…… 인희…… 희야아아……."

오빠는 엄마가 아니라 항상 옆에 있던 너를 불렀어. 네 몸은 앞으로도 뒤로도 가지 못하고 움찔거렸어. 오빠의 몸이 네 쪽으로 향했을 때 너는 움칫 뒷걸음을 쳤지.

엄마는 오빠에게 가려 발버둥을 쳤어. 사람들이 질겁하며 말렸지만 기어이 손을 뻗은 엄마의 왼팔로 오빠를 삼킨 불길이 날름 혀를 내밀었지. 신고를 받고 온 소방관이 점화된 몸에 소화기를 분사했어. "상진아……." 절규하던 엄마는 그대로 혼절하였지…….

5

식은땀이 목을 타고 흐른다. 나는 대뇌를 열어 해마를 칼로 도려내는 상상을 한다. 신경세포를 끊어 버리면 나 역시 아무것도 모르는 사람처럼 살 수 있을까…….

떠오르는 '너'로 인해 불안해질 때마다 나는 손을 씻고 또 씻고, 잠긴 현관문을 재차 확인한다. 떨쳐 내려다 되레 내 안에 잠겨 허우적댈 때, 혐오감이 밀려올 때 나는 노트북을 열었다. 자판을 두드리는 동안 나는 점차 견딜 만한 것이 되어 갔다. 내 소설에 대해 누군가는 '존재의 근원적 아픔'이 묻어 있다고 했다. 누군가는 '운명에 대한 집요한 천착'이라고 했다. 나는 이 세계의 통찰력에 감동받았다. 그들만이 진정한 나를 안다.

엄마를 욕실로 데리고 간다. 그녀는 순한 양처럼 나를, 상진이를 따라온다. 기저귀를 벗긴다. 샤워기를 틀어 몸을 적신다.

"엄마 내가, 끄윽, 깨끗하게 씻겨, 이긱, 줄게요."

시간을 잃은 엄마는 증인이 될 자격이 없다. 아버지만이 유일하다. 아버지가, 오빠가, 그 시절이 지금 내게로 오고 있다.

엄마의 몸에 비누칠을 하는 손이 떨린다. 딸꾹질이 초 단위로 빨라진다. 욕실 의자에 앉은 엄마는 간지러운지 희미하게 웃는다. 어떤 욕망도 욕구도 읽히지 않는다. 아무도 미워하지 않고 아무도 원망하지 않고 아무것도 적극적으로 하지 않고 그저 오빠 대신 자신을 내주는 것만이 자식을 지키는 것인 줄 알았던 그래서 무어라 언급할 수 없는, 급기야 관계를 다 놓아 버린 엄마는 진정 영악한 사람이다.

엄마가 몸을 뒤틀 때마다 온 몸에 새겨진 흉물스러운 허물이 꿈틀거린다. 나는 변기 옆에 놓인 락스의 뚜껑을 연다. 엄마의 왼쪽 어깨에 락스를 붓는다. 젖가슴을 따라 배꼽을 지나 종아리에까지 화상 자국을 타고 맑은 액체가 흐른다. 우욱, 끅, 욕지기인지 딸꾹질인지 모를 외마디가 튀어나온다. 엄마의 몸에 락스를 마저 붓는다. 꿈틀대는 화상의 흔적을 따라 수세미로 몸 구석구석을 박박 문지른다. 발가락 사이사이까지 닦는다.

자꾸만 저 밑바닥에서부터 머리를 들이미는 오빠가, 눌러도 내려가지 않는 오빠가, 발버둥을 친다. 의식의 외피를 가볍게 헤치고 '네'가 튀어나온다. 누른다. 솟아오른다. 누른다. 튀어 오른다. 나는 락스 통을 들어 입 안에 붓는다. 비어 있다. 빈 통을 쥔 손이 떨린다. 내 안에 겹겹이 쌓인 저 밑 도려내지 못한 무의식…… '너'는 제어되지 않는다.

*

……집이 불타던 날. 그날 낮에 너는 집 담장 아래에 등을 기대고 앉아 태양을 쏘아보고 있었어. 눈이 부셔 이맛살이 찡그려지고 눈자위가 아파 와 손으로 비벼 가면서도 고개를 쳐들고 똑바로 보려 애썼지. 해를 보면 눈이 먼다기에 아주 눈멀어 버리기 위해 하염없이 보고 또 보았어. 전날 밤 보았던 엄마와 그 위에 올라

타던 아버지의 모습이 지워지질 않았어. 보아서는 안 될 것을 보고 만 것 같았지.

오빠는 네 옆에 쭈그리고 앉아 너를 따라 해를 보았어. 네가 보니까 오빠도 보았던 거야. 눈이 아파 눈물을 흘리니까 오빠도 눈이 아픈지 눈물을 흘렸지. 자리를 털고 일어났어. 잠시 서러워서 환멸이 일었어.

"병신."

팔로 눈가를 훔치는 오빠를 밀치고 부엌으로 가 옷 속에 과일칼을 숨겨 들고 나왔어. 오빠의 손을 잡고 집 뒤꼍으로 갔지. 칼을 꺼내 오빠의 손에 쥐여 주었어. 오빠는 잔뜩 겁먹은 얼굴로 그것을 바닥에 떨어뜨렸어. 주워서 다시 손에 쥐여 주고는 그 위로 네 손을 포갰어. 자, 봐. 네 손놀림을 따라 오빠의 손에 든 칼이 허공에서 휙휙 빗금을 그었어. 하지만 포갠 손을 떼자마자 또 칼을 떨어뜨렸지. 너는 다시 집어 흙바닥에 푹푹, 찌르며 말했어.

"너는 덩치가 크잖아. 덤비면 겁먹을 거야. 다신 못 때릴 거야."

손에 다시 칼을 들려 주었어. 칼자루를 엉성하게 쥐고 선 오빠는 금방이라도 울음을 터뜨릴 것 같았지.

"무서워, 진희야."

"병신아! 만날 맞고도 안 억울해?"

너는 피가 나도록 아랫입술을 깨물었어.

"우린 무적의 남매잖아. 동네서, 고철 훔쳐 가는 도둑 우리가 다 무찔렀잖아. 우린 잘 지켜 냈어. 그렇지? 돈도 벌었지? 우린 다 할 수 있어. 그렇지?"

오빠는 고개를 끄덕이면서도 칼자루를 쥔 손을 덜덜 떨었어.

"네가 맞기만 하니까 엄마가……. 안 하면 나 집 나갈 거야. 다신 안 올 거야."……

*

무릎이 꺾인다. 허물어진다.

어제 외숙부가 했던 말이 떠오른다. 그가 말했다. 치료감호소에서 나온 아버지는 외진 곳에 있는 기도원에 들어가 지금껏 숨죽이며 살아왔다고. 딸꾹질로 생긴 합병증과 잦은 금식기도로 피폐해진 몸이 생을 아주 놓아 버리기 전에 한번은 니들 모녀를 만나 속죄하고 싶다더라고. 내일, 처음이자 마지막으로 찾아가 용서를 빌고 싶다 하는데 받아 주라고. 죽을 때 다 된 사람에게 너무 모질게 하지 말라고.

믿을 수 없었다. 나는 나를 좇아온 아버지, 나를 유랑하듯 살게 한 아버지를 잊지 못한다. 그의 딸꾹질 소리, 그의 음습한 그림자, 그의 하나 남은 손가락. 내가 있는 곳을 잘도 찾아내 온 그는 다

누구였는가. 숙부의 말을 믿을 수 없다. 그는 오늘 처음 오는 게 아니다. 또 오는 것이다.

어깨가 떨린다. 어쩌면 오늘을 대비해 지금껏 엄마를 붙들어 온 것은 아닐까.

엄마가 마주 무릎을 꿇고서 일그러진 내 얼굴을 어루만진다. 물에 불어 퉁퉁 부은 손으로 머리를 쓸어 준다. 한없이 아득하고 포근한 손길에 나는 달아오른 뺨을 부빈다. 희붐한 습기 속에서 꿈처럼 부드러운 손길이 목을 지나 등으로 미끄러지듯 쓸려 내려간다. 순간 온몸의 혈관이 터질 듯 소스라친다. 등허리를 타고 벼락 같은 통증이 지난다. 허리가 꺾인다. 엄마의 손을 거칠게 밀쳐 낸다. 오래전 칼로 베인 상흔에서 핏빛 비명이 직선으로 솟구쳐 오른다. 물어뜯은 그의 살점과 피 맛이 물큰하다. 목이 조여 온다. 숨이 끊어질 것 같아 두 손으로 목을 그러쥔다.

나는 과거를 몰고 올 아버지에게 엄마를 보내 줄 것이다. 목줄을 끊어 버릴 것이다. 부인해 봤자 어차피 아버지와 나는 닮은 종, 타협은 엄마여야 한다.

등뼈를 가르고 지나는 기다란 상처가 아가리를 벌릴 듯 꿈틀댄다. 요동친다. 막 태어난 순수한 핏덩이가 아가리를 찢으며 고개를 내밀고 있다.

먼 데서 초인종 소리가 들려온다. 등을 굽힌 채 고개를 돌린다.

나는 엄마의 순결한 몸을 바라본다. 울음을 참느라 뜨거워진 목 구멍을 비집고 끼잉낑, 딸꾹질이 터진다.

아름다운 나의 도시

비풍초똥팔삼

어쨌든 쌍코피는 면했다. 나의 애마, 크라이슬러 세브링 컨버터블 덕분이었다. 이곳 정선까지 와서 전당사에 저당 잡힌 참이다. 대머리 주인장은 돈을 건네주면서 선이자를 10퍼센트나 떼었다. 야박한 주인장 같으니. 카지노에서 게임을 시작한 지 6일 만에 빈털터리가 된 나였다. 그러니 속이 몹시 쓰리다 해도 살기 위해 놓아야 할 패였다. 잔고장 많은 중고라지만, 저래 봬도 수입 스포츠카다. 강남의 물 좋은 나이트클럽에 가려면 필수인 차였다. 일단 여자애들이 스포츠카라면 사족을 못 썼다. 하물며 크라이슬러 세브링 컨버터블이라면야. 저 정도면 웨이터들의 대우가 그런대로 기본은 되어 주었다. 생각할수록 입 안이 썼다. 나는 택시정류장 앞에 서서 입맛을 다셨다. 담배를 찾아 주머니에 손을 넣었지만 핸드폰이 잡혔다. 며칠째 전원을 꺼 두고 애써 외면해 왔던 것이었다. 전원을 켜 볼까 하다가 이내 그만두었다. 쌓여 있을 부재중 전화의 목록이 안 봐도 훤했다. '21세기 타워 공인중개소'의 최경자 사장은 지금쯤 화병에 기절해 버렸을지도 모른다. VIP 고객인 김 사장에게 목이 졸렸을지도. 김 사장이 소유한 원룸에 전세로 입주할 그녀는……. 그녀를 생각하니 머리가 지끈거려 왔다. 모레면 그녀의 입주 예정일이었다. 그러나 그녀는 그 집에 입주할 수 없다. 지금으로선 그녀의 전세금을 돌려줄 수도 없다. 이곳에서 내가 탕진한 전세금이 그녀 재산의 전부일지도 몰랐다. 나는 주머니 속의 핸드폰을 만지작거렸다. 부재중 전화 목록에 보미의 메시지도 있을까. 아마도 인철이와 지금쯤 미국에 있을 테지만.

마침 예사롭지 않은 차 한 대가 맞은편의 전당사 앞에 멈췄다. 청담동 수입차 전문점에서 보았던 포르쉐 카레라 GT였다. 이런 젠장. 중고 크라이슬러 세브링 컨버터블 때문에 쓰리던 위장이 위축되어 왔다. 쪽팔리게시리……. 나는 다른 쪽 주머니에서 담배를 꺼내 입에 물었다. 그래, 이 돈이면 로또 못지않은 잭팟에 다시금 승부를 걸어 볼 수 있다. 주머니 안에 돈이 있는 한 기회는 있다. 지갑이 텅텅 비었을 때야말로 쌍코피 터지는 순간이니까. 그러니까, 엄마 말을 빌리자면 비풍초똥팔삼, 이었다.

오래전부터 엄마는, 운영하는 지물포 한켠에서 동네 아줌마들과 점 10원짜리 화투판을 벌이곤 했다. 판이 벌어지지 않는 날이면, 가게에 딸려 있는 방 안에 요를 깔고 화투로 하루의 운세를 점쳤다. 그 옆에서 로봇 장난감의 팔다리를 뜯어내고 있던 나는 여섯 살이었다. 엄마는 은밀한 목소리로 이런 처세를 알려 주었다.

"봐라. 요게 순서대로 '비풍초똥팔삼'이야."

"피뽕좃똥……."

"아니아니, 비, 풍, 초, 똥, 팔, 삼."

엄마는 내 발음을 정정해 주었다.

"잘 들어 둬. 고스톱 치다가 바닥에 먹을 게 없잖냐. 그러니까 맨땅에 헤딩해야 할 상황에 처하거든, '비, 풍, 초, 똥, 팔, 삼' 일단 요 순서대로 버리는 거야. 이게 다 욕심 부리자면 끝도 없는 패거든. 쥐고 있다가 쓰리고에 피박 쓰고 쌍코피까지 터지면 아주 끝장이야, 끝장."

도배 일을 마치고 귀가한 아버지가 벌여 놓은 화투 패를 보았다. 내 이 여편네를 그냥. 엄마는 불과 몇 분 후에 끝장이 났다. 아버지는 이듬해, 도배 일을 하다 바닥에 널브러진 도배 풀에 미끄러져 뇌진탕으로 죽었다. 그 후로도 엄마의 점 10원짜리 화투판은 계속되었다. 그러자 여덟 살 터울의, 사춘기에 막 접어든 형이 아버지를 대신해 화투판을 끝장냈다. 엄마는 아버지보다 형을 더 어려워했다.

어쨌든 엄마의 조기 교육 덕분에 절박한 위기의 순간, 나는 갖고 있던 패 중에 하나를 버렸다. 나의 애마 크라이슬러 세브링 컨버터블을. 먼저 버린 것은 내 알량한 신용이었다. 대한민국에서 신용 있는 사람으로 산다는 것이 얼마나 골치 아픈 일인지, 그것을 포기하고서야 알았다. 신용을 버리니 한결 살 만했다. 파산결정문을 받고 면책을 신청하자, 전화로 욕을 해 대던 대출 회사 채권 팀장의 목소리부터 설득조로 바뀌었으니까. 얼마 전에 내려진 파산결정문을 좀 더 앞당기지 못한 게 한스러울 지경이었다. 엄마의 훈육은 현명했다. 포기의 우선순위를 정하자 위기가 기회로 바뀐 것이었다. 물론 이제는 어디에서도 대출을 받지 못한다. 돈을 벌 수 없다는 말보다 몇십 배 하늘이 노래지는 일이었다. 하지만 쓰리고에 피박까지 맞아 버린 상황이었으니 어떻게든 쌍코피는 면해야 했다.

우리가 갖춰야 할 것

엄마가 일러 준 교훈을 몸소 체험한 순간은 4년 전, 내 나이 스물넷의 늦은 여름이었다. 현금 2만 원. 내 지갑 안 사정은 그랬다. 쌍코피를 막아 준 건 1년 전 길에서 발급받은 신용카드 네 장이었다.

가진 것이 없어서 버릴 것도 없던 그때, 나는 서울 강남에 있는 유명한 나이트클럽을 처음 경험했다. 룸에 앉은 지 30분 만에, 나는 네 명의 여자애와 만나고 헤어졌다. 다음으로 부킹 온 여자애가 옆자리에 앉았다. 나는 다섯 번째로, 이름이 뭐예요? 물었다. 어디 살아요? 여자애는 대답 대신 내게 되물었다. 봉천동요. 뒤이은 여자애의 말을 잊지 못한다.

"어쩐지, 신발이 강북 삘이더라……."

인천 토박이인 내가, 서울로 와 봉천동에 있는 여섯 평 원룸에 살기 시작한 지 7개월 만의 일이었다. 서울에다 원룸을 얻기 위해 인터넷 공인중개소의 사이트를 눈이 빠져라 뒤적대 보니 얼추 매물의 정보는 이랬다.

관악구 봉천동 10평 실6평 보1천-월40 관리비 2만 원.

관악구 신림동 10평 실7평 보1천-월60 관리비 3만 원. 풀옵션. 디지털 도어락. 엘리베이터.

서초구 서초동 17평 실11평 보1천-월90 관리비 12만 원.

강남구 신사동 70평 실59평 보500-월500 풀옵션 호텔식 단기임대 매물다량보유

형이 제시한 보증금은 천만 원이었다. 형수의 눈치도 있는데 그만하면 형이 수고했다는 걸 알고 있었다. 나는 보증금에 맞춰 찾

은 원룸 세 개와 놀라 자빠질 원룸의 정보를 함께 출력해 형에게 보여 주었다. 나는 슬그머니 두 번째 줄을 손가락으로 가리켰다. 형은 한마디로 내 의도를 일축했다. 분수에 맞게 살아라.

내가 아르바이트로 생활비와 함께 충당할 수 있는 월세는 40만 원. 내 분수에는 보증금 천만 원에 월 40만 원의 세를 내는 봉천동 여섯 평 원룸이 제격이었다. 그 결과 7개월 만에 나는 '강북 뻴'로 분류되었다. 함께 나이트에 간 같은 학과 동기 세 명도 상황은 비슷했다. 녀석들에게, 학교 어디 다녀? 묻는 여자애만 벌써 다섯 번째였다. 경기도권의 이름도 없는 4년제 대학생이라는 타이틀도 봉천동만큼이나 여자애들을 김새게 하는 모양이었다. 나는 고딩 때 선생들이 내린 저주, '인서울에 실패하면 인생 조진다'를 비로소 실감했다. 그나마 외모가 출중한 녀석 하나만 여자애의 호감을 샀다. 녀석의 옆에 앉은 여자애는 아주 넋이 빠져 있었다. 가슴께에 걸쳐진 탑이 아슬아슬하게 내려가 있는 줄도 모른 채. 이른바 꽃미남이랄 수 있는 녀석이니 어련했다. 저렇게 기집애처럼 생긴 녀석도 요즘은 메트로섹슈얼이라면서 인기가 많으니 말이다. 돈도 학벌도 집안도 변변찮거든 외모라도 갖춰 줄 것. 외모가 그 모든 것을 감당하리라. 그게 이 시대의 룰이었다. 그렇게 치자면 내 외모도 썩 빠지지 않는데 억울했다. 특히 186센티의 키와 헬스로 다져진 근육질의 몸매는 모델 부럽지 않나고 사부할 수 있었다. 제대 후, 복학도 안 한 채 무작정 서울에 온 것도 실은, 좀 민망하지만, 나의 출중한 외모 때문이었다.

대책 없는 서울행을 실행하기 전, 나는 월드컵 시즌을 아쉽게 놓치고 제대했다. 기념으로 술을 사겠다는 친구들을 만나러 명동을 걷던 길이었다. 말쑥한 정장 차림의 남자가 나를 불러 세우고 명함을 내밀었다. 명함에는 KM엔터테인먼트라고 씌어 있었다. 그럴싸했다. 남자는 내게 연기 오디션을 보라고 했다. 유명한 스타들의 데뷔 동기가 길거리 캐스팅이라더니. 과연 뜨기만 하면 돈과 인기와 명예까지 얻을 수 있었다. 아무렴. 내 장신의 키와 균형 잡힌 몸매는 서울에서도 먹어 주었다. 나는 당장이라도 스타가 된 양 흥분했다.

형은 의심 많은 눈초리를 보냈지만 안목 있는 엄마는 달랐다.

"인생 한 방이라더니. 이럴 줄 알았다. 우리 막내는 끗발이 좋을 거라고 진즉에 알았지. 느이 담임선생이 머리는 좋은데 노력을 안 한다고 뭐라 할 때도 난 신경 안 썼다. 요즘이 어떤 세상이냐. 공부 말고도 할 게 얼마나 많으냐. 요새는 연예인이 젤로 큰 출세더라."

형이 헛기침을 두어 번 했다. 엄마가 화투판 전문 용어를 들먹일 때마다 눈살을 찌푸리는 형이었다. 엄마는 아랫입술을 쭉 빼고는 말을 삼켰다. 엄마도 늙었나 보았다.

"너도 알다시피 내 교사 봉급도 얼마 안 되고, 이 아파트 융자금도 갚으려면 아직 멀었다. 어머니도 모셔야 하고, 곧 네 형수 출산일도 다가온다. 그러니 다 큰 너까지 책임질 수는 없는 노릇이다. 니가 대학을 마치겠다고 하면 어떻게든 노력을 해 보려 했다만……."

알고 있다. 결혼해서, 청약으로 받은 32평 아파트에 홀어머니까지 모시고 살아 주는 착실한 형과 형수. 요즘 세상에 참 착한 아들과 며느리였다. 뭐, 엄마가 평생 꾸려 온 지물포를 팔아 아파트 사는 데에 보탠 것쯤은 서로를 위해 나은 결정이었다. 팔아 봐야 얼마 되지도 않는 지물포이기도 했다. 이런 데다 제대한 내가 형의 집에 반년째 얹혀사는 것이 엄마도 눈치가 보였을 터였다. 복학도 안 하고 연예인이 되겠다니, 내 뒷바라지를 해 줄 이유도 없었다. 내가 독립을 하는 것이 여러모로 나은 상황이었다. 형과 형수는 다 큰 내가 삶을 스스로 꾸려 가기를 바라는 마음에, 엄마는 나의 대박을 믿었기 때문에, 독립을 허락했다.

봉천동 원룸에 짐을 내려놓자마자 헬스장부터 알아보고 등록했다. 그런 다음 명함을 들고 기획사를 찾아갔다. 몇 번의 카메라 테스트 후 실장이란 사람이 말했다. 얼굴이 생각보다 크네. 수술하는 게 어때? 양해도 없이 반말이었다. 그렇지만 그래, 연예인들의 머리통은 다 작다고 하니까. 그럴 만하다고 생각했다. 연기과정 세 시간, 연기테크닉 두 시간, 영상모니터링 한 시간, 탭댄스 두 시간 등등 6개월 과정에 250만 원. 분할납부 가능. 실장은 막힘없이 술술 읊어 댔다. 이런 식이라니. 텔레비전 무슨 프로그램에선가, 연예인 지망생을 우롱하는 엔터테인먼트 어쩌구 하는 것을 본 것도 같았다. 머리통을 반으로 줄이고 250만 원어치의 수업을 받으면 연예인이 될 수 있나요? 나는 물었다. 노력하면. 실장의 대답이었다. 역시 이런 식이라니. 나는 다시 물었다. 카드도 되나요?

만약 그때 신용카드를 들고 있었다면 앞뒤 없이 질렀을 것이다. 신용카드는 아직 풀지 못한 이삿짐 속에 있었다. 집에 돌아와 인터넷을 검색해 보았다. 얼굴이 받쳐 주면 연기 수업료 없이도 기획사에서 키워 준다고들 했다. 연기 수업보다도 얼굴 면적을 줄이기 위한 성형이 우선이었다. 그런 다음 기획사를 찾아가면 되는 거였다. 수업료와 성형 자금을 합해 보니 내가 얻은 원룸 보증금을 넘어선 금액이었다. 어떻든 돈을 벌어야 했다. 얼굴 크기를 반으로 덜어 내기 위한 아르바이트. 참으로 한심한 목표가 아닌가, 싶기도 했고 더없이 원대한 꿈 아닌가, 싶기도 했다. 나로 말하자면 연예인 지망생이었다.

어느새 웨이터들이 공수해 오던 여자애들의 수가 줄고 있었다. 우리는 다녀간 여자애들의 얼굴을 비난하며 낄낄댔다. 몽타주들이 왜 다 그러냐? 아까 걔 완전 진상 아냐? 웨이터들이 근무태만이지. 저렇게 별 볼 일 없는 여자애들을 보내 줘서야. 무성의한 것들. 한 녀석이 눈치 없이 물었다.

"웨이터들이 왜 우리한테 무성의한 거지?"

우리는 술맛을 잃었다. 봉천동에 산다는 것과, 이름 없는 대학에 다닌다는 것, 차도 없다는 것, 휴대폰이 구형이라는 것. 그날 파악한 나와 친구들의 결격 사유는 그랬다. 결정적으로 우리들의 신발은 강북 삘이라는 것.

한강의 남쪽을 강남으로, 북쪽을 강북으로 나눈 것이라면 사실 관악구 봉천동은 강남 쪽이었다. 그러나 그날 이후 내겐 그렇지가 않았다. 내가 만난 서울 사람들은 강남구와 주변의 몇 개 구역만을 강남으로 그 외의 지역은 전부 강북이라는 듯 말했다. 강남은 지역적 명칭이 아니라 일종의 상징이었다. 인터넷이나 텔레비전을 통해 보고 듣던, 뭔가 있어 보였던 '강남 스타일'도. 나는 내가 앞으로 가져야 할 것이 무엇인지, 무엇을 갖춰야 하는지 어렴풋이 알 것 같았다. 그로 인해 누릴 수 있는 것이 무엇인지도. 다음 날 나는 12개월 할부로 최신형 고급 휴대폰을 구입했다. 페라가모 구두를 위해 5개월 할부 카드매출전표에 사인까지 했다. 압구정 멀티숍에서였다. 철 지난 명품을 40퍼센트나 싸게 구입하는 곳이 멀티숍이라며 일러 준 네티즌들의 조언 덕분이었다.

우리가 누려야 할 것

전당사를 뒤로하고 호텔 카지노로 가기 위해 택시를 잡았다. 택시에 타자마자 손바닥으로 얼굴을 벅벅 문질렀다. 수염이 까칠했다. 세수도 못 하고 며칠을 꼬박 뜬눈으로 지샜으니 당연히 피부도 푸석푸석했다. 얼마 전까지만 해도 아침과 저녁, 애프터 셰이브와 토너, 아이 에센스, 자외선 차단제 정도는 발라 주며 살았는데 말이다. 이런 꼴이라니. 서울에 품고 온 꿈을 잊지 않았다면 좋았을 것을. 어떻게든 연예인이 되었다면, 그랬다면 지금쯤 내 생은 완전히 달라졌을지도 모른다. 영화 한 편의 출연료가 몇억 원을 호가하는 몸값 높은 신분이 되어 있을는지도. 서울 온 지 어느새 5년이 다 되어 가는데, 나는 아직도 '평민'이다. 아이돌 스타로 불린다는 어느 탤런트가 그랬다지. 많은 평민 여러분에게 감사하다고. 그러니 평민이 누릴 수 있는 것에는 한계가 있기 마련이었다. 나는 지갑이 든 뒷주머니를 쓰다듬었다. 두툼했다. 비풍초똥팔삼. 아끼던 크라이슬러 세브링 컨버터블을 포기하고 다시금 기회를 얻었다. 승부를 걸어야 한다. 택시에서 내린 나는 전의를 다지며 안으로 들어갔다.

카지노는 여전히 사람들로 북적거렸다. 나는 무료로 제공되는 커피를 한입에 털어 넣고 슬롯머신을 향해 성큼성큼 다가갔다. 시간이 얼마 없었다. 늦어도 내일까지는 그녀에게 전세금을 돌려

주어야 했다. 짧은 시간 안에 큰돈을 만들기 위해선 슬롯머신밖에 대안이 없었다. 나는 수십 대의 기계를 하나로 연결해, 누적된 돈을 몰아주는 메가잭팟의 주인공이 되어야만 한다.

터졌다! 누군가 외마디를 질렀다. 뒤이어 사람들의 함성이 들려왔다. 149,738,400이라는 숫자가 전광판에서 번쩍였다. 40대 정도 된 사내가 죽돌이들에 둘러싸여 희희낙락이었다. 미쳐 버릴 지경이었다. 이런 젠장. 슬롯머신 앞에서 하세월을 보낸 죽돌이들이 푸념을 해 댔다. 메가잭팟은 어지간해선 한 달에 두 번씩 터져 주질 않는다. 푸념을 넘어 절규에 가까운 소리를 뱉어 대는 것도 당연했다. 당장 오늘 밤에라도 잭팟이 터져야만 하는 내게는 시한부 선고나 다름없었다. 이곳에 와서 수천만 원을 슬롯머신과 바카라, 블랙잭에 쏟아부었건만 결과는 전당사행이라니. 나는 의기소침해졌다. 많은 사람이 우르르 흡연실로 몰려갔다. 나도 굳어진 표정을 어쩌지 못한 채 흡연실로 향했다.

“잭팟은 꼭 뜨내기한테 터진다니까. 만 원짜리 한 장으로 메가잭팟이 터졌다는군. 하여튼 기회는 우연히 오는 거야. 안 그래?”

지난 엿새간 초보 죽돌이인 나와 안면을 튼 택시 기사였다. 그는 경기도에서 이곳까지 놀러 온 사람들을 태우고 왔다가 아예 죽돌이가 되어 버렸다. 그래도 도박꾼들은 희망을 믿기 때문에 게임을 한다는 둥, 세상이 하나의 거대한 카지노와 같다는 둥, 인생이 도박이라는 둥, 그동안 그의 도박 철학은 지겹도록 들었다. 나는 그때마다 속으로 콧방귀를 뀌었다. 참으로 긍정적인 낭만주의자였다. 세상이 어디 도박판처럼 쉬운가. 세상에선, 만 원짜리 한 장으로 1억 5천만 원에 가까운 돈을 벌 수 있는 행운 따위 없다. 적어도 세상에서는 말이다. 내가 들고 온 그녀의 전세 보증금이 이곳에서는 적은 판돈이었을 뿐이다. 내 생각은 정말이지 그랬다. 아니면, 우연에 기대야 하는 이곳이 나의 전략에는 맞지 않았는지도. 시간에 쫓기지만 않았어도 이런 방법을 택하지는 않았을 거였다. 그야말로 대안이 없었다. 이곳에서 죽돌이를 넘어 앵벌이로 살고 있는 택시 기사의 개똥철학 따위 들어 줄 시간이 없었다. 저들의 인생과 내 인생은 다르다. 글쎄, 뭐가 다르냐고 묻는다면, 저들은 죽돌이고 나는…… 나는 적어도 평민은 되었기 때문이다. 담배 피우기를 그만두고 슬그머니 흡연실 문을 여는데 그가 말했다.

"저렇게 잭팟이라도 터뜨리는 걸 보면 나는 여길 더 뜰 수가 없어. 내게도 그런 기회가 올 거 같거든."

옆에, 쉰은 족히 넘어 보이는 여자가 시답잖은 소리 말라는 듯 퉁을 놓았다.

"그래도 미끼가 단순해서 좋잖아? 집에만 가면 시달리는 게 한둘이어야지. 눈 둘 데가 많아서 나는 아주 머리가 다 지끈거려."

죽돌이 택시 기사나, 죽순이 아줌마나 내 보기엔 둘 다 세상 속에 들어가 살기는 글러 보였다. 흡연실을 빠져나가는 내 뒤통수에 대고 택시 기사는 기어이 한마디를 더 했다.

"여긴 중독성이 너무 강해. 아주 지옥이라고."

그럼에도 탈출할 의지가 없는 그. 그러거나 말거나……. 나는 슬롯머신이 즐비한 곳으로 갔다. 신세 한탄이나 하고 있을 여유가 없었다. 기계 옆에 세워 둔 팻말엔 메가잭팟을 터뜨린 사람들의 명단이 나열되어 있었다. 나는 유심히 명단을 살펴보았다. 6월달엔 경기도의 정모 씨가 8900만 원의 잭팟을 터뜨렸다. 5월엔 강원도의 김모 씨가 1억 3천만 원을. 그리고……. 그렇지, 3월달엔 10일과 14일, 두 번의 대형 잭팟이 터졌다. 가능했다. 잭팟이 자주 터졌던 기계는 크리스탈 세븐이었다. 그 앞으로 갔다. 죽돌이들이 좀체로 잡은 자리를 내주지 않아 빈자리가 없었다. 아예 만 원짜리를 수십 장 넣어 두고 버튼에 성냥개비를 끼워 놓은 기계도 많았다. 저절로 버튼이 눌려 끝없이 베팅이 되게끔 해 둔 것이었다. 3초 만에 1500원이 순식간에 사라졌다. 그렇게 1분 만에 몇만 원. 한 시간 만에 100만 원 이상의 지폐를 삼키고 있었다. 나는 빈자리를 찾아 빙빙 돌았다. 미끼라 해도 좋았다. 이번엔 내가 덥석 물어 버릴 것이다. 슬롯머신이 1분에 몇만 원을 삼킨다 해도 잭팟은 돈을 넣은 사람에게만 터지는 법이다. 2층에는 3천만 원의 보증금을 지불해야 들어갈 수 있는 VIP룸이 있었다. 그곳에선 더 큰 판돈으로 게임이 진행된다. 부자들은 부자들끼리 빈자들은 빈자들끼리 모여 사는 것은 여기도 다를 바 없었다. 하루에 20억을 잃고도 웃으며 돌아간다는 그들은, 판돈이 큰 만큼 그 이상을 따기도 할 것이었다. 내가 지난 몇 년간 중개보조원으로 일해서 번 돈을 모두 합해도 그들의 하루 판돈이 못 된다. 하기는, 번 돈보다 빚이 더 많았으니 그런 계산 자체가 불가능하긴 하다. 나는 도대체가 계산도 안 되는 삶 속에 있었다.

3년 전부터, 나는 강남역 근처의 공인중개컨설팅 회사에서 중개사로 일하고 있었다. 정확히 말하자면 '21세기 타워 공인중개소'의 중개보조원이었다. 그 이전 해, 서울에 갓 올라왔을 때는 내가 중개보조원이 되리라고는 전혀 예상치 못했었다. 그러나 연기 수업료와 수술비를 벌기 위해 시작한 아르바이트가 밀린 카드 값과 월세를 위한 생계형이 되어 1년을 채워 갈 무렵, 보다 못한 형이 나를 집으로 불렀다.

형수를 닮은 사내아이의 울음소리가 집 안 가득 울렸다. 행복이 넘치는 대한민국 표준 가족. 울음소리는 내게 그런 선언쯤으로 들렸다. 정작 내게 선언을 한 것은 형이었다. 그러니까 연예인은 아무나 되는 것이 아니다. 복학에도 뜻이 없고, 백수 생활이나 할 거면 공인중개사 시험이라도 봐라. 요는 그랬다.

“요새는 젊은이들도 취업난 때문에 공인중개사 자격증을 따 둔다고 하더라. 학원비만큼은 내가 대 줄 테니, 마지막이다 생각하고 열심히 해 봐라. 생활비까지는 대 줄 수 없으니, 그쪽 계통의 아르바이트로 실무를 쌓는 것도 방법이겠다.”

사법고시를 볼 것도 아니고, 공무원 시험을 치를 끈기도 아니란 걸 일찌감치 간파한 형의 절충안이었다. 청년 백수니 취업난이니 하는 뉴스 기사를 볼 때나, 너 나중에 뭐 할래? 라는 질문을 받을 때, 친구들은 말했었다. 글쎄, 요새는 공인중개사도 괜찮다던데……. 그렇다고 해도 공부는 영 귀찮은 나였다. 무엇보다 간지가 안 났다. 복덕방이라니. 그러나 1년씩이나 빈둥거리고 있었으니 내 입장 같은 건 이미 드러낼 계제가 아니었다. 중개보조원. 형으로부터 그런 직업도 있다는 걸 알았다. 엄마는 형의 눈치를 보느라 형네 집으로 들어와 살라는 말을 못 했다. 사실 내겐 그 말이 제일 경계되는 말이었다. 이래저래 형의 말에 따라야 했다. 그즈음 나는 부쩍 씀씀이가 커져 있었다. 페라가모 구두의 5개월 할부를 시작으로 지출은 점점 더 늘어났다. 피시방이나 편의점 아르바이트로는 카드 값을 충당할 수가 없었다. 어느새 카드 돌려막기를 시작하던 때였으니까. 그래도 공인중개사 시험을 볼 생각은 없었다. 아르바이트를 하면서 생각해 보자, 거기까지였다. 나는 기왕 중개보조원을 할 것이라면 강남에서 시작하자고 마음먹었다. 나이트클럽 사건 이후 떠나지 않던 찝찝함을 떨치고 싶었다. 집에서 나오는 길에 엄마가 따라 나와 내 손을 꼭 잡았다.

"지물포 판 돈 얼마 안 되지만 형 아파트 사는 데 다 주고, 너한테는 보증금밖에 못 줘서 미안했다. 이번에 학원비는 찔끔찔끔 말고 한 번에 주라 일렀다. 막내는 머리가 좋아서 뭐가 돼도 될 테니까."

이런 교훈도 잊지 않았다.

"첫 끗발이 개 끗발이라고 하지 않던. 손 털고 화투판 나설 때까지는 누가 울고 웃을지 모르는 거다. 니 인생에도 끗발 나는 순간이 올 거야. 언젠가는 잘 될 테니 두고 봐."

"엄마 요새도 화투해?"

"무슨. 니 형 무서워서 점 10원짜리 판도 못 벌인다, 야. 사는 낙도 없는 년이 여편네들이랑 그런 거라도 하면서 웃고 사는 거지. 원, 니 형은 고지식한 게 느이 아부지를 쏙 빼닮았더라."

마을버스 정류장 앞에서 손을 흔드는 엄마의 얼굴이 어느새 할머니가 다 되었다. 도배장이인 아버지를 도와 벽지에 풀을 바르던 엄마였다. 나는 눈을 꾸욱 감고 생각했다. 엄마에게 집도 떡하니 사 주고 차도 떡하니 사 주고, 여느 마나님 부럽지 않게 호강시켜 주기 위한 한 방. 그 한 방이 언제쯤 내게 와 주려나…… 하는 생각. 호랑이를 잡으려면 호랑이 굴에 들어가자, 돈을 벌려면 돈이 모이는 곳으로 가자, 같은 생각. 고로 크게 놀자, 그런 생각들.

이듬해 봄. 나는 중개보조원을 모집하는 강남의 공인중개소에 면접을 보고 입사했다. 형에게 받은 천만 원은 학원비가 아닌 다른 곳에 사용했다. 살고 있는 집의 보증금과 합해 서초동에 있는 원룸에 월세로 들어간 것이었다. 예전에 형에게 보여 줬던 네 개의 월세 정보 중 세 번째 줄에 해당하는 집이었다.

서초구 서초동 17평 실11평 보1천-월90 관리비 12만 원.

내 주제에 서초동에 살려면 반지하나 다세대 주택으로 들어가는 게 형편에 맞았다. 그러나 당신이 사는 곳이 당신을 말해 준다던 어느 아파트 광고의 카피 문구처럼 나는 내 삶을 업그레이드시키고 싶었다. 다른 지역보다 비싼 월세는 품위 유지비라고 할 수도 있었다. 카드 명세서에 찍힌 나의 지출 목록이, 이미 페라가모 구두나 벨트, 에르메스 넥타이로 이어지던 시절이었다. 그러니 이 정도는 누려야 했다. 그러다 카드 대금을 지불하지 못해 연체가 되면 다른 카드로 연체금을 채울 수 있었고, 그마저 연체가 되면 또 다른 카드로 메우면 되었다. 카드대란 이후 한도가 큰 폭으로 준 것이 불만이긴 했지만 아직은 그럭저럭 버틸 만했다. 나는 쓴 만큼 번다는 신념으로 크게 벌기 위한 자질을 갖춰 가는 중이었다.

그렇게 시작한 중개보조원 일은 의외로 내 적성에 잘 맞았다. 어쩌면 천직이 아닐까 싶을 정도였다. 수습생이던 처음 3개월간은 지번을 외우고 물건을 파악하러 다니는 단순 업무를 보았다. 중개소 안에는 파트별로 팀이 구성되어 있었다. 점포 담당. 토지 담당. 아파트 매매 담당. 전월세 담당. 지방 담당 등등. 동네 특성 파악을 끝낸 나는 전월세 파트의 일원이 되었다. 주로 논현동과 역삼동 일대의 원룸과 아파트 전월세를 다루며, 업무용 승용차에 손님들을 태우고 집을 보여 주러 다녔다. 얼마 후엔 매매 계약서를 작성하는 업무도 병행했다. 중개보조원이 매물을 광고하거나 계약서를 작성하는 것은 불법이었지만 현실은 그렇지도 않았다. 팀장은 경력 4년 차에 나보다 세 살이 많았다. 나뿐 아니라 팀장도 중개업일이 적성에 아주 잘 맞는다고 했다. 당연했다. 이 일대의 고객 중에는 룸살롱 등에 출입하는 업소 여자들이 많았다. 중개를 하다 눈이 맞는 사례도 있었고, 종종 살림을 차리는 팀원도 있었다. 적성에 맞지 않을 이유가 없었다. 더구나 '21세기 타워 공인중개소'는 강남, 도곡동, 서초동에 세 개의 지점이 있었다. 각 지점마다 그 일대의 건물에 대한 관리권이나 중개 독점권을 갖고 있어서 기본 물량이 확보된 셈이었다. 불황을 크게 타지 않는다고 봐도 좋았다. 멀게는 성북동과 평창동의 매물도 종종 다뤘으니 더욱 그랬다. 그러니 팀장이나 나나 이 일이 천직이 아닐까 생각할 밖에. 거래가 계속 이어지고, 현금이 자주 오가는 만큼 우리들은 돈을 잘 썼다. 회식 한 번의 술값이 100만 원을 넘기도 했다. 내 큰 키와 운동으로 다져진 근육은 중개보조원 일을 하기에 유리한 데가 있었다. 고객들이 주로 여자들이었기 때문에, 무엇보다 그랬다.

그해 겨울, 나는 고객을 모시기에 적당한 크기의 중형차를 중고로 하나 뽑았다. 중개보조원에게 개인 승용차는 필수였다. 아직은 적은 수당과, 돌려막기가 불가능해진 카드 때문에 제2금융권의 대출을 받아야 했다. 그래도 수입이 빠른 속도로 늘고 있으니 갚는 데는 어려움이 없으리라 생각했다. 중형차에 아르마니 양복이면, 누가 봐도 능력 있는 전문직 남성일 터였다. 팀장이 즐겨 보는 잡지《지큐 코리아》에 나온 모델 간지 못지않았다. 여기에 불가리 안경이면 완벽한 코디였다.

2년 차 만에 나는 매물 하나를 계약하고 수수료의 60퍼센트를 가져갈 만큼의 경력이 되었다. 능란한 말발에 먹어 주는 외모 그리고 수당제. 내 월수입은 종종 팀장을 능가하기도 했다. 직업의 특성상 수입이 불규칙했지만, 이만하면 대기업 초봉보다는 나았다. 그러나 늘 그랬듯 버는 것보다 지출이 더 많았다. 계약금 등으로 주머니에 항상 현금이 있었으므로, 갖고 있다가 팀원들과 나이트에서 술값으로 써 버리는 일이 잦았다. 다음 날 번 돈으로 부족분을 채워 계약금을 돌려주는 일도 비일비재했다. 사고 싶은 것은 많았고 돈은 항상 그 목록을 따라가지 못했다. 그러나 내 돈이 아닐지언정 대체로는 현금이 종종 들어왔으므로 그런대로 만족스러웠다. 어쩌다 현금이 딱 끊어지는 날에는 제2금융권의 대출을 추가로 받기도 했다.

명절날 나는 엄마에게 유명 브랜드의 스카프를 사 주었다. 형네 가족에게는 한우를 선물했다. 내가 선물한 한우가 식탁에 올라오자 엄마는 말했다. 이게 막내가 사 온 한우다. 형과 형수의 입으로 한우가 한 점씩 들어갈 때마다 같은 소리를 했다. 이게 막내가 사 온 고기다. 엄마는 식사를 마치고 찜질방에 가겠다며 나섰다. 목에 스카프를 두르고였다. 어쩐지 나도 사람 구실을 하고 있는 것만 같아 어깨가 으쓱했다. 정말로 공인중개사 자격증을 취득해볼까, 하는 생각도 들었다. 그럴 때면 공인중개소의 한쪽 벽에 걸려 있는 커다란 액자를 보며, 오만 상상의 나래를 펼치고는 했다. 액자 안에 들어 있는 최경자 사장의 기사와 사진을 떼어 내고 나의 기사와 사진으로 바꿔 넣는 상상.

최경자 사장의 기사는, 오래전 공인중개업 회지에 실린 것이었다. '발품과 메모로 부자 동네 누볐죠'란 제목 밑에는 '월수입 최소 2천만 원. 변호사나 의사 부럽지 않은 고소득 공인중개사'란 헤드타이틀이 쓰여 있었다. 최경자 사장은 전세 4천만 원짜리 다

세대 주택에 살던 전업주부였다. 공인중개사 시험에 합격한 후 그녀는 4년 만에 52평 주상복합 아파트에 입주했다. 게다가 서울에 공인중개소를 세 개나 갖고 있는 사장이 되었으니 기사화될 만도 했다. 최경자 사장은 말했다.

"우리 딸이 초등학교 다닐 때였어. 애 하는 말이 가관이더라고. 자기네 반 친구들은 집 평수가 비슷한 아이들끼리만 어울린다는 거야. 우리 집이 20평짜리였잖아. 우리 애가 기죽어 하는데, 남편 수입만으론 안 되겠다 싶었어. 그래서 시작한 부업이 이거야. 꾸준한 노력으로 이만큼 키운 거지."

최경자 사장의 딸내미는 이제 52평에 사는 친구들과 사귈 터였다. 모두 제 엄마가 흘린 땀의 결과겠지만, 나는 알고 있다. 최경자 사장은 종종 전문 투기꾼들과 손을 잡았다. 분양하는 아파트를 무더기로 매입해서 한 채씩 파는 식으로 가격을 부풀리곤 했던 것이다. 그런 공공연한 사실을 모르는 직원은 아무도 없었다. 그런 대담함만 보더라도 확실히 그녀는 존경할 만한 데가 있었다. 그녀 역시 다른 공인중개사들보다 중개보조원인 나를 더 믿고 신뢰했다.

"공인중개사 시험에만 합격해. 그때는 지점 하나를 맡길 수도 있으니까."

최경자 사장의 호언이 듣기 좋으라는 말만은 아님을 잘 알고 있었다. 사장과 나는 죽이 잘 맞았다. 그녀의 사기성을 가장 잘 응용하는 게 나였으니까. 나는 집을 더 돋보이게 설명했고, 수수료를 높게 받아 내기도 했다. 게다가 땅값을 올리려고 헛소문을 조직적으로 퍼뜨리곤 하는 최경자 사장에게 조언을 할 줄도 알았다.

"매물을 찾아 나서지 말고 매물을 만들라고. 빌딩, 아파트, 오피스텔, 공장까지. 부동산에서는 매물을 만드는 게 진짜 고수야."

최경자 사장에게 듣는 조언은 수첩에 곧바로 메모되었다. 돈이 돈을 번다, 부동산은 거짓말을 하지 않는다, 등의 얘기에는 빨간색 볼펜으로 별표를 해 두었다. 그러나 최경자 사장은 전월세 담당 팀원인 내가 매매 담당 팀을 기웃거릴 때마다 한 소리 하는 것도 잊지 않았다.

"아직은 아니야. 공부 더 하다가 몇 년 후에나 매매 담당으로 옮기라고."

최경자 사장은 나에게뿐 아니라 다른 매매 담당 팀원들에게도 마찬가지였다. 특히 건물주들과 개인적으로 연락하는 것을 극도로 제한했다. 자신의 고객을 언젠가 빼돌리고 말 거라는 의구심 때문이었다. 실상 그런 일이 비일비재했으므로 그럴 만도 했다. 얼마 전 팀장이 최경자 사장에게 호되게 당했다. 전세 계약을 체결했는데 최경자 사장에게 보고하기 전에 건물주에게 직접 전화해 계약 사실을 알린 것이었다.

"버릇없는 놈……."

최경자 사장의 짧고 굵은 한마디였다. 그러나 월세만 해서는 큰 돈을 벌 수 없었다. 최경자 사장이나 매매 팀원들 몰래 건물주나 아파트 소유주들과 인맥을 쌓아야만 했다. 1년에 한두 번씩은 중개소로 건물주들이 방문했다. 그럴 때면 가볍게 하는 인사 한마디 속에도 믿을 만하다는 인상을 심어 주기 위해 애썼다. 지나가듯 명함을 주는 일도 잊지 않았다. 우리 팀이 관리하는 건물의 주인과 시세 문제로 상의를 해야 할 때도 있었다. 그럼 하늘이 준 기회라 생각하고 최대한 건물주의 편에서 시세를 올려 주는 쪽으로 거들었다. 언젠가는 그들이 내 고객이 될 것이기 때문에.

윈윈게임

그해 겨울, 보증금 500만 원에 월세 500만 원의 풀옵션 원룸을 구하러 20대 초반의 남자가 찾아왔다. 옆에 여자애를 하나 데리고였다. 대학 3학년이라고 소개한 녀석의 주문은 간단했다. 청담동 근처의 오픈형 원룸. 4개월 단기 임대. 풀옵션. 최대한 고급스럽게. 호텔형. 보통 이 정도의 원룸에 거주하려는 사람들이란 한국에 잠시 머물다 가는 외국인들이었다. 그들은 몇 개월만 머물 쾌적한 집을 원했다. 외국인을 위한 팀이 따로 있을 만큼 단기 원룸 수요도 적지 않았다. 그런데 녀석은 근처의 한남동에 산다고 했다. 그야말로 돈이 많아 어디다 쓸지 고민인 녀석인가 보았다. 우리 팀과는 무관했지만, 호텔형 풀옵션 팀의 부재로 내가 녀석의 중개를 맡았다. 나는 녀석의 옷차림을 곁눈으로 점검해 보았다. 브리오니 정장에 카르티에 체인 목걸이로 이어지다 벨루티 수제 구두로 시선이 내려가자, 《지큐 코리아》에 실린 그 구두란 걸 한눈에 알아챌 수 있었다. 유연한 구두의 선과 자유스러운 감성은 벨루티만의 것이었다. 구두에 사용되는 베네치아 가죽은 최소 40시간이 넘는 수공 왁싱 후, 베니스의 갯벌 속에서 숙성된다고 했다. 투명도를 높이려고 달빛을 이용하여 가죽을 블리칭하고, 베니스의 바닷물과 알프스의 눈으로 염색한다는 그 구두는 그야말로 신비함으로 수공된 명품 중의 명품이었다. 나는 미용실에서 스트레이트 파마를 하다 말고 구두가 실린 화보를 쭉 찢어 바지 주머니에 넣었었다. 그뿐, 이미 정지된 카드 두 개와 한도가 턱없이 줄어든 나머지 카드 하나를 생각하며 구두를 구입하고픈 충동을 눌러 왔다. 제2금융권의 대출도 어느새 여섯 개로 늘어난 상태였기 때문이었다.

"아이 참 자기야, 욕실에 커다란 욕조도 빼먹으면 안 돼. 그리고, 럭셔리."

여자애는 녀석에게 혀 짧은 소리를 내며 혀를 샐쭉 내밀었다. 수술한 쌍꺼풀의 붓기가 채 덜 빠져 눈이 퉁퉁했다. 어깨에 메고 있는 가방이 찰랑거렸다. 루이비통의 로고가 훤히 드러나도록 강조한 가방이라니, 코웃음이 났다. 명품 입문자들이나 들고 다니는, 로고가 훤한 루이비통이라니. 노노스족만이 남이 잘 모르는 명품을 즐기는 법이다. 버버리나 루이비통은 이제 서민들의 상품 아닌가? 나는 이 여자애를, 돈 많은 남자친구 꼬셔 신분 상승 좀 해 보려는 신데렐라 지망생쯤으로 치부해 버렸다. 말하자면, 여자애는 전혀 럭셔리해 보이지 않았다. 나는 그들을 차에 태우고 청담동으로 가 호텔형 원룸을 보여 주었다. 42평형. 생활에 필요한 모든 것을 다 갖추었을 뿐 아니라, 유리창이 있는 면이 전체 통유리로 되어 있었다. 모든 내장재는 최고급이었고, 인테리어는 두말할 것 없이 럭셔리했다. 매월 700만 원씩을 주고도 살아 볼 만한 집이었다. 마다할 이유가 없었다. 여자애는 감탄사를 안으로 감추는 티가 역력했다. 여기저기 살펴보다가 어느새 핸드폰으로 열심히 '셀카'를 찍어 댔다. 볼 사이로 공기를 부풀려 넣는 품이 전형적인 얼짱각도였다. 녀석은 집을 한번 쓱 보고는 계약하죠, 선뜻 말했다. 눈 튀어나올 만큼 미인도 아닌 여자애가 어떻게 녀석을 사로잡아 이만한 집에까지 안착하게 되었을까. 나는 여자애의 숨은 매력이 궁금할 지경이었다. 뭐, 가슴은 제법 풍만했다. 나는 녀석을 사무실로 데리고 갔다. 계약서를 작성하면서 녀석의 구두를 다시금 찬찬히 살폈다. 역시 벨루티 수제 구두는 멋졌다. 잡지에서 보았을 때보다, 누군가의 소유물로 마주하는 것이 훨씬 더 매혹적이었다. 아무래도 구두를 사야겠다는 생각이 들었다. 대출 이자와 카드 값, 100만 원에 가까운 월세, 대책 없이 써 버린 고객의 계약금을 메우는 데만도 수입이 부족한 실정이었지만 좀 더 벌면 되지, 싶었다. 계약서에 도장을 찍는 녀석의 옆에서 여자애는 어울리지도 않게 새침한 표정이었다. 문득 보미 생각이 났다. 지금 이런 광경을 본다면, 절대로 그냥 넘어가지 않을 보미였다. "여자애 눈, 코, 가슴 전부 튜닝했네. 키도 작은 게……. 저런 남자애는 어떻게 잡았대? 뻔하지, 임신한 거야."

보미는 고급 승용차에서 남자와 함께 내리는 자기 또래의 여자애를 볼 때마다 같은 소리를 했다. 여자애를 순식간에 인조인간으로 만들어 버리는 거였다. 질투라는 걸 나도 잘 알고 있었다. 그럴 때면 나 정도로 만족하지 못하는 보미가 안타까울 뿐이었다. 중고이긴 하지만, 소나타 정도를 몰고 다니는 20대의 나도 썩 나쁘지 않다는 생각은 나만의 것인가 보았다. 하긴 보미 정도의 몽타주라면 의사나 변호사 정도를 남편감으로 꿈꿔 볼 만도 했다. 이른바 윈윈게임이었다. 보미는 나보다 네 살 어린 서울의 중위권 대학생이었다. 그즈음, 나이트에서 부킹으로 만났다. 다른 여자애들처럼, 학교 어디 다녀? 라든가, 어디 살아? 라든가, 연봉이 얼마야? 같은 말들을 앵무새처럼 반복하던 보미. 그러나 나의 휴고보스 양복과 구찌 구두를 슬쩍 곁눈질하던 보미는 이미 나에 대한 견적을 끝냈을 거였다. 나는 대답할 필요가 없었다. 구차한 설명 없이도 내 존재를 증명해 주는 것이 명품의 미덕이었다. 팔에 피아제 시계 하나쯤 차고 있었다면 더 좋았을 것이었다. 나는 그날 보미를 데리고 하얏트호텔에서 잤다. 그곳에서 첫날밤을 치르게 해 주는 남자를, 여자는 잊지 못한다. 나는 그렇게 생각했다. 어쩌면 나를 꼬셔서 결혼을 하는 것이 그 애의 최대 꿈이 되어 버렸을지도 모르겠다고. 나이트클럽에서 만난 여자애들과의 코스는 비슷했다. 2차로 술을 더하고, 호텔로 가서 원나잇을 하고, 다음 날 헤어진다. 몇 번 더 만나 보다가 흥미 없으면 영원히 헤어진다. 질척거리며 매달리지 않는다. 쿨하게 안녕을 고하는 것이었다. 그러나 보미는 나와 제법 자주 만나고 있었다. 얼굴이 꽤나 예쁘다는 것 말고 어떤 매력이 있었던 것인지 생각해 본다면 딱히 집히는 게 없었다. 지독하게 솔직한 위악 때문에? 그랬는지도 모르겠다. 보미가 떠는 악에는 나의 본능을 만족시키는 무엇이 있었다. 욕심에 솔직하고 질투를 감추지 못하고 거짓말도 제법 할 줄 알고 못 가지면 안달하는 그런 면. 보미는 자기네 집이 잠실동이라고 말했지만 만난 지 오래지 않아 그 애의 집이 풍납동이란 것을 알았다. 풍납동 주민들이 동명을 개정해 달라고 하는 이유를 선부르게나마 알 것 같았다. 내가 살던 산곡동과 내 친구들이 살던 작전동, 계산동, 부평동, 주안동……. 그 다양한 이름이 돈으로 환산되어 인식된 적은 없었다. 서울은 참 신기한 동네라는 생각을 그래서 해 보았던 것도 같다. 풍납동이 잠실동이 되면 집값이 얼마나 오르게 될 것인가. 오른 가격만큼 잠실동과 풍납동과의 차이가 있다면 그것은 뭘까. 확실한 것은 보미가 풍납동이 아닌 다른 곳에서 삶을 시작하고 싶어 한다는 것이었다. 보미는 자신의 샤넬 백을 보란 듯이 흔들며 말했다.

"이런, 개나 소나 들고 다니는 거 말고. 선택된 몇 명만 들고 다닌다는 그런 거. 일테면 에르메스 버킨백 같은 거. 나는 그런 존재야."

에르메스 버킨백이라고? 주문을 하고 6개월을 기다려야 한다는, 그 한정 수량의 백 말인가? 내 미심쩍은 표정을 보자, 보미는 자신이 린제이 로한이나 사라 제시카 파커보다 부족한 게 뭐냐는 듯 나를 흘겨보았다. 그들은 연예인이고 우리는 평민이잖아. 나는 이 말을 입 밖에 내지는 않았다.

성 안의 주민들

그즈음 주말마다의 내 드라이브 코스는 일정했다. 성북동에서 평창동으로, 한남동을 거쳐 방배동으로, 마지막에는 도곡동까지. 두루 돌아다니다 보면 동네마다의 특징이 보였다. 성북동과 평창동에서는 묵직한 전통 같은 것이 느껴졌다. 한남동에 가 보면 여기야말로 한국의 부촌 중의 부촌이란 생각이 들었다. 방배동에 있는 고급 빌라와 단독주택도 아주 럭셔리했지만 이들 동네보다도 개인적으로 압구정동과 청담동이 좋았다. 뭐랄까 고급미와 세련미가 있다고 할까. 차를 몰아 서울의 구석구석을 순례하다가 마지막에 당도하는 곳은 항상 도곡동 탑팰리스 앞이었다. '높게 치솟은 성'이라는 이름에 걸맞게 아파트는 69층이나 되었다. 나는 더 비싸고 화려하고 고급스러운 집들을 돌아보고 왔음에도, 도곡동의 탑팰리스 앞에서는 항상 얼이 빠졌다. 목이 휘어져라 고개를 꺾어 끝도 없이 위를 바라보게 만드는 오만한 성. 저 위에서 굽어볼 누군가에 의해 나는 한없이 작아지는 기분이었다. 69층짜리 아파트라니. 그러니까, 63빌딩보다도 더 높다는 사실. 나는 그것에 일종의 충격까지 느꼈다. 어릴 적의 기억 때문이었다.

아버지가 뇌진탕으로 어이없게 죽기 전 어린이날이었다. 아버지는 형과 내게 어디를 가고 싶으냐, 물었다. 그때 형이 생각할 겨를도 없이 외쳤다.

"63빌딩요!"

나는 갓 중학생이 된 형의 의견을 따랐다. 여섯 살이었던 나는 63빌딩이 뭔지도 몰랐다. 그저 놀기 위해 어디를 가고 있다는 것만이 마냥 좋았다. 지하철 안에서 본 한강, 거대한 다리, 높은 빌딩들. 대한민국의 수도는 위풍도 당당했다. 드디어 63빌딩 바로 앞에 섰을 때, 나는 그만 그 높이에 질려 버렸다. 고개를 꺾어도 그 끝이 보이지 않았다. 나는 아쿠아리움과 레스토랑을 신나게 누볐다. 거대한 마징가 제트 안에 들어온 기분이었다. 집으로 돌아와선 동네 아이들에게 얼마나 자랑을 해 댔는지. 한동안 목이 쉬어 쇳소리를 내고 다녔다. 아이들은 내가 본 것이 정녕 마징가 제트라고 믿었다.

그런데 63빌딩보다 더 높은 빌딩이 있다는 것. 그것이 오직 누군가의 주거 공간일 뿐이라는 사실에 나는 전율마저 느꼈다. 여러 사람들을 위한 식당이나 아쿠아리움이 아니라 오직 한 사람, 오직 한 가족이 달랑 살고 있다는 것을 어떻게 받아들여야 할까. 나는 높게 솟은 건물을 보며 내 무엇을 버려야 저것을 가질 수 있을까, 가늠해 보곤 했다. 환산 불가능한 꿈이었다. 태생적 패배감에 휩싸였다. 한 푼 두 푼 모아서, 거기다 융자까지 받아 32평 아파트에 입주한 나의 형과 형수. 아버지가 물려준 지물포와 도배일로 허리가 휜 엄마. 엄마의 한 달 수입이 한 번이라도 몇백을 넘긴 적이 있던가. 역시 환산 자체가 유머인 꿈이었다. 삶이 이렇게 누추한데 절약이 다 뭔가. 도곡동을 마지막으로 순례를 마치고 집으로 가는 길엔 심한 허기가 지곤 했다. 그 허기를 나는 오래지 않아 또다시 돈으로 채우고야 말았다.

럭셔리한 호텔형 원룸을 중개했던 그날, 유독 탑팰리스가 빛나 보였던 그날에, 나는 그 근처에 있는 헬스클럽 '반츠'에 들어갔다. 유명 호텔이 '최고급'을 모토로 건설했다는 헬스클럽이었다. 때문에 탑팰리스 안에 헬스클럽이 있는데도 성 안의 주민들은 대체로 이곳을 이용했다. 나는 헬스장 회원권을 알아보았다. 3천만 원이라고 했다. 운동 좀 하려는데 3천만 원이 필요했다. 그러나 나는 벨루티 수제 구두도 사고, 반츠 회원권도 구입하고 싶었다. 허기가 졌다. 그날은 유독 더 그랬다. 마침 오전에 아파트 전세 계약자가 주고 간 중도금이 지갑 안에 있었다. 다음 날 집주인에게 입금해야 할 돈이었다. 현금 3천만 원. 나는 회원권을 구입했다. 안내데스크에서 서류를 작성하면서, 골프채를 들고 엘리베이터를 타는 중년의 여자를 보았다. 엘리베이터에서 내리는 유명한 남자 배우도 보았다. 내 또래의 남자가 로비에 앉아 누군가를 기다리고 있었다. 모두 내 눈에는 예사롭지 않아 보였다. 벨루티 수제 구두가 어울리는 사람들. 에르메스 백이 어색하지 않은 사람들. 나도 곧 그렇게 될 것이었다. 회원권을 구입하고 실내를 찬찬히 돌아보았다. 최고급 시설이었다. 한 바퀴 둘러본 것만으로도 마음이 설렜다. 뭐라도 된 듯한 기분이었다. 다음, 나는 백화점 명품관으로 가서 참아 왔던 벨루티 수제 구두를 구입했다. 세상 부러울 것이 없었다.

다음 날 아침이 되자마자 내가 저지른 일의 대가를 혹독히 지려야만 했다. 써 버린 중도금을 메우기 위해 받을 수 있는 모든 현금서비스와 대출을 알아봤지만 이미 은행권의 대출은 제2금융도 불가능했다. 팀장에게 전화해 돈을 빌리고, 받게 될 수수료와 누군가의 계약금을 합하고 급기야 사금융이라는 대부업 회사 다섯 군데를 돌아 대출을 받았다. 오후 늦게 그럭저럭 돈이 만들어졌다. 빠른 대출이라더니 신청한 지 30분 만에 통장에 돈이 들어왔다. 그렇게까지 해야 할 필요가 있었을까? 한낱 운동센터 하나에? 라는 생각도 들었지만 길게 보면 내 생의 레벨을 올리는 작업이었다. 주저하고 싶지 않았다. 높게 솟은 성 안의 주민들이 모여 운동하는 곳. 그곳에 들어서면 마치 내가 성의 주민이라도 된 듯했다. 그들은 건물주일 것이고, 아파트 소유주일 것이고, 땅을 가진 사람들일 것이었다. 그들과 친해지는 것이 내게는 반드시 필요한 일이라고 나 자신을 다독였다. 그러나 운동을 끝내고 집으로 돌아올 때면 나는 다시 평민이었다. 위안이라면 그래도 내가 서초동 주민은 되었다는 것. 반츠에서 인철이를 만났다. 탑팰리스 120평형에 살면서도 탑팰리스 120평형에 산다는 것에 무감한 녀석. 그중에서도 64층. 63빌딩보다도 높은 데 살면서도 64층에 산다는 것에 무심한 녀석. 그 녀석에 대해 누가 묻는다면 나는 그렇게만 말해 주겠다. 더 이상 무슨 설명이 필요할까.

몇 년째 헬스로 가꿔 온 내 근육은 반츠 안에서도 제법 빛을 발

했다. 며칠째 힐끔힐끔 훔쳐보던 여자들 사이로, 한 녀석이 멋지다! 죽인다! 솔직한 감탄사를 연발한 것이었다. 녀석의 표현이 마음에 들었다. 어떻게든 성의 주민과 친해지려던 나였다. 돈 있는 사람들은 외려 돈을 쉽게 쓰지 않고, 인맥도 쉬이 열지 않는다더니 여기서 나는 누군가와 안면을 트는 데에 번번이 실패하고 있었다. 개인 사생활 정보가 철저히 보장되는 이곳의 사람들은 근거 없는 호의를 경계했다. 때문에 인철이의 감탄을 빌미로 나는 녀석과 어떻게든 친해져야 했다. 역시 외모는 모든 것을 가능하게 했다. 외모는 생존이었다. 얼짱이든 몸짱이든 가진 게 없을수록 갖춰야 한다. 꾸준히 몸 관리를 해 줄 필요가 있었다. 트레이닝복을 입은 인철이의 몸은 두루뭉실했다. 그 안에도 트레이너는 있었지만 나는 녀석에게 더 열성적으로 근육 만드는 법을 가르쳐 주었다. 녀석에게 들은 자신의 프로필은 이러했다. 탑팰리스 120평형, 64층의 주민이라는 것. 변호사인 아버지와 강남에 빌딩을 네 개나 소유한 엄마와 함께 살고 있다는 것. S대 건축학과 3학년이라는 것. 나는 이런 특이한 녀석을 일찍이 본 적이 없었다. 탑팰리스 120평형에 산다는 사실에 어떤 감흥도 느끼지 못하는, 그야말로 타고난 귀족이 인철이였다. 나는 녀석과 함께 수영을 했고, 헬스를 했고, 로비에서 일식을 먹었고, 가끔은 나이트에 갔고, 녀석의 친구들과 술을 마셨다. 보미를 데려와 내가 반츠의 회원임을 증명했고, 인철이 같은 친구가 있음을 과시했다. 그렇게 열심히 녀석과 친해지기 위해 노력했다. 인철이가 구입하는 명품들도 열심히 같은 시선으로 보려 애썼다. 그럴수록 안달이 났다. 인철이를 통해 그의 아버지와 안면을 익히려 해도, 인철이는 제 부모를 소개해 주지 않았다. 골프장을 기웃거려도, 옆에 선 중년의 남자에게 스쿼시를 함께 치자며 다가서도 그들은 그들만의 사교 장소가 따로 있는 듯 쉽게 곁을 내주지 않았다. 무언가 공통의 분모가 필요했다. 같은 헬스클럽의 회원이라는 것만으로는 부족한 모양이었다. 그들의 옷, 그들의 직업, 그들의 차. 인철이가 몰고 다니는 포르쉐 911 카브리올레와 같은 그런 차.

그 무렵. 나는 전월세 담당 팀의 팀장이 되었다. 그리고 드디어 크라이슬러 세브링 컨버터블의 오너가 되었다. 비록 2017년식 중고긴 했지만 가격 대비 제법 괜찮았다. 할부 36개월이 아니었다면 가질 수 없었을 것이었다. 잔고장이 많아 몹시 후회할 때도 있었지만. 포르쉐 911 카브리올레까지는 아니라 해도 외제 스포츠카여야 한다는 것까지는 포기할 수 없었다. 거기까지가 나 자신과의 타협이자 마지노선이었다. 차를 구입한 날 미용실에 가서 데이비드 베컴처럼 머리를 잘라 달라고 주문했다. 쇼트한 머리와 크라이슬러 세브링 컨버터블. 알마니 투버튼 정장과 구찌 구두. 스타일이 완성되어 갈수록 대출 목록도 더욱 화려해져 갔다.

돈 빌려주는 사회

시계 초침은 이제 막 밤 11시를 지나고 있었다. 슬롯머신 앞에서 잠 없이 매달렸지만 쇳발이 전혀 먹혀들지 않았다. 내내 허탕만 치고 이제 남은 돈이 없었다. 바깥으로 나가 계단에 털썩 주저앉았다. 부슬부슬 비가 내렸다. 주위를 둘러보니 그야말로 첩첩이 산중이었다. 내 기분도 그랬다. 누군가가 곁으로 와 말을 걸었다.

"좀 도와드릴까요?"

나는 얼굴을 들 힘조차 남아 있지 않았다.

"100만 원 빌려줄 테니 원금 갚을 때까지 매일 이자를 4만 원씩 갚으면 돼요."

나는 그제야 고개를 들었다. 검은 옷을 입은 30대 후반쯤으로 보이는 사내가 서 있었다. 사채업자였다. 뭐냐 이건. 하루 4만 원씩이면 한 달에 얼마라는 얘기야. 이거야, 무섭게 높은 대부 이자율보다 더하잖아. 어이가 없었다. 돈 빌려주겠다는 호의 아닌 호의는 그간 지겹도록 들었다. 메일함을 확인할 때면 하루에도 수십 개씩 대출 광고 메일이 도착해 있었다. 게다가 핸드폰의 스팸 문자는 또 어떤가. '대한민국 누구나 당일 카드 대출' '간편하게 최고 5천만 원까지, 쉬운 대출' '무담보, 무보증, 쉬운 대출' 등등. 물론 나는 대출 광고 스팸 메일이나 문자를 아주 유용하게 활용했다. 고객이 되었으니까. 회사들도 셀 수 없이 많았다. 스피드론,

퀵론, 코리아캐쉬, 이지캐피탈……. 내게 대출해 주고 싶어 안달 난 회사들이었다. 대출을 문의하면 아주 간단한 절차를 거친 후 정말로 당일 오후, 통장 안에 몇백만 원씩 돈을 입금해 주었다.

내 총 채무는 이랬다. 카드 현금서비스, 캐피탈 네 개, 저축은행 일곱 개, 대부업 다섯 개. 시작은 카드 값을 메우기 위해서였다. 점점 대출이 늘어 가고, 소비는 줄지 않고. 이자는 수입을 넘어섰다. 그즈음 카드채권팀보다, 제2금융권의 독촉 전화보다, 대부업의 전화가 가장 독했다. 가족에게 연락하는 것은 불법임에도 이미 엄마와 형은 내 채무액을 대강은 알고 있었다. 빨리 갚으라고 채근하는 형에게, 나는 알아서 하겠다는 말을 입에 달고 살았다. 어느 날엔 엄마가 전화를 해서 울먹거리기도 했다. 순진하게도 한 끗을 평생 믿어 온 화투쟁이 내 엄마는, 아마도 나의 대박 성공을 근거 없이 믿어 왔던가 보았다. 항상 너는 잘될 거야, 란 말을 주문처럼 되뇌어 주던 엄마였다. 비극적이 된 가족들과는 달리, 나는 외려 담담했다. 감당할 수 없는 채무가 되려 머릿속을 하얗게 비워 주었다. 부동산 시장에서 큰돈이 오가는 것을 지켜보면서, 자잘한 채무에 무감해진 탓도 있었다. 신용불량에 등재된다는 최고장을 수십 차례 받은 끝에, 작년 10월엔 법원에 파산신청서를 제출했다. 100퍼센트 면책을 책임져 준다는 변호사를 믿고서였다. 그리고 몇 개월 전 법원으로부터 파산결정문을 받았다. 그렇게 나는 신용을 버렸다. 신용을 버리면 생도 끝장나는 줄 알았다. 엄마 말대로 끝장 말이다. 그러나 웬걸. 다음 날에도 해는 떴고 나는 외려 이전보다 조금씩 살 만해졌다. 신용불량자라는 꼬리표만 감수하면 되는 거였다. 신용불량자가 된 후에도 메일함에는 꾸준히 '신용불량자 대출'이라는 스팸 메일이 도착했다. 바야흐로 대출 권하는 사회였다. 하기는 공중파 방송에서 이율 60퍼센트가 넘는 대출 회사들도 버젓이 광고를 때리는 세상이니 말 다했다. 무이자, 무이자, 앵무새처럼 종알대는 호감형의 연예인을 볼 때면, 은행보다 믿을 만한 회사가 아닐까, 하는 생각도 들었으니 말이다. 멀리 정선까지 왔어도 대출 권하는 사람들은 도처에 있었다. 카지노의 특성상 사채업은 여기서 성행하는 사업이었다. 세브링을 저당 잡힌 돈마저 날렸으니 어떻게든 다시 돈을 구해야 했지만, 사채는 아무래도 꺼림칙했다. 내가 버려야 할 것, 버릴 수 있는 것은 이제 하나밖에 남지 않았다. 오른 손목에 채워져 있는 시계, 바쉐론 콘스탄틴이었다. 서울을 떠나오기 전, 그러니까 불과 10여 일 전에 구입한 시계였다. 하얏트호텔 1층의 매장에서 바쉐론 콘스탄틴을 보는 순간, 나는 도취되었다. 이 시계만큼은 내 보물 1호였다. 전통 있는 명문가 출신의 시계. 출생 신분부터 다른 이 시계는 250년의 역사를 지녔다. 롤렉스와는 급이 다르다. 전통, 고전미, 귀족성을 전부 갖춘 최고의 명품이 아닐 수 없다. 해를 더해 갈수록 더욱 귀족으로 빛날 운명, 그것이 바쉐론 콘스탄틴이었다. 이 시계는 알아보는 사람들만 알아본다. 당연하다. 명품은 소수에게만 허락되는 거니까. 그래서 세브링 때문에 찾아간 전당사의 대머리 주인장이 내 시계를 알아봤을 때는 잠시 언짢기까지 했다. 전당사에는 명품을 가려내기 위한 감정사도 있었다. 더한 명품도 이곳에선 한낱 현금을 위한 담보 그 이상이 아니었다. 그럼에도 나는 이 시계마저 저당 잡히고 싶지는 않았다. 중국산 저가 시계도, 짝퉁도, 짜가도 아닌, 진짜 바쉐론 콘스탄틴 정도는 반드시 소유해 줄 필요가 있었다. 삶을 업그레이드시키는 방법에는 여러 가지가 있다. 그중에서 가장 즉각적이고 효과적인 것이 소비라고, 나는 믿는다. 돈을 지불한 순간 내 것이 된다. 제아무리 250년의 역사와 전통을 자랑하는, 날 때부터 귀족인, 태생적 도도함이라 해도 말이다. 크라이슬러 세브링 컨버터블이나 알마니 양복보다도 바쉐론 콘스탄틴은 내게 남달랐다. 마치 인철이와 같은 느낌. 그랬다. 무심한 부. 익숙한 신분. 그런 것이 바쉐론 콘스탄틴에게는 있었다. 시계의 투박함이 무엇보다 그랬다. 나는 왼손으로 시계의 유리면을 쓱쓱 문질렀다. 시계를 사수하고 이대로 참수형에 처해질 것이냐. 시계와 함께 자결을 택할 것이냐. 나는 몹시 암담한 심정이 되었다. 겨우 손안에 쥐었는데 바로 내어놓아야 하는 상황이었다. 가치를 알아주지 않는 녀석에게는 쉽게 소유되면서, 왜 내게는 그렇지 못한가. 인철이의 책상 위에서 천덕꾸러기마냥 굴러다니던 이 시계를 보는 순간, 나는 머잖아 저걸 꼭 갖고 말겠다는 생각을 했었다. 더는 받을 대출이 없고, 파산결정문까지 받은 마당에도 무슨 수가 생길 것 같았다. 대한민국의 대출 회사는 셀 수 없을 만큼 많으니까. 나는 사채업자와 내 시계를 번갈아 쳐다보았다. 어째야 좋을지 판단이 서지 않았다. 인철이는 태어나 단 한 번도 이런 고민을 해 본 적이 없을 것이다. 녀석과 나는 애초 다른 나라에 살고 있으니까.

1퍼센트만의 나라

4개월 전, 인철이가 맥주 한잔하자며 자신의 집으로 나를 데리고 갔다. 막 헬스를 끝낸 후였다. 탑팰리스에 들어가 보는 것은 처음이었다. 그것도 120평형, 64층이었다. 나는 설렘을 감추느라 한숨을 연달아 쉬었다. 막상 들어가 본 인철이네 집은 평소 중개하던 호화스러운 집들과 별다를 바가 없었다. 오히려 평범했다. 나는 창가로 갔다. 역시. 기대 이상이었다. 64층에서 내려다보는 전망. 까마득한 세상이 발아래에 있었다. 빌딩 숲 구석구석에는 아등바등 살아가는 사람들이 숨어 있을 터였다. 이런 곳에서 아침을 시작하는 사람들의 하루가 일반의 사람들과 같을 수는 없을 것이었다. 열등감 따위 비집고 들어올 틈이 없어 보였다.

인철이의 방은 내 원룸만 했다. 내 방과 화장실과 거실과 주방을 전부 합한 것이 인철이의 방이었다. 책상 위를 보자, 시계 하나가 보였다. 투박한 외형의 시계를 들어 올리며 물었다.

"시계 좋은데?"

"어, 그거……. 바쉐론 콘스탄틴이야."

바쉐론, 콘, 스, 탄, 틴. 예사로운 이름은 아니었다. 깊은 전통이 느껴졌다. 그러고 보니 《지큐 코리아》에서 본 적이 있는 시계였다. 바쉐론 콘스탄틴. 가만히 불러 보자 품격이란 단어와 함께 전통, 귀족, 희소성…… 운운하던 광고 카피들이 속속 떠올랐다. 얼핏 들었던 가격까지도. 내가 패배감을 느낄 때란 바로 이런 순간이었다. 엄두도 못 낼 금액의 시계를 갖고도 자랑하지 않을 때. 마치 어, 그건 물이야, 그건 산이야, 와 같은 어조로 그건 바쉐론 콘스탄틴이야, 라고 말하는 녀석을 볼 때 말이다. 인철이의 친구들과 청담동의 술집에 가서 하루에 500만 원어치의 술잔을 비울 때도, 녀석들이 과목당 2천만 원씩의 족집게 과외를 받았다는 얘기를 할 때도 나는 그들의 자연스러움에 혀를 내둘렀다. 돈에 대해 부자들이 갖는 무심함을 볼 때면 타넘을 수 없는 경계마저 느껴졌다. 그래서인지 나는 인철이에게 열등감조차 느끼지 못했다. 한국의 부유층 재산이 세계에서 가장 빠르게 증가하고 있다는 신문 기사를 본 적이 있었다. 기사의 문구처럼, 어차피 1퍼센트만의 나라는 따로 있는 거였다. 그러니 그들 안에 속하든가 그들에게 무심하든가. 나는 무심할 수 없었다. 창가에 서서 떠날 줄 모르는 나를 인철이가 불렀다. 녀석은 캔 맥주를 건네며 의외의 말을 했다.

"나는 고소공포증이 있어서 창가로 가 보지 못했어. 전망 좋아?"

이 무슨 아이러니란 말인가.

"탑팰리스에 사는 고소공포증 환자라니, 웃기잖아."

"그렇지? 우리 아버지도 그렇게 생각해."

인철이는 가족사진에 있는 50대 후반의 남자를 가리켰다.

"그런 내게 비행기를 타고 유학을 가라잖아. 형, 나 곧 떠나야 해."

인철이에게 잠시나마 측은함을 느끼려던 순간, 유학이라는 단어가 섣부른 동정을 냉큼 삼켜 버렸다. 유학파라는 타이틀까지 달게 될 녀석이었다.

"형…… 아니다."

녀석은 쭈뼛거리며 말을 잇지 못했다.

"있지, 형. 산양 말야. 알지? 염소처럼 생긴 거. 그놈은 말야. 자기 앞에 놓인 초원을 버리고 자꾸만 높은 산 위로 오르려는 성향이 있대. 생존에 필요한 것도 아닌데. 그런데, 그런 건 인간도 그렇잖아. 더 높은 지위를 원하고, 더 높은 명성을 원하고, 더 높은 데 살려고 해. 우리 아버지처럼……."

내 입에서는 왜 하필 그런 말이 튀어나왔던 걸까?

"땅 많은 사람은 땅값이 오르길 원하고, 땅이 없는 사람은 땅값이 떨어지길 바라지."

인철이는 나를 빤히 쳐다보았다. 무슨 뜬금없는 소리냐는 듯. 머쓱해하는 내게 인철이는 다시 말을 이었다.

"내가 건축을 한다고 했을 때 아버지는 불같이 화를 냈어. 아버진 법학과를 원했거든. 이른바 파워 엘리트가 되길 바란 거지. 뭐, 어쨌든 유학을 떠난다는 조건하에 내 꿈을 허락해 주셨지만."

도대체 너의 고민이 무엇이냐고 나는 되묻고 싶었다. 드라마 줄거리를 말해 주고 있는 거라면 이해할 수 있었다. 뒤이어 인철이가 한 말은 나를 그야말로 넉다운시키고야 말았다.

"유학은 바란 적 없지만, 다행한 것은 이 집에서 벗어나게 되었다는 거야. 높기만 한 이 집이, 난, 지긋지긋해."

인철이와 만난 지 1년이 넘도록 몰랐다. 인철이가 탑팰리스 120평형에 산다는 것에 지긋지긋해하기까지 한다는 것을. 하기는 인철이도 나에 대해 아는 바가 별로 없었다. 내가 해 줄 말이 없다 보니 녀석에 대해서도 자세히 묻지 못했던 것이었다. 그러나 우리는 반츠의 회원이라는 공통점이 있었다. 그리고 보미와 함께 밥을 먹기도 했으니, 그거면 되었다고 생각해 왔었다. 나와 미모의 여자 친구와 부유층 친구 인철이. 모양새가 좋았으니까. 인철이네 집에서 나와 엘리베이터를 타고 1층을 누르면서, 인철이와 인사하면서, 64층에서부터 차례차례 번호가 지워지는 것을 보면서, 집으로 가기 위해 크라이슬러 세브링 컨버터블을 타면서, 시동을 걸면서, 나는 오직 한 가지의 결론만을 도출해 냈다. 엄마가 즐겨 하던 표현을 빌리자면 배부른 소리 하고 자빠졌구나, 라는.

집 앞에 도착했을 때 최경자 사장에게서 전화가 왔다. 낮에 월세 집을 계약한 직장인이 수수료 문제로 전화를 해 왔다는 것이었다. 보증금 1천만 원에 월 80만 원으로 계약한 반포동의 작은 원룸이었다. 법정 수수료보다 비싼 수수료가 못마땅한 모양이었다. 관행이기도 한 수수료에 가끔 문제 제기를 하는 사람들이 있었다. 그럴 때는 그냥 법정 수수료만 받고 마는 게 낫다는 게 내 원칙이었다. 크게 노는 사람들은 수수료 같은 푼돈에 신경 쓰지 않았다. 내가 물어야 할 고객들은 그들이었다. 몇 푼의 수수료를 아끼기 위해 전전긍긍하는 사람들과 기천만 원짜리 바쉐론 콘스탄틴 시계를 차고 다니는 인철이. 죽도록 일하고 아껴 봐야 월세를 계약한 직장인이 제가 살고 있는 월세 집을 소유하는 데는 10년이 넘게 걸릴 것이었다. 10년 만에 소유하면 다행이겠지. 그들과 인철이는 그러니까, 사는 나라가 다르다고 할 밖에.

광박 인생, 피박 인생

인철이네 집을 다녀온 후로 나에겐 목적의식 같은 게 생겼다. 동경이 아니라 가져야겠다는. 어떻게든 말이었다. 그러나 가져야겠다는 생각이 강해질수록 울적해지곤 했다. 누구는 부모 잘 만나 날 때부터 광이나 팔고, 누구는 피박 쓰고 태어나고. 그런 대책 없는 억울함 때문이었다. 반츠에서 인공 암벽을 타고 오르다가도, 운전을 하다가도, 밥을 먹다가도, 보미와 데이트를 하다가도, 내 인생이 피박을 면치 못하고 있다는 생각이 들었다. 최소한 광 하나쯤은 갖고 살아야 보란 듯이 살 수 있다던 엄마의 화투판 훈육을 기억한다. 한데, 정작 내 수중에는 광이 단 한 개도 없었다.

경력 4년 차. '21세기 타워 공인중개소'의 책임공인중개사. 전월세 전문 팀장. 내 명함의 '전월세 전문'을 '매매 전문'으로 바꿔야만 내 생에도 광 하나가 생기는 게 아닐까. 그러니 보다 적극적일 필요가 있었다. 그러려면 그간 어렵게 일궈 놓은 몇 안 되는 인맥들을 획기적으로 늘려야만 했다. 물론 전월세로 인한 수입부터 공고히 하고 볼 일이었다. 일한 만큼 수입이 늘어났지만 빚은 여전히 그것을 훨씬 앞질러 갔다. 이윽고, 파산선고가 내려졌다. 나는 바로 면책신청서를 제출했다. 당분간이나마 이자를 갚지 않아도 되었다. 나는 잠시 희망에 부풀기도 했다. 면책받으면, 매매 팀으로 옮겨 제대로 일을 배우며 돈을 벌어 보고 싶었다.

보미는 나에 대해 아는 게 없었다. 아버지의 사업을 물려받을 계획이라는 것 외에. 하지만 일찍이 반츠에 데려간 덕분에 보미는 나의 신분을 철석같이 믿었다. 적어도 중산층 이상은 되어 주는 남자친구일 거라고. 나는 보미를 만나는 중에도 나이트클럽에 가서 새로 만난 여자애와 원나잇을 즐기곤 했다. 보미에게도 기분전환 삼아 만나는 남자가 있었다. 보미와 내가 1년을 훌쩍 넘기고도 연애를 지속할 수 있던 것은 서로에 대한 이런 예의 덕분이었다. 다른 사람을 만나되 오래 지속하지 않고 산뜻하게 돌아오는 정도의 예의 말이다. 나는 가끔씩 구찌 선글라스 따위를 보미에게 사 주었다. 보미는 365일 다이어트 중이면서도 일주일에 두 번은 빕스나 베니건스 같은 패밀리 레스토랑에 가자고 졸랐다. 약속이 있을 때면 집 앞으로 나를 부르거나, 압구정동 스타벅스로 나오라 했다. 친구들 앞에서 나를 과시하려는 것이었다. 스포츠카를 몰고 그녀를 모시러 오는 장신의 몸짱 남친 정도면 그럴 만도 했다. 보미는 내가 사 준 카르티에 반지를 낀 손을 들어 나를 반겼다. 나는 그런 보미의 속물근성이 귀여웠다. 금요일 저녁이면 하얏트호텔 지하에 있는 클럽에 들렀다. 데킬라를 마시며 활짝 웃는 보미는, 그녀가 종종 말하는 텔레비전 프로, 〈섹스 앤드 더 시티〉에 나오는 사라 제시카 파커보다도 더 뉴요커 같았다.

그러던 어느 날, 보미는 난데없이 내게 이별 통보를 했다. 그러고 보니 그 무렵 보미가 내 전화를 피해 온 것도 같았다. 보미가 말하는 이별 사유가 낯설지는 않았다.

"나는 그만그만하게 살다가, 취직하고, 결혼하고, 알뜰살뜰 저축해서 아파트 늘려 가고, 아울렛 매장 따위에서 정기세일하는 한철 지난 명품 옷에 만족하면서 살고 싶지는 않아."

보미가 어째서 그런 미래를 내게서 보았던 것일까. 내 차가 2017년산 중고라는 것을 알게 된 걸까. 아니면 내가 사는 휴고보스의 양복이 한철 지난 멀티숍 제품이라는 것을 눈치챈 걸까. 내가 반츠의 회원권을 대출받아 구입했다는 사실이라도? 이어진 얘기는 예상 밖이었다.

"나 유학 가."

"유학?"

"……."

"다른 남자가 생긴 게 아니고?"

"아니, 유학 가."

그랬다. 보미는 유학을 간다고 했다. 너도나도 유학 타령이었다. 내게 엉길까 봐 걱정하면 했지 이런 상황은 미처 예측해 보지 못했다. 그러니 보미는 내 신상을 알게 된 것이 아니라, 자신의 인생을 개척하려는지도 모르겠다고, 그때는 그런 생각을 했다. 처음부터 보미의 말을 순순히 믿은 것은 아니었다. 그러나 단호하게 아니, 라고 말하는 보미를 믿지 않을 이유가 없었다. 보미는 내게 안겨 울었다. 휴고보스 양복이 눈물에 젖었다. 그래서 내 기분도 울적해졌다. 그러나 그러면서도 한 켠에서는, 진정 에르메스 버킨백 때문이 아니고? 라는 생각도 슬그머니 고개를 드는 것이었다. 담담하게 집으로 돌아왔지만 나름으론 1년 이상을 만나 온 명색이 애인이었다. 속이 허했고 쓸쓸했다. 양복 때문만은 아니었다. 그런 기분에 보미에게 문자로 가지 말라는 말을 전송하려다가 그만두었다. 그렇다고 내가 보미를 책임질 수 있는 것도 아니었으니. 나는 아직 싱글이 좋았고, 나이트가 좋았고, 그게 아니더라도 내 코가 석 자였다. 그래도 허전했던지 며칠은 기분을 술로 달래야 했다. 덕분에 아침 출근이 늦어져 사장의 질타를 받기도 했다. 보미는 내 전화를 피했다. 정말이지 영영 이별한 사람처럼 소식이 없었다. 미니홈피에 들어가자 함께 찍은 사진 폴더가 사라졌다. 견디지 못한 내가 참기를 포기하고 보미네 집 앞에 갔을 때, 보았다. 내가 기다리던 아파트 단지 앞에 있는 인철이의 포르쉐 911 카브리올레. 달려 나온 보미에게 내가 그랬던 것처럼 차문을 열어 주는 인철이. 나는 죄를 지은 사람처럼 얼른 내 중고차를 숨겼다. 인철이의 빰에 뽀뽀하는 보미를 보자 나도 모르게 쓴웃음이 번졌다. 영리한 보미는 눈치챘던 거였다. 보미의 꿈을 이뤄 줄 사람이 누구인지를. 함께 유학을 떠나겠다는 게 그들의 계획인 모양이었다. 3월부터 아니 그 이전부터 나를 속여 왔던 보미를 생각하니 괘씸했다. 그러니까, 내 앞에서 쭈뼛대며 말을 잇지 못하던 인철이가 정작 하고픈 말은 따로 있었다. 하지만 인철이는 알고 있을까. 그럭저럭 풍납동의 낡은 아파트에 사는 중산층 보미. 서울 중위권 4년제 대학생. 그게 보미의 전부라는 것을. 보미는 알고 있을까. 인철이의 아버지가 산양처럼 높은 곳에 안달하는 사람이라는 것을. 산양을 닮은 그가 과연 보미와 떠나는 유학을 허락할까? 인철이가 보미와 함께하는 유학까지 결정한 것을 보면, 적어도 남자를 수고시키는 데는 성공한 것 같았다. 내게 다른 남자가 생긴 것이 아니라던 보미였다. 쿨한 척하던 보미가, 헤어질 때조차 남자의 비난이 무서워 이기를 떨었다니. 마지막을 슬픈 멜로영화로 장식하고픈 허영이라니. 고작 그 정도였던 보미. 양다리는 용납해도 차이는 건 싫다던 나와 보미였다. 이제 와 생각하니 그것 자체가 웃긴 설정이었다. 빌어먹을. 그래도 차이는 건 유쾌하지 않았다. 특히나 인철이 때문에, 그 애가 가진 것 때문에, 내가 갖지 못한 것 때문에. 그런 식은 정말이지 기분 엿 같은 일이었다. 그래, 보미. 인생 역전하거라. 나는 그들의 뒤로 간격을 두고 따라가다가 급하게 유턴하며 방향을 돌렸다. 차들이 클랙슨을 울려 댔다.

나는 오랜만에 포장마차에 들어가 소주를 마셨다. 꼼장어를 안주 삼아 한 잔, 또 한 잔. 로얄 샬루트가 아니면 목구멍에 넘어가지도 않을 것 같던 나였다. 오랜만에 가족들이 보고 싶었다. 1년에 두서너 번 명절 때만 얼굴을 비추다가, 몇 년 전부터는 그마저도 그만두었다. 파산결정문이 하늘 무너지는 일인 양 걱정하는 가족들에게 알아서 하겠다는 얘기에도 한계가 있었다. 내 채무에 아무런 도움도 줄 수 없는, 중산층이라 믿고 사는 내 가족. 나는 인철과 보미도 멀게 느껴졌지만, 내 가족으로부터도 너무 멀리 떠나왔다고 생각했다.

내 나이 열 살 때 도배사였던, 지금은 죽어 버린 아버지. 무던한 형수. 공인중개사 시험에 응시할 의도는 없으면서 중개보조원은 적성에 맞는 꼴통인 나. 이들이 한 가족이었다. 보미가 말하는 샤넬백을 우리 엄마는 이름도 모른다. 도배 일로 나와 형을 키웠던 내 아버지와 엄마. 풍납동에 사는 게 싫어서 결혼으로 신분 상승을 꿈꾸는 보미. 매일 월세나 전셋집을 중개하고 수수료로 먹고 사는 나. 그리고 반대편에 인철이가 있었다, 세상에는. 차마 내 부모를 피박의 원흉이라 생각할 순 없었지만, 어쩐지 화가 났다. 충청도에서 태어난 아버지가 한창 서울 상경이 유행이던 시절, 하필 서울이 아닌 인천에 자리를 잡은 것조차. 내게, 고향이 서울이야, 하게 해 주지 않은 것조차도. 서초동이야, 같은 건 바라지도 않았다.

《지큐 코리아》

다음 날부터 나는 마음을 다잡고 열심히 일했다. 흔해 빠진 연애 공식에 허탈해하는 내가 다 머쓱했다. 골치 아픈 것은 질색이었다. 반츠에도 열심히 다녔다. 특히 인공 암벽 타기에 재미를 붙였다. 오르고 또 올랐다. 내려오기가 싫을 지경이었다. 그리고 새삼 희망도 없을 것 같은 길거리 캐스팅을 꿈꿨다. 생각뿐인 연예인 지망생이었지만 그런 꿈이라도 없으면 내 삶이 너무 초라했다. 어쩐지 인생 바닥부터 다시 살 수도 있을 것 같았다. 일단 면책 신청 중이라는 사실만으로도 잠시 채무에서 자유로웠다. 나는 소비를 멈추었다. 고가 아닌 스톱을 택했던 거였다. 나는 서점으로 가서 공인중개사 시험 대비 교재를 샀다. 그 시험에 전부를 걸고 싶었다. 최경자 사장이 무엇보다 적극 환영했다. 평소에도 시험을 보라 권유하곤 했기 때문이었다. 인철이는 반츠에 오지 않았다. 그리고 며칠 전. 인철이에게서 문자가 왔다. '형, 나 떠나. 그리고, 미안해…….' 그뿐이었다. 나는 도착한 문자를 읽자마자 지워 버렸다. 평상심을 유지하고 싶었다. 그러나 인생 한 방으로 승부해야 한다는 생각이 고개를 드는 것을 어쩔 수 없었다. 인철이 같은 녀석과의 거리감이 내게 주는 반감이었다. 나는 방에 누워 천장을 바라보았다. 바쉐론 콘스탄틴 시계가 떠올랐다. 마음이 갑갑해져 왔다. 리모컨을 들어 텔레비전을 켰다. 잘생긴 남자 배우의 얼굴이 화면을 가득 채웠다. 남자 배우가 맡은 역할은 재벌 집 아들인 모양이었다. 그가 가난한 여자에게 아파트를 선물해 주었다. 여자가 재벌 집 아들의 따귀를 때렸다. 가난하다고 무시하지 말라면서. 재벌 집 아들은 그녀에게 홀딱 반해 버렸다. 뻔한 도식이었다. 그래도 남자 배우는 어지간히 간지가 났다. 특히 날렵하게 잘빠진 구두와 셔츠는 어느 브랜드의 것인지 몹시 궁금했다. 동시에 우울했다. 카드를 들고 나가 거침없이 쇼핑을 하다 보면 해소되는 마음의 불안. 그런 것들이 절실했다. 소비를 멈추자 내 존재 가치도 멈춰 버린 기분이었다. 그런 날들의 연속이었다. 하필 그런 때에 그녀가 왔다.

중개소에는 마침 아무도 없었다. 30대 초반의 여자가 아파트 '더샵'을 보고 싶다며 찾아왔다. 그녀는 전세를 원했다. 보증금 2억 2천만 원 정도면 좋겠다고 했다. 대치동에서 3년간 입시생 과외를 해서 모은 돈이라고 했다. '더샵'에 남아 있는 원룸은 김 사장이 소유한 것뿐이었다. 게다가 그 집은 월세로 나와 있었다. 그녀에게 집의 내부를 보여 주자, 썩 맘에 들어 하는 눈치였다.

"과외 교실을 열려고 하는데, 평수도 위치도 아주 좋네요."

"삶을 반올림하기에는 '더샵'만 한 브랜드가 없죠."

나는 너스레를 떨었다. 고객들은 텔레비전에 광고하는 브랜드 아파트를 선호했다. 광고 카피가 그럴싸할수록 선호도가 높았다.

아파트 이름으로 '더샵'은 더할 나위 없이 좋았다. 나는 비어 있는 원룸 안에서 상담을 계속했다. 여기는 전세가 아닌 월세로 내놓은 매물이라고 말했지만, 그녀는 굳이 전세를 원했다.

"비싼 월세는 아무래도 부담이라서……. 모은 돈을 불리는 법도 모르고, 그냥 전세금으로 묶어 두고 싶은데."

그녀는 월세를 전세로 돌려줄 수 없는지 집주인에게 물어봐 줄 것을 요청했다. 순진하고 세상물정 모르는 채로 서른이 된 여자 같았다. 서른 초반에 입시 과외로 그만한 목돈을 모았다니, 하여간 사교육 시장이 돈이 되긴 되는 모양이었다. 학벌 좀 높여 놓을 것을……. 그럴 때면 꼭 이런 턱도 없는 생각이 들곤 했다. 정지된 카드와, 보증금을 다 까먹어 버려 곧 쫓겨날 판인 월세 집. 더 이상 대출받을 곳 없는 파산자면서 소비를 줄이자 불안해져 버린 나. 얼마 후면 뉴욕으로 떠나는 보미와 인철이. 그리고 인철이의 시계, 바쉐론 콘스탄틴. 나는 그녀를 바라보았다. 그녀가 원하는 것은 전세로 이 집에 들어와 사는 것이었다. 김 사장이 원하는 것은 꼬박꼬박 들어오는 월세였다. 그러니 둘의 바람을 이뤄 주면 그만이었다. 잠시 심장이 떨려 왔으나 못 할 것도 없었다. 김 사장은 중개소에 위임장을 주고 건물 관리를 맡긴 상태였다. 둘의 요구를 충족시켜 주면 서로가 마주칠 일도 없었다. 그녀에겐 전세로 계약서를 써 주고, 김 사장에겐 월세로 계약서를 써 주면 되었다. 월세는 내가 매달 김 사장의 계좌로 입금하는 것이다. 평소 계약금을 며칠씩 땡겨 쓰고 메운 적도 많지 않았나. 이 바닥에서 전월세 사고는 흔하지 않은가. 물론 현금 사고를 낼 경우 다시는 이 바닥에서 일을 하지 못한다. 내 머릿속이 바쁘게 회전을 시작했다. 무심코 써 버린 계약금을 채워 넣을 때와 지금은 상황이 달랐다. 그야말로 사기가 아닌가. 하지만 1년 후 계약 기간이 만료되었을 때 전세 보증금을 다시 그녀에게 돌려주면 그만이었다. 잠시 빌려 쓰는 거라고 생각하자. 무엇을 하든 돈을 두 배로 벌어 갚으면 된다. 돈이 돈을 버는 세상이었다. 1년 후 계약금을 돌려주고도, 내겐 계약금 밑천 삼아 번 돈이 따로 있을 것이다. 여기까지 생각하자 모든 과정이 일사천리로 쉬워 보였다. 어차피 돌려줄 것이니, 훔치는 것도 사기도 아니었다. 그렇게 생각은 했지만 얼굴이 화끈거려 오는 것은 어쩔 수가 없었다. 정말 괜찮은 걸까? 아니, 괜찮지 않으면 또 어쩔 거지? 이런 기회가 쉽게 와 주는 것도 아닐 터였다. 나는 미친 듯이 쿵쾅대는 가슴을 손으로 쓸어내렸다. 집주인에게 전화를 해 보겠다며 잠시 밖으로 나갔다. 나는 있는 힘을 다해 숨을 들이켰다. 그리고 복도 바닥을 향해 훅 내뿜었다. 다시 안으로 들어갔다.

"괜찮다고 하시네요. 어차피 관리는 저희가 위임받은 거니까 계약은 저희와 하시면 됩니다."

그녀는 다행이라는 듯 활짝 웃었다. 순간 옆구리에서 싸한 통증이 느껴졌다. 내 안의 죄책감이란 놈은 옆구리 쪽에 둥지를 튼 모양이었다. 나는 오른손으로 옆구리를 쥐고 누른 채, 시선을 피하며 말했다.

"보증금의 10프로만 계약 시에 주시면 되고, 잔금은 입주일에 주시면 됩니다."

"내일 계약할 때 90프로를 내고, 입주할 때 10프로 드릴게요. 어차피 보름 상간인데요 뭐. 돈 갖고 있으면 나갈 일 생길까 봐요."

이렇게 순진한 여자가 다 있을까.

"그럼 내일 오후 3시에 이곳에서 뵙지요."

정말이지 다음 날 그녀가 찾아오지 않기를 바랐다. 계약이 취소되었다고 말할까…… 그런 생각도 수차례 했다. 밤새 후회와 망설임과 유혹 사이를 오가는 동안 영혼이 다 황폐해진 기분이었다. 그러나 기어이 약속된 시간에, 그녀는 자신의 인감도장을 들고 비어 있는 '더샵'의 원룸으로 찾아왔다. 대책 없는 상황이 일을 만들었고, 만들어진 상황이 대책 없이 흘렀다. 내가 이길 수 없는 것은 나 자신이라기보다는 내 앞의 돈이었다. 내가 돈으로 누릴 수 있는 모든 것들이었다. 이 도시는 내게, 어떻게 살아야 하고 무엇을 누려야 하는지 끊임없이 상기시켜 주었지만 그 방법에는 인색했다. 도시를 닮으려 할수록 나는 언제나 흉내만 내게 될 뿐이었다. 욕망을 따라잡지 못한 것은 돈이었다. 돈이 없어 누릴 수 없는 모든 것이 나를 매 순간 열등한 존재로 만들었다. 그러니 나는 제 발로 찾아온 그녀를 운명처럼 받아들이기로 했다.

평소 최경자 사장의 인감은 계약 시에 허락 없이 사용해도 되었다. 그 정도 경력을 인정받고 있었기 때문이었다. 더구나 사장이 내게 만들어준 준 별도의 법인통장과 카드도 갖고 있었다. 그녀의 나에 대한 신뢰를 생각하면 몹시 찔리는 일이었다. 그러나 이미 멈추기엔 늦었다. 나는 두 종류의 계약서를 작성했다. 한 개는 최경자 사장에게 보고될 계약서였다. 전세로 들어올 그녀의 인감을 찍어 둔 후, 나중에 월세 계약으로 작성해 제출할 것이었다. 그녀는 계약금으로 전세 보증금 전액에 가까운 금액을 내가 관리하는 법인통장에 입금했다. 가끔 이렇게 성격 급한 계약자들이 있긴 했다. 잔금은 입주일에 입금될 터였다. 나는 최경자 사장이 눈치채기 전에, 월세 보증금에 해당하는 금액만을 제하고 나머지 금액을 전부 인출했다. 최경자 사장이 입출금 세부 내역까지 확인하는 일은 거의 없었다. 거래 성사 시마다 당장의 입출금 내역만 확인하곤 했다. 나는 최경자 사장에게 원룸의 월세 매물이 계약되었음을 알렸다. 그래, 1년이다. 1년간 월세 보증금을 뺀 나머지 금액을 잠시 빌리는 것이라 생각하자. 그녀가 굳이 최경자 사장을 만날 이유도, 김 사장과 통화할 일도 없을 것이었다. 이렇게 간 큰 계획을 세울 수 있는 나는 사기꾼 기질이 있음에 틀림 없었다. 사업가 기질이라는 말로 미화하는 사람들도 있잖은가. 최경자 사장은 말했었다. 돈이 돈을 먹는 세상이다. 1억을 투자해야 2억을 번다. 2억을 투자해야 4억을 번다. 그게 인지상정이다. 맞는 말이었다. 마음의 불안은 돈을 쓰면 해소가 된다. 특히 돈으로 갖게 된 물건이 다른 모든 생각들을 마비시킬 만큼 매력적인 것일 때는 더욱 그랬다. 나는 그날 바로 하얏트호텔로 갔다. 인철이의 방에서 보았던 것은 말테 레트로그레이드였다. 《지큐 코리아》의 지면 위에서 품격이란 단어와 함께 빛나던 것이기도 했다. 돈을 지불하자 바쉐론 콘스탄틴 말테 레트로그레이드가 내게로 왔다. 황홀했다. 그리고 면책이 불가능한 몇 개의 대출 회사에 돈을 갚았다. 끈질기게 독촉하던 회사들이었다. 나는 밀린 월세를 지불하고, 나이트클럽에서 여자들을 만나 원나잇을 즐기고, 친구들과 술을 마셨다. 참았던 소비 욕구가 한 번에 터져 버렸다. 이제 슬슬 사업을 구상해 볼까 생각하며 차에 올라타는데, 전화가 왔다. 최경자 사장이었다. 늘상 오는 사장으로부터의 전화였지만 어쩐지 예감이 좋지 않았다.

"김 사장 아파트 '더샵' 월세건 말야. 김 사장이 계약을 취소하겠다고 하네. 김 사장 대학생 아들 있지? 그 아들이 들어가 살 모양이야."

이 무슨…… 이 무슨……. 그러니까, 이 무슨 날벼락인가.

"아직 입주까지는 10여 일 남았으니까, 손님께는 말씀 잘 드리고 계약금 돌려드려. 위약금 두 배로 달라고 할 땐 알지? 남은 기간 동안 더 좋은 집 구해 드린다고 해. 비슷한 집이 몇 개 더 있잖아. 수수료 받지 않고 해 드린다고 해. 이런 일이야 흔한 건데 뭐."

그래, 흔한 일이었다. 계약이 중도에 파기되는 일쯤은. 그러나 그녀에게 돌려줄 계약금 중에 상당한 금액이 비어 있는 상황이었다. 시계 값이며, 월세며……. 머리를 쥐어뜯었지만 방법이 없었다. 신용불량자 대출도 알아봤지만 메워야 하는 금액에는 한참 부족했다. 한때는 다른 계약건의 계약금을 받아 이리저리 돌려 막기도 했었지만, 최근엔 전세 계약이 씨가 말랐다. 대부분의 건물주가 월세만을 원했기 때문이었다. 반츠의 회원권과 시계를 되판다 해도 금액의 반밖에 채울 수가 없었다. 다시금 전세 사기를 쳐 보는 건 어떨까 고민도 했지만 그럴 만한 매물이 없었다. 부족한 금액을 단시일 내에 채울 수 있기 위한 방안을 모색해 보았다. 아무리 생각해 봐도 카지노에 매달리는 것밖에는 달리 방법이 없었다.

못 먹어도, 고

이곳에 온 지 8일째였다. 계약이 파기되었음을 서른 초반의 그녀에게 아직 알리지 못했다. 오늘이 그녀의 입주일이었다. 오전 10시. 최경자 사장이 출근했을 시간이었다. 그녀는 연락 없는 나를 대신해 최경자 사장을 찾아갔을 것이다. 결국 최경자 사장도, 그녀도, 김 사장도 모든 사실을 알아 버렸을 터였다. 사장은 나를 고소했을까? 자기도 그닥 떳떳지 못한 요즘, 그랬을 리는 없다고 생각된다. 그럼 과외 선생이라던 그녀에게 배상을 해 주었을까? 김 사장은? 형의 아파트를 팔면 그만한 돈은 나올 것이다. 하지만……. 온갖 생각들이 꼬리를 물며 머리를 괴롭혔다. 그냥 죽어 버릴까……. 정선까지 와서 이 무슨 개죽음인가. 얼마 전 고한읍 하천에서 도박으로 폐인이 된 젊은 놈이 목을 매달아 자살했지만, 신문에 기사 한 줄 나지 않았다고 죽돌이 택시 기사는 말했었다. 여기서 자살하는 사람이 어디 한둘인가. 다들 입에 지퍼 착 채우고 쉬쉬해서 그렇지. 그는 죽지 못해 산다는 표정이었다. 그런데도 미끼 때문에 그만둘 수가 없다던 그. 경멸해 마지않으면서도 덥석 물고야 마는 도박꾼들. 잭팟이든 무엇이든 욕망이 끝없이 자극되는 한 택시 기사는 여기를 떠나지 못할 것이었다. 그러니 그에게는 이곳이 과연 지옥일지도 몰랐다. 나는 눈을 질끈 감았다. 아무래도 전당사에 가는 수밖에 없었다. 개죽음보다는 시계를 포기하는 게 낫다. 한 번만 더…… 한 번만 더 베팅을 해 보자. 빗줄기는 끊길 듯 이어지고 있었다. 젖은 아스팔트에서 한기가 올라왔다. 나는 바지 주머니에서 핸드폰을 꺼냈다. 그리고 드디어 전원을 켰다. 경찰이 나를 추적해 이곳까지 오고 있다면, 앞일은 다시 계획되어야 하기 때문이었다. 전원 켜지는 전자음이 들리고 잠시 침묵. 곧 부재중에 걸려 온 전화를 알려 주는 알림 메시지가 연속해 울리기 시작했다. 시작이었다. 한 번, 두 번, 세 번, 네 번, 다섯 번……. 알림 메시지는 끝이 없었다. 나에 대한 분노가 메시지를 통해 생생히 전달되었다. 수십 번의 수신음 끝에 정지된 메시지. 나는 떨리는 마음으로 확인키를 눌렀다. 역시 최경자 사장으로부터 걸려 온 전화번호가 압도적으로 많았다. 어쩐 일인지 보미에게서 온 문자도 하나 있었다. 문자의 확인키를 누르자 메시지의 내용이 창에 떠올랐다. '나 한국이야……. 연락 줘.'

어제 도착한 문자였다. 다른 문자들을 뒤로하고 나는 저장된 음성 메시지를 확인했다. 최경자 사장의 화난 목소리였다.

"너 어디야? 출근도 안 하고 무슨 배짱이야?"

입술이 바짝 말라 왔다.

"'더샵' 계약자분께는 계약 파기를 왜 알리지도 않은 거야? 김 사장이 그냥 키를 내주지 않았으면 어쩔 뻔했어? 이사 들어오는 사람 막을 수도 없고. 너 이 자식, 얼른 전화 못 해!"

그 이후의 말은 귀에 들리지 않았다. 상황 판단이 쉽게 되지 않았다. 그러니까, 그녀는 오늘 무사히 입주를 한 게 틀림없었다. 이왕 입주한 그녀를 내보내지 못한 김 사장과 최경자 사장은 계약서를 다시 작성하는 일 없이 상황을 지켜본 모양이었다. 잔금은 아마도 법인 통장에 입금되었을 터였다. 법인카드는 사무실 내 서랍 안에 있었다. 그들은 오직 무단결석 중이며 일처리 게으른 나를 원망했을 것이었다. 하늘이, 정말이지 나를 구원해 주었구나 싶었다. 내 인생에도 광 하나쯤은 있어 준 거였다. 다리가 후들거렸다. 그렇다면 정말로 내게 그 큰돈이 무이자로 대출되었단 거나 다름없다는 말인가……. 이럴 줄 알았다면 다급하게 이곳으로 달려오진 않았을 거였다. 이미 써 버린 돈과 일을 벌였다는 두려움에 무작정 도망친 강원도 정선. 단기간에 돈을 벌어 만회할 수 있는 길은 이뿐이라 믿었다. 하지만 지나간 일을 어쩌랴. 이제 서울로 돌아가 머리를 굴리면 앞일은 어떻게든 될 것 같았다. 사람이 죽으라는 법은 없는 거였다. 갑자기 삶에 대한 애정과 열의가 저 밑바닥에서부터 스물스물 올라왔다. 보미의 눈물 짜는 연기를 지켜볼지 말지는 나중에 생각해 보자.

나는 당장이라도 서울로 가고 싶었다. 법인 통장에는 그녀가 넣은 잔금이 들어 있을 터였지만 지금 내 주머니엔 동전 한 개가 없었다. 오른쪽 손목에 올려진 바쉐론 콘스탄틴 시계를 보았다. 직전만 해도 시계를 전당사에 맡기려는 어려운 결심을 했었다. 차비 몇 푼으로 시계를 맡길 수는 없었다. 나는 카지노의 안내데스크 직원에게 내가 처한 상황을 말했다. 직원이 대답했다.

"카지노는 여비가 없는 분에게 돈을 드립니다. 다만 여비를 받으실 경우 이곳의 출입은 영영 금지됩니다."

난데없이 고민스러웠다. 이곳에 대한 일말의 미련도 없을 줄 알았다. 한데 아예 출입이 금지된다는 소리에 망설여지는 나라니. 만 원짜리 한 장으로 1억 5천만 원을 벌어들인 행운의 주인공이 유혹이긴 한 모양이었다.

"여비를 드릴까요?"

50대의 죽돌이 여자가 한 말이 떠올랐다. 미끼가 단순해서 좋잖아. 그러고 보면 서울에는 나를 자극하는 것이 훨씬 많고 다양했다. 도처에 있었다. 문득 죽돌이 택시 기사가 내게 말할 것만 같았다. 거기는 더한 지옥이야.

나는 정신을 차리고 다시금 따져 보았다. 그래 봐야 그들은 이곳을 벗어나지 못하는 죽돌이와 죽순이일 뿐이다. 나는 미련을 털어 냈다.

"여기 다시 올 일은 없을 겁니다."

어쩌면 나야말로 도시에 중독되어 있는지도 몰랐다. 교통비를 받아든 나는 추스를 것도 없는 작은 가방을 들고 호텔 밖으로 나왔다. 고속버스 터미널까지 가려면 호텔의 셔틀버스를 타야 했다. 나는 정류장을 찾아 주위를 둘러보았다. 호텔 앞 정문으로 람보르기니가 멋들어지게 미끄러져 들어오고 있었다. 호텔보이는 VIP 앞에서 허리를 90도로 꺾었다. 문득 내 몸 안에 잠복해 있던 익숙한 무언가가 꿈틀거렸다. 나는 손을 번쩍 들어 올렸다. 모퉁이에서 있던 택시가 람보르기니를 시나쳐 내 앞으로 왔다. 나는 택시 뒷좌석에 몸을 밀어 넣었다. 아무래도, 버스를 타고 갈 수는 없었다. 나는 눈을 감았다. 이대로 쭉, 서울로 가자.

조용한 시장市場

마누라가 스팀청소기를 밀며 다가왔다. 남자는 티브이 화면에 시선을 둔 채 이불로 감싸 안은 엉덩이를 한쪽씩 차례로 치켜들었다. 스팀청소기가 방바닥을 빠르게 훑고 지나갔다.

티브이는 요통과 관절염에 효과적인 걷기 동작에 대해 설명하고 있었다. 마누라의 몸피에 가려 언뜻언뜻 비치는 화면을 따라 고개를 기웃대면서 걷기 운동을 위한 노약자 주의 사항을 들었다. 남자는 60대 초반이 노약자인지 아닌지 가늠해 보다가 문득 의기소침해졌다. 남자는 언젠가부터 걸핏하면 의기소침해졌다. 쫓겨나듯 희망퇴직을 당한 지 1년이 다 되어 가는데도 방구석에서 티브이만 보는 처지에 좀처럼 의연해지지 않았다. 자신 같은 사람이 없지 않다는 걸 알게 되었어도 마찬가지였다. 어쨌든 그

걸 알려 준 것도 이 프로그램이었다.

며칠 전에 〈무엇이든 물어보세요〉에서는 은퇴 남편 증후군 대처법에 대해 알려 주었다. "시집살이보다 더한 게 남편살이라죠. 퇴직한 남편이 온종일 집 안에 있으면서 반찬 타박부터 사사건건 참견을 해 대니 부인은 남편 얼굴만 봐도 지긋지긋해 화병이 날 지경이랍니다. 주부들의 건강이 위태롭습니다." 하는 진행자의 오프닝 멘트를 들으며 남자는 마침 아내가 출근하고 집에 없어 다행이라고 생각했다.

정신과 의사라는 작자가, 최근에 이런 증상을 호소하는 주부들이 많아졌다고 하더니 방청객 여편네들을 향해 "남편 볼 때마다 혈압 오르죠?"라며 느물거렸다. "울화통 터지죠!" 패널로 출연한 중년의 여가수가 말을 받았다. 여편네들이 자지러지게 웃었다. 남자는 머쓱해져 괜스레 아무도 없는 방 안을 휘둘러보았다.

진행자가 남편들도 할 말이 있을 거라며 그들의 항변하는 모습을 보여 주었다. "일만 하며 살아와선지 시간이 남아도는 요즘은 뭘 해야 좋을지 모르겠어.", "돈도 못 벌고 집에만 있다고 아내가 뭐라 하면 정말 서글프더라고.", "남은 인생을 어떡하나……." 듣다 못한 남자는 리모컨을 찾아 쥐고 버튼을 눌러 채널을 돌려 버렸다.

"오늘 알지?"

남자는 티브이를 보느라 마누라의 말을 흘려들었다. "건강을 위해 걷기를 하는 사람들이 많아졌습니다. 봄 햇살도 즐길 겸, 오늘 당장 시작해 보세요." 진행자가 제자리걸음을 하며 클로징멘트를 했다.

"내 말 안 들려?"

프로그램이 끝났는데도 남자는 티브이에 시선을 고정하고 있었다. 운동화를 신고 산과 계곡 사이를 거침없이 넘나드는 젊은 모델은 활력이 넘쳐 보였다. 안 그래도 요즘 안 쑤신 관절이 없었다. 산책을 해 볼까…….

남자의 손에서 리모컨이 휙 빠져나갔다.

"나 좀 보라고!"

리모컨을 빼앗은 마누라가 엄지를 전원 버튼에 갖다 대었다.

"끄지 마!"

"5시에 가정심방 있다고. 교회 신도들이랑 목사님도 오신다고. 몇 번을 말해."

"어디 가 있으라고!"

빽 지르자 마누라의 눈 끝이 뾰족 섰다.

알고는 있었다. 일주일 전부터 누차 들었다. 가정축복기도인지 뭔지. 백수 부자(夫子) 대신 생계를 책임지는 마누라한테 뭐라 할 처지도 아니었다.

마누라는 남자의 얼마 안 되는 퇴직금으로 피부 관리실을 차리고 나서 정말로 '은퇴남편증후군'에 걸린 것 같았다. 하소연이 듣기 싫어 남자도 일자릴 찾느라 애써 봤지만 쉽지 않았다. 건물 경비원 자리조차 빈 곳이 없었다. 아파트 팔고 경기도 쪽으로 내려가 살자고 채근하면 댓 발 나왔던 마누라의 입이 쏙 들어가곤 했다. 사실 남자도 서울의 32평 아파트를 소유함으로써 얻게 된 중산층의 지위를 쉽게 포기할 수 없었다. 그래도 아내의 잔소리에서 벗어나기에 이만한 대거리가 없었다.

마누라의 신세 한탄은 종교를 가지고부터 횟수가 현저히 줄었다. 단골손님을 만들겠다는 불순한 의도로 나가기 시작한 교회에서 엉뚱하게도 백수 부자를 견디는 아량이라도 배운 건지, 평소 자신의 십자가임에 마땅했던 남자와 아들은 주일 예배를 통해 '주님이 주신 은총'으로 탈바꿈되곤 했다. 그럴 땐 할렐루야들이 고맙기도 했다. 얼마 못 가 다시 십자가로 전락했지만 주일은 또 돌아왔다.

그러니 남자로선 종교 활동을 부추겨도 모자랄 판이긴 했다. 까짓 동네 사람들 보기 창피하면 조금 먼 데로 나가는 것도 괜찮겠지 싶었다.

"7시엔 끝내."

남자는 마누라가 팔자타령하며 엇서기 전에 물러섰다. 처지가 이런데 정말 사람들을 데리고 오겠느냐는 심산도 작용했다.

그런데 이렇게 집 안을 유난스레 꼼꼼히 청소하는 모습을 보고 있자니 남자는 이제 와 마지못해 했던 허락을 물리고만 싶어졌다.

남자는 안절부절못하다 기어이 마누라의 손에서 리모컨을 낚아챘다.

"그럼 나 저거 사 줘."

"뭐?"

남자는 다음 프로그램이 시작되는 동안 세 번째 반복되고 있는 나이키 에어맥스 운동화를 턱짓으로 가리켰다.

"집에만 있는 사람이 뭣 하러."

"니미, 놀기는 쉬운 줄 알고!"

허! 뱉고는 마누라가 출근하려 가방을 들었다.

"알았어. 5시에 시작이야. 현우도 꼭 데리고 나가 줘."

청소를 마친 마누라가 말쑥한 차림으로 안방을 나서며 한 번 더 당부했다.

"5시. 현우도 꼭."

뒤이어 찰칵 닫히는 현관문 소리가 들려왔다. 남자의 어깨가 움찔거렸다. 리모컨 버튼을 눌러 채널을 빠르게 넘겼다. 탈모치료기 렌털을 소개하는 홈쇼핑 채널을 지나치려다 순간 멈칫했다. 안 그래도 퇴직당하고 머리털이 하루가 다르게 빠지고 있었다. 탈모에 좋다는 건 뭐든 구해 먹고 바르고 다 해 봤다. 소용이 없었다. 남자는 목을 빼 들어 거울에 머리를 비춰 보았다. 이마가 얼마 전보다 더 넓어져 있긴 했다. 홈쇼핑 호스트가 달뜬 음성으로 강조했다. "쓰면 납니다! 매직처럼!"

"노골적이긴."

남자는 혼잣말을 하며 채널을 넘겼다.

*

하오를 넘긴 햇살이 방 구석구석에 먼지처럼 쌓여 뒹굴고 있었다. 사내는 잠이 덜 깨 몽롱한 상태로 손을 뻗어 침대 위를 더듬거렸다. 스마트폰이 잡혔다. 화면에 뜬 시간을 보니 12시 40분이었다.

모로 누운 채 페이스북에 접속했다. 습관처럼 여자의 페이스북에 들렀다. 새벽에 잠들기 전 본 그대로였다. 여자가 보름 전에 올린 셀카 사진 답글에 뜬 장의 '좋아요'를 타고 장의 페이스북으로 갔다. 역시 자기 전 본 그대로였다. 장의 게시글에 '좋아요'를 남긴 장의 친구 페이스북으로 갔다. 이 부지런한 놈은 오늘 아침 헬스장에서 찍은 제 복근 사진을 새로 올려놓았다. 놈이 올린 일주일 전 사진을 찾아 키패드를 눌렀다. 여자와 장과 장의 친구인 놈, 셋이 찍은 사진이었다. 여자와 여자의 어깨에 팔을 두른 장을 뚫어져라 보았다. 지난 일주일간 백번은 넘게 본 것 같았다. 거미줄처럼 짜여진 네트워크 속을 헤매다 찾아낸 사진이었다.

보름 전, 여자로부터 이별 통보를 받았다. 스물아홉에도 취업준비생인 사내에게 여자는 '지쳤어. 헤어져. 구질구질하게 잡지 마. 잘 지내.' 짧고 명료한 문장을 카카오톡 메신저에 남기고 사라져 버렸다. 카카오톡을 탈퇴하고 전화번호도 바꾸고 일하던 보습학원도 그만두고 살고 있던 원룸에서도 이사를 갔다. 완전히 사라져 버린 거였다. 헤아려 보면 언젠가부터 여자가 바쁘다며 전화를 피하긴 했었다. 여자는 쿨해질 것을 요구했지만 사내는 지난 3년이 아쉬워 구질구질해지기로 했다.

사내는 오프라인에서 사라진 여자를 온라인에서 찾기 시작했다. 취업 준비에 몰두하느라 미뤄 왔던 페이스북에 가입했다. 여자의 이름, 생일, 메일 주소, 사는 지역, 졸업한 대학 이름 따위를 검색창에 입력하자 여자의 것으로 추정되는 네 명의 페이스북이 나열되었다. 일일이 열어 볼 필요도 없이 프로필 사진만으로도 여자를 알아볼 수 있었다. 페이스북에 들어가 여자의 근황을 보았다. 전체 공개로 되어 있어 게시물을 보는 데 불편이 없었다. 여자는 자신에게 이별을 통보한 그 시점부터 페이스북에도 들어오지 않는 것 같았다.

사내는 여자의 미니홈페이지에 접속했다. 보름 전에 다녀간 흔적이 남아 있었다. 이별 통보를 한 그날의 일기에는 '나를 사랑했다면 부디 잊어 줘. 더는 힘들고 싶지 않아. 안녕.'이라고 적혀 있었다. 배경 음악으론 '이별한 거 맞죠……. 서러움에 내 맘이 무너져요…….' 이은미의 노래가 흘러나왔다. 겨를 없이 뚝, 눈물이 바지 위로 떨어졌다. 이 여자, 힘들었구나. 만년 취업준비생인 사내와의 가난한 데이트에 지칠 만도 하지. 어렵게 헤어지려 하는 거구나. 여자를 이토록 아프게 해 놓고 되레 원망했던 속 좁은 자신. 사내는 여자의 슬픔을 보며 자책했다. 여자가 그리울 때마다 미니홈페이지에 들어가 둘의 추억이 고스란히 남아 있는 사진첩을 열어 보고는 했다. 아무래도 여자를 찾아야만 할 것 같았다. 여자가 스마트폰으로 페이스북을 열어 보던 장면이 떠올랐다. 사내는 페이스북에 가입했다.

며칠을 기다려도 여자는 페이스북에 글을 남기지 않았다. 지난 게시물을 하나씩 열어 보다가 무심코 여자의 페이스북 친구들이 남긴 '좋아요'를 보았다. 유난히 '장'이란 자의 흔적이 많았다. 자신이 알고 있는 여자의 지인 중에 장이란 이름은 없었다. 얼굴 모르는 친구들도 많겠지만 그렇다고 하기엔 장이 남긴 댓글들도 예사롭지 않았다. 이상한 기분이 들어 장이 남긴 흔적을 타고 장의 페이스북에 들어갔다. 거기서 실마리를 찾으려 할수록 사내의 기분은 그야말로 잡치기 시작했다. 발렌티노 수트를 입고 에르메스 구두를 신고 다니는 것부터가 마음에 안 들었다. '입사동기 회식'이란 이름으로 올린 사진이 제일 거슬렸다. 놈이 입사한 회사는 삼성이었다.

그렇다고 여자와 함께 찍은 사진이나 글 같은 건 찾아볼 수 없었다. 지난 사진들을 거슬러 올라갈수록 벤츠를 몰고 팔목에 불가리 시계를 두른 장의 부유함만을 재차 확인할 뿐이었다. 대기업 연봉을 고려해 봐도 저 정도까지 사치를 부릴 수 있는 경우의 수는 한 가지밖에 없었다. 부모가 부자라는 것. 사내는 장의 사진이나 글에 지인들이 남긴 '좋아요'를 타고 여러 명의 페이스북을 넘나들었다. 그러다 보았다. 여자의 어깨에 팔을 두른 장과 그 옆에 선 장의 친구가 담겨 있는 사진을. 일주일 전 새벽에 올라온 사진이었다.

그날 사내는 사물함에 보관했던 책을 전부 싸 들고서 도서관을 나와 버렸다. 방에 틀어박혀 매일 잤고 한낮에 일어나면 스마트폰으로 제일 먼저 장의 페이스북에 들어갔다. 장에게 남긴 지인들의 글을 타고 여기저기 페이스북을 넘나들다가 여자의 페이스북에 들어갔다가 여자의 지인들이 남긴 글을 타고 또 여기저기 낯모르는 타인들의 페이스북을 옮겨 다녔다. 그들의 관계망을 따라 손가락을 놀리다 보면 몇 시간이 훌쩍 지나 있었고 그제야 자괴감이 밀려와 속을 끓이다 보면 어느새 어두해져 있었다. 다들 출근한 시간에 집에 있다는 불안도 밤이 되어서야 체념으로 바뀌곤 했다.

사내는 스마트폰 화면에 떠 있는 여자와 장과 친구란 놈의 사진을 내려놓고 침대에서 상체를 일으켰다. 잠에서 깬 지 세 시간 만이었다. 일어나 창문을 조금 열었다. 책상 서랍 속에서 담배를 꺼내 입에 물었다.

아버지가 주방에서 식사를 하는지 수저 부딪히는 소리가 들려왔다. 사내는 아버지가 안방에 들어간 후에야 주방으로 갈 생각이었다. 무릎 튀어나온 트레이닝복 차림의 사내와 러닝셔츠에 색 바랜 반바지 차림의 아버지가 평일 한낮의 주방에서 마주 보고 있기란 여간 계면쩍은 일이 아니었다. 피하는 게 상책이었다.

*

남자는 마루의 베란다에 서서 창밖을 하릴없이 보았다. 밥 한 공기에 무말랭이 찬으로 점심을 때우고 난 참이었다. 안방에서 〈2시 뉴스〉의 오프닝 음악이 새어 나오고 있었다.

8층의 아파트 창문이 보여 주는 전망은 빤하게도 아파트였다. 남자는 주위의 아파트 창문들을 보면서 빈집과 사람 있는 집을 짐작해 보았다. 창에 비치는 인기척이나 닫힌 커튼을 통해 유추

해 보는 그냥 그런 짓거리였다. 해가 가장 높이 떠 있는 시간에 그 빳빳한 햇살 아래서 그냥 그런 짓거리를 하다 보면 왜인지 기우제라도 지내고 싶어졌다. 비나 와라. 하지만 오늘의 일기예보는 '맑음'이라고 〈아침 뉴스〉가 예고한 터였다.

어젯밤 보았던 토론 프로그램이 떠올랐다. 실업 인구 증가를 주제로 패널들의 공방이 오갔다. 잠든 마누라가 뒤척대면 얼른 볼륨을 줄였다가 숨소리가 잦아지면 다시 높여 가면서 보았는데 조절해야 하는 건 그뿐만이 아니었다. 어떤 패널의 발언엔 고개가 끄덕여지다가도 어떤 놈의 말엔 골이 나 자신도 모르게 욕이 튀어나오려 했다. "해고가 자유로워야 고용도 늘어납니다. 노동시장 유연성은 직업 안정성을 부른다는……."

"유연? 이런 개! 뿔!"

자신도 모르게 말이 튀어나왔다. 경제전문가라는 작자가 되도 않는 말을 되는 말처럼 뻔뻔하게 늘어놓고 있는데도 상대 패널들이 작자의 말발을 이기지 못했다. 왜인지 상사였던 과장이 떠올랐다. 가슴속이 화끈 달아올랐다. 남자를 고문하던 회사 때문에 원형탈모증까지 생긴 마당이었다.

남자의 마지막 직함은 자동차 부품회사 대리였다. 소비자 설문조사를 적극 반영해 내놓은 타이어로 실적도 높여 봤고 덕분에 대리로 승진도 했었다. 성실하다는 칭찬만큼은 수도 없이 들었다.

그러던 날이 한때가 되어 버린 건 본사에서 우리 지사로 새 과장을 발령 내고 난 후부터였다.

과장은 신제품 개발을 위한 회의에서 타이어의 성능 개선보단 '열정'이란 이미지를 덧입히는 데 열중했다. 남자는 기존의 것과 다를 바 없는 제품을 새것인 듯 포장하는 건 소비자에 대한 기만이라고 지적했다. 하지만 결국 과장의 안건이 채택되었고 기존 제품에 홍보 전략만 바뀐 타이어가 출시되었다. '열정적 질주'라는 이미지 광고가 티브이 전파를 탔다. 성능 보완도 없이 가격을 올렸는데 매출이 좋았다. 과장은 늘 이런 식으로 실적을 올렸고 남자의 개발 안건은 늘 누락되었다. 과장과 남자의 사고방식은 달라도 너무 달랐다.

구조조정이 닥치자 회사가 희망퇴직을 권고했다. 취업도 못 하고 있는 아들놈 생각에 눈치 모르는 사람처럼 출근했다. 한 날, 일거리를 주지 않는 회사에서 커피만 줄창 타 마시다 퇴근했는데 마누라가 죽을상을 하고서 말했다. 과장이 전화했어. 당신, 그만 버티고 좀 나가 달래.

그날을 떠올리기만 해도 머리가 한 움큼씩 빠져나가는 것 같아 손으로 머리카락을 쓸어 보고는 했다.

과장을 닮은 작자가 자못 너그러운 미소를 띠고서 말했다. "이렇게 막무가내로 반대만 하는 사람이 있어서야……."

"아오, 저 면상을!"

내쏘았지만 브라운관은 남자의 말을 송신하지 못했다.

언제 깼는지 마누라가 몸을 반쯤 일으키고서 자신을 쳐다보고 있었다. 남자는 슬그머니 리모컨을 껐다. 머리까지 덮어쓰고 있던 이불 속으로 내처 기어들었다. 누운 채 몸을 질질 끌어 잠자리로 갔다.

캄캄한 밤. 적막한 방. 남자는 왼편으로 몸을 틀었다가 다시 바로 누웠다. 발바닥이 간지러워 방바닥에 문댔다. 등 쪽도 간지러웠다. 팔을 뒤로 돌려 봐도 손이 닿지 않았다. 예순둘의 몸뚱어리는 그리 유연하지 못했다. 사타구니도 간지러웠다. 바지 속에 손을 넣고 박박 긁었다. 처진 살이 손가락을 따라 맥없이 밀려오고 가고 했다. 여기도 긁고 저기도 긁고 마구 긁었다. 온화한 입꼬리와 상반되게 오만했던 눈빛이 지워지질 않았다. 생각해 보면 토론 내내 깐죽대던 작자와 과장이 닮은 것도 같았다. 화면을 보고 씨익, 웃어 보이던 참으로 타이밍 적절했던 표정 관리 따위가 그랬다.

남자는 창문을 열고 밖으로 빼끔 고개를 내밀었다. 햇살이 소리를 삼켜 버린 단지 안은 조용했다. 학원 가방을 들고 어디론가 바삐 가는 아이들 옆으로 경비실 앞에 의자를 내놓고 앉은 경비원이 끄덕끄덕 졸고 있었다.

남자는 티브이 혼자 떠들고 있는 안방으로 가 이불 위에 모로 누웠다. 주머니에 넣어 둔 리모컨을 꺼내 채널을 돌렸다. 바둑 채널을 보다가 뉴스 채널로 옮겼다. 예능 채널을 보다가 홈쇼핑 채널로 갔다. 아직도 탈모치료기 렌털을 광고하고 있었다. "임상실험을 모두 완료한 의료기기란 점. 잊지 마시고요. 미국 FDA 승인은 물론……."

성능이 중요하지, 남자는 임상실험 결과가 아무래도 마음에 들었다. 마침 '제품 완전 매진!'이란 자막이 떴다. 36개월 할부면 달에 만 2천 원인데, 이 정도도 나한테 투자 못 하나 싶었다. '수출용 제품 딱 100개 수량 추가 주문' 자막이 떴다. 남자는 이불 위에 앉아 화면 옆에 적힌 번호를 보면서 스마트폰 키패드를 빠르게 두드렸다. 전화가 연결되는 동안 문갑 위에 올려 둔 지갑 속에서 신용카드를 빼냈다. 주문 담당자가 전화를 받았다. 신용카드 번호를 불러 주고, 유효기간을 일러 주던 남자는 잠시 머뭇거렸다. 집 구석에서 머리에 탈모치료기나 쓰고 앉아 있는 모습이 궁색스럽게 그려졌다. 아무래도 나이키 에어맥스나 사야겠다 싶었다. 주문 담당자에게 미안하다 말하고 전화를 끊었다.

남자는 일어나 거울에 비친 자신의 몰골을 보았다. 탈모로 영구가 되어 버린 머리. 힘없이 늘어진 아랫배. 빛바랜 러닝셔츠와 끈 늘어난 반바지. 매일 한 시간씩이라도 걸어야 사람다워질 것 같았다. 이내 가슴 한쪽이 저며 왔다. 심장병인가? 협심증? 병원에 가 봐야 할라나 싶기도 했다. 요즘은 자주 가슴께가 저미고 허했다.

대낮에 이러고 있으려니 그야말로 인생 쫑(終)나 버린 기분이었다. 밤은 언제 오나. 낮을 견디는 건 아직도 힘들었다. 하품만 쩌억쩍 새어 나왔다. 자고 일어나면 햇볕도 누그러져 있겠지. '심방'까지도 시간은 넉넉했다.

남자는 다시 이불 위로 가 누웠다. 리모컨을 쥐고 브라운관을 보는데 눈꺼풀이 점점 무거워져 왔다. 서서히 근육이 이완되어 오기 시작했다. 희미해져 가는 의식 사이로 언뜻 뉴스 앵커의 목소리가 스며들었다. "노동절을 맞아 노사 간의 화합을 강조한 대통령은……."

남자는 이내 까무룩 잠이 들었다.

*

사내는 아버지가 안방으로 들어가기를 기다리느라 점심이 늦어졌다. 주방으로 가 라면을 끓여 방으로 내오는데 안방의 열린 문틈 사이로 티브이 앞에서 리모컨을 쥔 채 잠들어 있는 아버지가 보였다.

사내는 책상 위에 냄비를 올려놓고 라면을 먹으며 켜져 있는 모니터 화면을 바라보았다. 아버지나 자신이나 다를 바 없는 인생이었다. 실직도 일단은 회사에 들어가 봐야 겪을 수 있는 거라면 자신은 아버지보다도 못한 인생이었다. 돌연 입맛을 잃은 사내는 냄비를 방바닥에 내려놓고 담배를 찾아 물었다. 한 개비를 다 태우도록 쓴 입맛은 돌아오지 않았다.

포털 사이트에 뜬 기사의 제목을 눈으로 훑었다. '노동절 범국민대회 폭력시위자 220명 검거'라는 제목이 눈에 띄었다. 클릭했다. 쓱쓱 읽었다. 댓글을 보니 네티즌들의 의견이 실시간으로 올라오고 있었다. 정당한 집회네. 불법 집회네. 편파 보도네. 아니네. 치열한 공방이 오갔다. 짜증이 일었다.

"나라 꼴 잘 돌아간다."

모니터에 대고 중얼거리며 기사 창을 닫아 버렸다.

일어나자마자 봤던 장의 페이스북을 다시 열었다. 또 어떤 옷을 입고 어떤 구두를 신고 어떤 시계를 찬 사진이 올라올지 하루에도 몇 번씩 궁금했다. 여자와 찍은 사진이 올라올지도 모를 일이었다. 또 하나의 인터넷 창을 열었다. 즐겨찾기해 둔 여자의 미니홈페이지가 떴다. 여전히 슬픈 발라드가 흘러나왔고 자신과 찍은 100여 장의 사진도 그대로 있었다. 인터넷 창 하나를 더 열었다. 장의 친구 페이스북이었다. 여자와 장과 친구의 사진을 확대해 뚫어져라 보았다. 마우스로 세 개의 화면을 차례대로 클릭해 보았다. 나와 헤어지고 장을 만난 건지 그 전에 만나고 있던 건지 알 수 없었다. 그래도 미니홈페이지에서 흐르는 이별의 정서는 장에게 안겨 있는 여자치고 과했다. 사내는 슬펐다가 화가 났다가 위축됐다가 허탈해졌다.

담배를 한 대 더 태우고 장의 페이스북으로 다시 갔다. 사내는 마우스를 움켜쥐었다. 드디어 올라왔다. 여자와 장의 사진이었다. 밑에는 '우리 100일 기념'이란 글이 적혀 있었다. 100일이라니, 추측이 확신으로 돌아서자 미뤄 온 배신감이 북받쳐 올라 몸이 떨렸다. 여자는 자신에게 이별을 고하기 전부터 이미 새로운 사랑을 시작한 거였다. 변심의 이유로 사내 탓만 하며 그토록 당당하기만 해서는 안 되는 거였다.

여자의 미니홈페이지에 올라온 슬픔의 기록들은 다 뭐란 말인가. 이별 때문에 힘든 사람은 사내만이지 여자는 아닐 거였다. 순식간에 몸 안의 피가 솟구쳤다. 기가 막혔다. 한때 사랑했던 자신에게 살갑던 여자가 맞는지 믿기지 않았다.

사내는 이제야 알 것 같았다. 홈페이지에 올린 '아픔'이란 '감정 상태 설정'도 실연의 슬픔을 담은 발라드도 비련의 여인 같던 문구도 사내에게 내세운 이별 사유를 믿게 하려고 여자가 연출한 도구였다. 자신도 이별의 고통을 분담하고 있는 양 사내의 무능만이 이별의 이유인 양 운명에 휘둘리는 가련한 여인인 양, 멀쩡

한 제 마음을 슬픔으로 덕지덕지 위장한 거였다. 사내는 못난 자신만 자책했었다. 그런 사내의 반응조차 계산된 건지도 몰랐다. 미니홈페이지의 '설정'은 그렇게 치밀했다. 모멸감에 온몸이 그닐거렸다.

여자의 페이스북에 가서 댓글을 남겼다. '양다리를 걸치고 있었더군.'

사내는 쥐고 있던 마우스를 방바닥에 패대기쳤다. 왜인지 여자에게보다 자신에게 더 화가 났다. 등신. 취업도 못 하고 빌빌대는 놈이 무슨 연애씩이나. 부모님한테 받은 책값 삥땅 쳐 써 댄 모텔비. 꼴에 싸구려 모텔 싫대서 들어야 할 수업을 포기한 적도 있었다. 죽어라 노력해도 안 되는 판에 한심했다.

의자를 뒤로 젖히고 천장을 보았다. 한숨만 나왔다. 고개를 옆으로 돌리니 책장에 꽂힌 공무원 수험서가 보였다. 취직시험 대신 택한 게 공무원시험이었다. 나름 착실히 준비하고 있었다. 얼마 전까지는 그랬다.

일어나 한 권을 꺼내 후루룩 넘겨 보았다. 그어 놓은 밑줄. 붙여 놓은 포스트잇. 빨간색으로 칠한 중요 표시가 보였다. 한 장을 쭈우욱, 찢었다. 쭈우욱, 한 장 더 찢었다. 부욱, 북, 아예 손으로 잡아 뜯었다. 방바닥에 떨어뜨렸다. 밟았다. 짓이겼다.

노서관. 집. 도서관. 집. 모텔. 도서관. 집. 도서관. 집……. 끝이 보이지 않았다. 선택되기를 기다리는 사람들의 긴 행렬 끝에서 기약도 없이 기다리고만 있었다. 한 명씩 겨우 들어갈 수 있는 좁은 문. 아주 느린 속도로 줄어드는 사람들. 좀처럼 내 차례는 오지 않고, 그래서 아직 아니고, 계속 아니고, 언제까지나 아닐 것만 같았다. 청춘과 치기와 실수라도 해 볼 기회와 본 적도 없는 열정이 '아직 아니어서' 대기 중이었다. 20대의 마지막 해가 이렇게 가고 있었다. 경험도 지혜도 없이 이대로 늙어 버릴까 봐 두려웠다.

널브러진 종이를 발로 차 버리곤 침대 위로 몸을 날렸다.

"나쁜 년."

일어나 담배를 찾았다. 담뱃갑이 비어 있었다. 다리를 떨었다. 뒤죽박죽인 머리를 손으로 움켜쥐었다. 모니터에 뜬 사진 속에서 여자와 장이 사내를 보며 웃고 있었다. 이죽이고 있었다. 여자는 그 와중에도 예의 그 '얼짱각도'를 하고 있었다. 45도로 기운 고개, 치켜뜬 눈, 바람 넣어 부풀린 볼.

"사기 치고 있네."

사내의 입이 오른쪽으로 말려 올라갔다. 사내는 진심으로 몸서리를 쳤다. 화면 하단에 있는 여자의 미니홈페이지에선 여전히 노래가 흐르고 있었다. '이별한 거 맞죠, 미련한 내가…….' 미니홈페이지를 닫아 버렸다.

어디 처박아 둔 담배 없나 방 안을 뒤져 댔다. 옷장을 열어 주머니마다 손을 쑤셔 넣었다. 애인 몰래 딴 놈과 양다리를 걸친 여자. 결국 놈을 선택하고 사내를 버린 거였다. 싫증? 웃기고 있다. 한 개비만…….

서랍을 꺼내 눈을 굴렸다. 머릿속도 같이 굴렀다. 변심에 대한 원망은 감당할 만했겠지. 진실은 바람난 거였으니 배신에 대한 응징은 감당하기 부담스러웠을 터였다. 골치 아프기도 싫고 구질구질하기도 싫었던가 보았다. 담배꽁초를 찾으려 쓰레기통을 뒤졌다. 콜라에 젖고 찢겨 내장을 드러낸 꽁초. 침이 묻은 채 딱딱하게 굳은 꽁초. 사내는 집요하게 쓰레기통을 뒤졌다. 필사적인 손놀림에 비틀대던 쓰레기통이 엎어졌다. 방바닥으로 오물이 쏟아져 나왔다. 저 밑바닥에 장초 하나가 달라붙어 있었다. 떼어 내 입에 물고 불을 붙였다. 사러 나가면 될걸…… 마음이 지옥이라 이 짓거리를 하는구나 싶었다.

벽에 등을 기댄 채 주저앉았다. 쓰레기 속에서 누렇게 굳어 있는 휴지 뭉치가 보였다. 수음하고 뒤처리로 쓴 휴지였다. 야동을 본 날이었다. 제길, 꽁초를 바닥에 뭉갰다. 아주 징그럽게 역겹고 구질거리고 구차했다. 사내는 이를 앙다물고 쓰레기를 주워 담았다. 여기저기 널브러진 수험서들을 모아 침대 밑으로 밀어 넣었다.

여자의 페이스북에 남긴 자신의 글에는 아직 아무런 반응이 없었다. 포털 사이트를 열고 아무 기사나 클릭했다. 공무원 특채 비리 어쩌고 하는 제목을 클릭했다. 자신도 모르게 시발, 욕이 튀어나왔다. 댓글 게시판에 한바탕 욕지거리로 도배를 했어도 분이 풀리지 않았다. 장이란 놈도 부모 백으로 입사한 거 아닐까 생각하자 자판을 두드리는 손가락에 속도가 붙었다. 부조리를 향한 삿대질, 충만해진 정의감, 뭔가 확 엎어 버리고 싶은 혁명의 에너지가 손가락에서 자판을 타고 인터넷 세상으로 건너갔다. 욕 좀 하는 키보드 워리어로 게시판을 실컷 누빈 사내는 조금씩 감정이 누그러져 오는 것을 느꼈다. 변한 건 없어도 어쨌든 좀 살 것 같았고, 일단은 그걸로 족했다.

*

잠이 덜 깬 남자는 어렴풋이 들려오는 소리를 따라 티브이를 보았다. 순간 눈이 번쩍 떠졌다. 〈과학탐험대〉라면! 벌써 5시 아닌가. 남자는 마루로 뛰어나가 다급하게 아들을 불렀다.

아버지가 부르는 소리에 사내가 방문 밖으로 고개를 빼꼼히 내밀었다.

"심방! 가정심방! 5시!"

앞뒤 없이 말을 뱉은 남자는 자신을 멀뚱히 쳐다만 보는 아들을 또다시 재촉했다.

"나가자 빨리. 집 비워 달라고 했다."

사내는 그제야 알아듣고 아, 정말, 새된 소리를 질렀다.

남자가 러닝셔츠 위에 웃옷을 아무렇게나 걸치고 마루로 나오자 무릎 나온 트레이닝복 차림의 아들이 서 있었다.

사내는 현관으로 내달렸다. 문고리를 잡자 바깥쪽에서 인기척이 들려왔다. 운동화를 벗어던지고 자신의 방으로 후닥닥 뛰어들었다.

허둥대던 남자도 엉겁결에 아들을 따라 황급히 안으로 들어가 문을 잠갔다. 긴장한 남자의 청신경으로 사람들이 들어와 앉는 소리, 마누라가 무어라 말하는 소리가 들렸다. 마누라는 현관의 신발을 보고 자신과 아들이 집 안에 있다는 걸 짐작하고서도 시치미를 떼고 있는 모양이었다. 목사의 기도 소리가 들리기 시작해서야 남자는 아들의 침대 끄트머리에 엉덩이를 대고 앉았다. 방 안에 흐르는 정적이 머쓱해 작게 헛기침을 했다.

사내는 바닥에 팽개쳤던 마우스를 집어 들고 침대 옆 의자에 앉았다. 열어 뒀던 페이스북을 닫고 유튜브 창을 열었다. 볼만한 영상을 찾다가 지상파 방송사에서 어제 방영했던 시사 토크쇼를 클릭했다. 음량을 최저로 맞춰 들릴락 말락 했지만 눈 둘 데만 있으면 되었다.

남자가 모기만 한 소리로 어물쩍 물었다.

"종편에서 하는 거지?"

"네."

남자는 아들의 무심한 대답이 아쉬웠지만 어쩌자는 생각은 없었다. 사실 아들의 방에 들어온 게 얼마 만인지도 모를 지경이었다. 둘러볼 것도 없이 책상 위며 바닥이며 너저분하고 어수선했다. 체면도 구겨지고 할 말도 없어진 남자는 스피커에서 나오는 작은 소리에 신경을 모았다. 중요한 얘기로 넘어가려 할 때마다 불쑥불쑥 광고가 끼어들었다.

사내는 광고가 나올 때마다 마우스를 놀려 '광고 건너뛰기'를 했다. 기본 5초는 봐야만 광고를 중단시킬 수 있었다. 아예 다운로드받을 걸 그랬다는 생각이 들었지만 다운받는 동안 할 일도 없으니 별수 없긴 했다. 사내는 흘깃거리며 아버지의 옆모습을 훔쳐보았다. 모니터를 향해 반쯤 기울어진 구부정한 상체. 길게 내민 모가지. 꼼지락대는 두 다리. 익숙한 모습이었다. 사내는 아버지처럼은 되지 말아야지 생각했다. 돈 버는 기계처럼 살다 저렇게 힘없는 가장으로 늙어 갈 바에야 결혼 따위도 아예 하지 말자 싶었다. 책상 위에 올려 둔 스마트폰을 들어 여자의 페이스북에 들어갔다. 순간 몸이 굳었다. 전체공개로 설정되어 있던 여자의 페이스북이 친구공개로 바뀌어 있었다. 여자가 사내를 자신의 페이스북으로부터 차단하기 위해 설정을 바꾼 거였다. 사내는 여자가 올리는 어떤 글도 더는 볼 수 없게 되었다. 사내가 남긴 글도 지워 버렸을 게 빤했다. 머리가 멍해졌다. 장의 페이스북으로 가 폭로성 글을 남길까 망설이다 날뛰는 가슴을 진정시키기 위해 숨부터 골랐다. 묘한 고립감이 밀려와 상체를 숙이고 스마트폰을 저만치에 밀듯이 던져 놓았다. 여자는 자신의 홈페이지며 메신저를 다룰 줄 알았다. 사내는 보이지 않는 여자와 진실공방을 펼칠 자신이 없었다. 차갑고 무서웠다.

방바닥에서 스마트폰이 부르르 몸을 떨었다.

남자는 스마트폰을 주우러 가는 아들의 가늘고 희멀건 다리를 보았다. 쯧, 젊은 놈 다리가 저게 뭔가, 속으로 혀를 찼다.

사내는 메시지 창을 확인하고서 벽에 등을 기댄 채 앉았다. 팔을 뻗어 아버지에게 말없이 스마트폰을 건넸다.

방 밖으로부터 기도 소리에 이어 찬송가가 들려왔다. "예수님은 누구신가. 우는 자의 위로와 없는 자의 풍성이며 천한 자의 높음과 잡힌 자의 놓임 되고……."

'안에 별일 없지? 곧 끝나 가.'

마누라가 보낸 문자였다.

남자는 손으로 발바닥을 긁적이다 키패드를 두드렸다.

'아무 일 없어.'

남자는 무릎에 양팔을 걸치고 앉은 아들에게 스마트폰을 들어 작성한 문자를 보여 주었다. 아들이 맥없이 고개를 두어 번 끄덕였다. 남자도 작게 고개를 끄덕이고는 전송 버튼을 눌렀다.

안락사회

1

다섯 마리의 개가 곧 다가올 죽음을 기다리고 있었다. 시력 장애로 버려진 197번. 나이가 많아 오줌을 지린다고 버려진 254번. 성대가 잘려 짖지 못하는 236번. 새 아파트에서 키우기엔 덩치가 크다고 버려진 178번. 그리고 156번, 나였다. 우리는 언덕 위에 있는 간이 수술실 밖에서 목에 번호표를 단 채 각각의 철망에 담겨 줄지어 있었다.

우리에게 주어진 기한은 10일이었다. 그 안에 주인이 찾아오거나 누군가에게 입양이 되어야만 죽음을 모면할 수 있었다. '다함 유기견 보호소'는 10일간의 보호만을 허락한 셈이었다.

나흘 전 이곳 산기슭에까지 개장 청소를 위해 자원봉사자들이 다녀갔었다. 그때 257개 동에 갇힌 500여 마리의 개들은 일제히 일어나 날 좀 봐 달라며 질기게 짖어 댔다. 생사가 걸린 기회였다. 자원봉사자들은 동물보호법이 강화되어야 한다는 말을 주고받으며 개장 사이를 빠져나갔다.

나는 새 주인에게 입양되길 바라지 않았다. 전 주인과 친구가 찾아오리란 보장은 희박했다. 그보다 이곳에 갇혀 있어야 할 이유가 없었다. 저들의 보호를 원치 않았으므로 나는 내 갈 길을 가려 했다. 녹슨 철망을 이로 물어뜯고 몸으로 수차례 부딪쳐도 봤지만, 단단히 잠긴 자물쇠와 창살은 쉬 끊어지지 않았다. 곧이어 내 입에는 가리개가 씌워졌고, 발에는 벨트가 채워졌으며, 녹슬지 않은 단단한 철망 안에 혼자 가두어졌다.

사지를 포박당한 채 모로 눕혀져 나는 가슴만 벌떡거렸다. 청각을 곤두세우고 사람들의 걸음 소리에 집중했다. 나 역시 혹시나 하는 기대를 아주 저버리지는 못했다. 고개를 움직일 수 없어 최변과 윤이를 보지 못해도 걸음 소리만으로 그들을 알아낼 수 있었다. 따닥따닥 절도 있고 속도가 빠른 최변의 걸음. 슥탁슥탁 조심스럽지만 생기 있는 윤이의 걸음. 냄새로도 구별이 가능했다. 페퍼민트 향수가 몸에 밴 최변의 깔끔한 냄새. 여물지 않은 윤이의 푸릇한 살 냄새. 그들이 부러 만들어 내는 소리는 특별했다. 최변의 짧은 휘파람 소리와 윤이의 피아노 소리가 그랬다.

최변의 휘파람은 소리라기보다는 하나의 신호였다.

그는 휘익, 짧고 굵은 휘파람으로 나를 불렀다. 가 보면 밥그릇에 내 몫의 밥이 담겨 있었다. 늘 그래 왔는데 한 날, 휘파람 소리에 밥그릇으로 갔는데도 밥이 없었다. 군침만 흘리며 최변을 올려다봤다.

"얘 침 흘리는 거 봐."

최변이 손뼉까지 쳐 가며 웃어 댔다. 안주인이 두 손으로 머리를 틀어 올리며 쿡쿡, 잘게 웃었다.

"파블로프 씨, 그만 놀리고 밥 줘요."

웃음기를 머금은 최변의 왼쪽 얼굴이 살짝 씰룩거렸다.

"파블로프가 실험용으로 썼던 개들은 잡종 아니었나?"

"조건반사 실험에 종(種)이 무슨 상관이야. 동물의 뇌를 연구하려던 건데." 안주인은 제 머리를 톡톡 치며 덧붙였다.

"결국 인간의 정신을 알기 위한 연구였다고. 신경계 말야."

"날 당신 학생 취급하지 말라고, 과학 선생."

최변은 입을 삐죽거렸다. 나는 그때 '조건반사'라는 걸 처음 알았다. 동물이 환경에 적응하기 위하여 후천적으로 얻게 되는 반사. 어쨌든 그것이 잡종만의 반응이 아니라고 정정해 준 안주인에게 감사할 따름이었다.

“이리 와, 파블로프의 침 흘리는 개.”

최변은 놀리듯 하며 그릇에 밥을 채워 주었다. 그의 짧은 휘파람은 내 식사 시간을 알리는 신호였지만 가끔은 이렇게 나를 속일 때도 있었다.

윤이의 피아노는 다른 피아노들이 내는 소리와 달랐다.

조율 안 된 낡은 피아노는 건반 몇 개가 고장이 나 제 음을 이탈한 계통 없는 소리를 냈다. 어떤 ‘도’는 ‘도’보다 높은 음을 냈고, 어떤 ‘라’는 ‘라’보다 낮은 음을 냈다. 어떤 건반은 줄이 끊어져 텅, 텅, 공명했다. 윤이는 엉망인 건반에 손을 얹고 연주를 했다. 제 음정을 잃은 건반은 정음을 내는 건반에 기대 아슬아슬하게 화음을 이루었다. 여러 곡을 연주했지만 〈오버 더 레인보우〉는 윤이가 특히 편애하는 곡이었다. 윤이는 선율에 맞춰 노래를 불러 주기도 했다.

“썸 웨어, 오버 더 레인보우…….” 아련한 도입부가 시작될 때면 나는 다리를 접고 앉아 머리를 바닥에 기댔다. 윤이는 외운 가사를 혼잣말하듯 읊조리기도 했다.

“무지개 너머 저편 어딘가엔, 어릴 적 자장가에서 들었던 그런 곳이 있다고 했어.”

나는 귀를 쫑긋 세웠다.

"무지개 너머 저편 어딘가엔 파란 하늘이 있고, 네가 꿈꿔 왔던 일들이 진짜로 이루어지는 그런 곳이 있다고 했어."

수술실 밖에서 죽음을 앞두고 늘어선 개들이 몸을 축 늘어뜨린 채 얼굴을 바닥에 내려놓고 있었다. 철망 주위로 파리 떼가 윙윙 날아다녔다.

저 아래 평지엔 잠금장치가 달린 녹슨 창살들이 규칙적으로 배열되어 있었다. 개들은 제 구역 안에서 좁은 공간을 두고 자리다툼을 하고 있었다.

2

최변이 자신의 집으로 나를 데려오기 전에는 독일산 셰퍼드가 있었다고 했다. 셰퍼드의 구역이던 베란다 위의 방석과 마당 한 편의 개집은 이제 내 자리가 되었다.

최변은 내 첫 주인이었다. '최변'은 '최 변호사'의 약칭이었다. 아직 강아지인 나를 안고 현관에 들어선 그에게, 안주인이 "또 개야?" 하며 팔짱을 꼈다. 태도와 달리 말투는 부드러웠다. 그가 '한 사장'에게 받은 선물이라고 항변하며 마루 위로 올라와 가방과 나를 내려놓았다.

"한 사장?"

"우리 로펌 단골. 왜, 건물 리모델링한다고, 세입자들 상대로 명도소송 건 건물주 있잖아."

벗어 준 그의 양복 윗도리를 받으며 안주인이 고개를 갸웃거렸다.

"저번에 왜, 소송 중인데 분식집에 용역 시켜 깽판 쳤던 사람 말야. 일 복잡하게 됐다고 내가 짜증 냈었잖아."

"아! 그 무식한 사람."

"무식하지. 어쨌든, 내가 소송은 이겨 줬잖아."

최변이 넥타이를 힘 있게 잡아당기며 느슨하게 풀었다.

"다 내보내게 됐다고, 고맙다더라고."

"당신이 개 좋아하는 건 어떻게 알고?"

"한 사장 처세야 알아주지."

바닥에 한쪽 무릎을 꿇고 앉은 최변이 내 목덜미를 간질였다.

"얘가 천연기념물인 순수 혈통 진돗개래. 상급 중에 최상급. 가방 열어 봐. 혈통서도 있어."

"흔한 진돗개 같은데?"

"무슨 소리야. 통 크게 썼다던데. 보상금 아꼈으니 이 정돈 해야지."

최변이 내 겨드랑이에 두 손을 끼우고는 나를 들어 올렸다.

"단단한 수캐로 키워 주겠어. 이름은…… 건솟. 뭔가 강한 야성미가 느껴지지 않아?"

깔끔이 유난한 안주인은 나를 별로 좋아하지 않았지만 그렇다고 꺼려 하는 내색을 하지는 않았다. 부부가 직장에 가 있는 동안 나는 홀로 남아 썰렁한 집을 지켰다. 최변은 퇴근해 오자마자 나를 찾곤 했다.

나는 쑥쑥 자랐다. 훈련도 열심히 받았다. 똥오줌은 화장실 안에 마련된 개 전용 변기에 누었고, 원반 받아 오기, 장애물 넘기, 전등 켜고 끄기, 신문과 리모컨 집어 오기, 창문 여닫기 등을 했다. 보상으로 주어지는 특식은 입에 맞았다. 나는 야성적이라기보다 영리한 쪽으로 키워지고 있었다. 학습된 개는 아무래도 야성적일 수가 없었다. 열네 동의 주택이 하나의 단지로 형성된 이곳의 산책로를 거의 매일 달렸다. 내 근육은 혈관과 힘줄이 두드러질 정도로 단단해졌고 늘 긴장되어 있었다. 훈련의 난이도는 점점 올라갔다. 실수했을 땐 가차 없이 발등이나 엉덩이를 회초리로 맞았다.

“파블로프 씨, 살살 하세요. 그러다 그간 익혔던 것까지 까먹을 수도 있어.”

안주인이 최변을 저지했다.

“무슨 소리야. 이 정도 갖고.”

“들어 봐.” 안주인이 팔짱을 꼈다. 파블로프가 실험을 할 때였다고 했다. 당시 자극을 너무 세게 받은 개들 중에는 그간 보였던

반사 능력을 완전히 상실한 개들이 종종 있었다고 했다. 그 개들은 먹지도 못하고, 반응도 못하고, 수행 능력이 완전히 붕괴되어 버렸다고 했다.

"정신 줄을 아예 놨다는 거구만."

"그러니까 적당히 하라고. 건솟 스트레스 받겠다."

최변이 손사래를 치며 일축했다.

"그런 건 원래 심신이 나약한 것들이고. 앤 잘난 종자야."

"원래 나약하다니. 그런 말이 어딨어."

"유전자가 괜히 중요해?"

"어어? 그건 근대 때나 유행했던 우생학적 발상이라고." 안주인은 고개를 저었다. 많은 민주주의 국가마저 인종 개량 법률 제정을 시도하게 했던 발상이자, 파블로프의 후기 실험도 이와 무관하지 않았다고 했다.

"나치 수용소에서 학살당한 사람이 유태인만이 아냐. 병자, 장애인, 가난한 사람까지 부적격자라며 가스실로 보냈다고. 그놈의 '유전'을 차단한다고. 미국은 그때 환자나 범죄자를 강제 불임까지 시켰……."

"대단해. 참 교육자야. '결혼정보회사'에 스펙 넘겨주고, 평점 1.등.급.으로 분류된 나랑 결혼한 평점 2.등.급.자.이기도 하시지. 게다가……."

최변이 회초리를 탁자에 던지듯 버리곤 밖으로 나갔다. 안주인이 손으로 제 입을 가렸다.

언젠가 안주인이 친정 엄마와 통화하는 걸 들었다. 결혼 생활 7년 차에 접어든 30대 후반과 중반의 그들 부부에겐 아이가 없었다. 불임의 원인은 최변이었다. 정자 활동성이 정상치보다 크게 떨어진다는 거였다. 한번은 최변과 상의 끝에 학벌이며 체력, 외모까지 전부 갖춘 한 대학생의 정자를 고가로 샀다. 한번쯤은 시도해 봐야 할 것 같았다. 체내 수정은 실패했다. 그 후 아기 없이 살기로 합의를 봤다. 안주인은 그래서 나에 대한 불만을 좀처럼 토로하지 않았다. 최변이 혈통 있는 수캐에 집착하는 이유를, 실패란 걸 해 본 적 없는 그의 자존심이 택한 대리만족이라고 해석했기 때문이었다.

최변의 비밀스러운 실패는 예기치 않게 극복되었다. 안주인이 임신을 한 거였다. 자연 임신이었다. 낮은 확률을 뚫고 얻은 기적 같은 일이라고 했다. 기쁨에 겨워 우는 안주인 앞에서 쭈뼛대기만 하던 최변이 나를 데리고 밖으로 나왔다. 산책로 끝까지 가 커다란 나무 밑에 숨은 의자에 앉았다. 손바닥 안에 얼굴을 묻었다. 그러곤, 울었다.

나는 베란다에 갇힌 신세가 됐다. 개털이 태아에게 영향을 미칠

지도 모른다고 했다. 짖지도 못하게 됐다. 큰 소리에 태아가 놀라면 안 된다고 했다. 최변은 내게도 태아의 초음파 사진을 보여 주곤 했다. 1센티미터 남짓한 작은 씨앗은 올챙이같이 되었다가 머리와 몸통과 다리가 있는 아주 작은 인간이 되었다. 태아의 심장 소리를 듣고 온 날 최변은 홀린 듯 "그 작은 몸속에 심장이 있어." 라며 같은 말만 반복했다. 최변의 정신은 온통 배 속의 아기에게 쏠려 있었다. 나는 점점 외톨이가 되어 갔다.

외톨이 개는 얼마 못 가 방치된 개가 되었다. 부부가 함께 퇴근해 집으로 온 날이었다. 어쩐 일인지 무거운 걸음을 옮기는 최변 뒤로 안주인이 작게 갈지자를 그으며 뒤따랐다. 한동안 집 안은 쥐 죽은 듯 고요했다. 보름여 만에 최변과 안주인이 탁자를 사이에 두고 마주 앉았다. 늘 단정하게 이발되어 있던 최변의 머리는 귀 위로 삐죽삐죽 웃자라 있었다. 안주인은 금방이라도 울 것 같았다.

"의사가, 생명엔 지장이 없다고……."

"절름발이잖아."

안주인이 흡, 터지려는 울음을 입으로 막았다.

"어렵게 얻은 아긴데. 다신 기회조차 없을지 몰라……."

최변이 두 팔을 무릎 위에 괴고 손으로 머리카락을 뜯듯이 쥐었다.

"자꾸만 생각난다고. 다리를 절룩거리며 걸어오는 애가 떠올라 미치겠다고."

"당신, 남몰래 괴로웠단 거 알아. 하지만……."

"당신이 어떻게 알아? 내가 얼마나 나 자신을……."

최변의 눈 끝에서 이슬 같은 물이 맺혔다간 사라졌다.

긴 침묵이 흘렀다. 정적을 깨고 최변이 입을 뗐다.

"그럼 당신이 말해 봐. 당신은? 당신은 자신 있어?"

안주인은 대답 없이 흐느끼기만 했다. 다시 긴 침묵이 흘렀다. 크게 숨을 몰아쉰 최변이 더듬대듯 말했다.

"장애아로 태어나 산다는 게…… 애한테도 불행일지 몰라."

벌컥, 수술실 문이 열렸다.

마스크와 장갑을 착용한 직원이 나와, 건물 가까운 쪽에 있는 197번의 철망을 들었다. 197번은 태어날 때부터 앞을 보지 못했다. 그의 주인은 그가 태어난 지 한 달여 만에 '다함 유기견 보호소'를 다녀갔다. 몸 여기저기에 잔뜩 들러붙은 진드기를 앞발로 떼어 내느라 197번은 몸을 뒤척였다. 천장 창살에 얼굴을 바짝 붙이고 혀를 내밀어 철망을 잡고 있는 손을 핥았다. 직원이 작게 몸서리를 쳤다.

3

길가에 심어진 나무 밑동에 고개를 묻고 앉아 몇 주째 최변을 기다렸다. 누군가가 다가와 내 주위를 맴돌았다. 최변인가 하고 고개를 들었다. 책가방을 멘 여자아이였다. 고개가 저절로 떨어졌다. 아이는 매일 일정한 시간에 나타나 먹다 만 빵을 들이밀고는 했다. 오래 굶었지만 밥 생각이 없었다. 하루아침에 달라진 내 위상에 혼란스러웠다. 현실이라기엔 비정했고 아니라기엔 처한 상황이 증명하고 있었다. 나는 불과 얼마 전까지만 해도 천연기념물이자 1등급 순종 진돗개였다.

한참 예민해져 있던 최변은 당분간 나를 훈련소에 맡기기로 했다. 혈통서니 천연기념물이니 하는 설명을 들은 훈련소 소장이 나를 이리저리 살펴보더니 "애는 순종이 아닌데?" 혼잣말하듯 중얼거렸다. 최변이 황당한 얼굴로 따져 묻자 소장은 "저 같은 전문가나 알아보지 남들은 구별도 못합니다. 잡종 티도 안 나고, 영리하게 생겼는데요." 했다. 이것저것 캐묻고 난 최변은 나를 차 앞좌석에 밀어 넣고 서둘러 훈련소를 빠져나왔다.

외길 끝에 차를 세운 최변이 나를 빤히 쳐다보았다. 점점 그의 눈이 충혈되어 갔다. 나를 안고는 목에 얼굴을 묻었다. "이 하찮은

새끼……. 이 불쌍한 새끼……. 너나 나나…….” 중얼대는 그의 어깨가 심하게 들썩였다. 한참 그러고 있다간 내 몸에 둘렀던 팔을 풀었다. 손으로 두 눈을 꾸욱 누르고는 운전대를 잡았다. 윗니로 문 아랫입술에서 피가 새어 나왔다. “한 사장 그 자식이 날 우습게 보고…….” 갑작스레 싸늘해진 그의 목소리가 낯설었다.

그가 급하게 운전대를 꺾어 어딘가로 차를 몰았다. 허허벌판과 낡은 집들로 을씨년스러운 곳에 차를 세우곤 문을 열어 나를 끌어냈다. “돌려보내야지. 그 무식한 새끼한테.” 최변이 벌판 옆 나무 기둥에 개 줄을 몇 번이나 돌려 묶었다. 그리고 다시는 돌아오지 않았다.

그동안 기둥에 묶인 줄을 풀려던 사람이 몇 있었다. 나는 사납게 덤비며 그들을 쫓아냈다. 어깨에 책가방을 둘러멘 아이도 매일같이 와선 빵 조각을 내밀었다가 내 홉뜬 눈에 질려 주춤주춤 물러나곤 했다. 한 날 고개를 돌려 쫓아낸 아이를 보았다. 아이는 벌판 안쪽으로 들어가고 있었다. 그 애가 더 깊숙한 데로 걸어가는 뒷모습을 나는 오래도록 쳐다보았다.

눈을 내리고 어금니를 감추자 아이는 어느 날부터인가 내 곁에 와 앉았다. 허리를 옆으로 기울이고는 내 얼굴을 빤히 쳐다보았다. 동그란 눈과 작은 귀, 까맣고 긴 머리칼을 가진 아이의 도톰한

볼에는 작고 하얀 솜털이 돋아 있었다. 아이가 환하게 웃었다. 나는 머쓱해져 고개를 돌렸다. 아이가 나무 기둥에 매인 끈을 풀었다. 나는 가만히 있었다.

최변이 나를 두고 가기 전 했던 말을 상기했다.

"잘 들어. 집으로 돌아오지 마. 주인이 하는 명령이야. 무조건 복종하는 거야."

내 눈을 피해 고개를 숙였어도, 말에는 힘이 있었다.

"오지 마. 오면 나한테 부담을 주는 거야. 내 말 알아듣지?"

명령을 곱씹으며, 나는 아이를 따라나섰다. 아이는 제 이름이 '윤이'라고 했다.

윤이의 집으로 가는 길에 보았던 살풍경에 나는 당황했다. 최변과 살았던 열네 동의 주택단지 두 배쯤 되는 공터에는 무너진 건물의 잔해를 뚫고 비어져 나온 녹슨 철골과 부서진 시멘트 덩어리가 무질서하게 널려 있었다. 철심 조각과 돌무덤으로 사방이 덫 같은 곳을 지날 때마다 발밑에서 쩌억, 투툭, 나무판자 부서지는 소리가 났다. 더 들어가자 낡은 집들이 다닥다닥 붙어 있는 주택가가 나왔다. 허물어진 담벼락에는 '강제철거 반대. 세입자 생존권 보장'이라고 쓰인 현수막이 찢어진 채 널브러져 있었다.

윤이의 집은 거기서 더 안으로 들어간 동네 제일 끝자락, 가장 높은 곳에 있었다. 오른편으로는 폐허가 왼편으로는 빈집들이 한 눈에 내려다보였다. 가스, 전기, 수도가 전부 끊긴 집 안은 어둡고 눅눅했다.

이곳에 온 후로 나는 윤이의 할아버지와 할머니, 퇴거소송 결과를 기다리고 있다는 — 윤이가 아저씨와 아줌마라고 부르는 — 주민대표 김 씨 아저씨와 그의 아내, 떠돌이 개들과 고양이들 말고는 누구와도 마주친 적이 없었다. 다 떠나고 없는 텅 빈 동네는 적막했다. 저편에서 거대한 굴착기가 빈집을 향해 꽝, 꽝 삽을 내리꽂는 파열음만이 정적을 갈랐다. 폐허는 나날이 제 구역을 넓혀 가며 윤이네 집 쪽으로 전진해 오고 있었다.

깊은 밤마다 나는 저 멀리 보이는 고층 아파트의 불빛을 보면서, 그 너머 어디쯤에 있을 최변의 집이자 내가 살았던 곳을 추억했다. 추억의 끝은 최변의 마지막 명령으로 갈무리됐다. "오지 마. 내 말 알아듣지?"

윤이는 시종 나와 함께 다녔다. 윤이가 집안일을 할 때에 나는 딱히 해 줄 게 없었다. 신문도 리모컨도 없어 가져다줄 수가 없고, 전기가 끊겨 불을 켜거나 꺼 줄 수도 없었다. 기껏 문을 여닫거나, 신발을 나란히 놓거나, 물이 담긴 통을 목에 걸어 주면 매달고 오는 게 전부였다.

"우리는 친구지?"

윤이가 물었다. 친구라는 단어는 낯설었다. 주종 관계가 아닌 친구라는 형태의 관계를 맺어 본 적이 없었다. 이내 마음 한편이 무거워졌다. 얼른 고백해야만 할 것 같았다. 내가 무엇의 대가로 최변에게 전해진 선물인지를. 진지하게 설명하는 내게 윤이가 “배고파?” 하고 물었다. 인간이 동물의 말을 알아듣지 못한다는 게 다행스러웠다. 윤이는 나를 ‘다솜’이라고 불렀다. 도무지 내 남성적인 몸에는 어울리지 않은 이름이었다. 다행스럽게도 내게 다솜아, 부르고는 뭔가 아닌 것 같은지 이름을 지어 놓고도 자주 써먹지는 않았다.

민감한 청신경이 파열음에 지쳐 있을 때면 윤이는 제 보물 1호로 내 청각을 달래 주었다. 그것은 윤이네와 아저씨네 집 사이에서 낡은 담요를 뒤집어쓰고 있었다. 담요를 걷어 내면 피아노가 드러났다. 상판이 날아간 피아노는 부러진 다리에 돌을 괴어 놓아, 건들면 삐그덕 삐그덕 곧 무너질 것 같았다. 떠난 주민이 버리고 간 것을 아저씨와 아줌마가 옮겨다 준 거라고 했다. 고장 난 건반이 많았지만 윤이가 연주를 하면 제 음을 이탈한 소리도 크게 귀에 거슬리지 않았다. 매끄럽진 않았지만 제법 음악다웠다.

윤이가 매일 연주하는 〈오버 더 레인보우〉는 저무는 해에 노랗게 물든 폐가와 폐허 위로 넓게 퍼져 나갔다. 저 밑에서 무너진 건물의 잔해를 헤집으며 내다 팔 만한 폐품을 수집하고 있는 윤이의 할아버지가 일어나 허리를 폈다. 윤이를 올려다보곤 몇 개 안 남은 이를 드러내며 웃었다. 새벽에 인력시장으로 나갔던 아저씨와 아줌마가 흙투성이가 된 바지를 수건으로 탁탁 털어 내며 다가왔다. 아줌마는 피아노 옆구리를 손가락으로 퉁, 치면서 “이게 그래도 소리를 내네.” 하고는 지나갔다. 나는 귀를 쭈뼛거렸다. 바람에 털이 살랑살랑 흔들렸다. 심근경색으로 누워 지내는 윤이 할머니가 초에 불을 붙였는지 옅은 빛이 창밖으로 새어 나왔다.

다음 날. 윤이가 학교에 가 있는 동안 복지과 직원이라는 여자가 찾아왔다. 할아버지 내외는 노인요양소로, 윤이는 아동보호소로 거처를 옮기도록 돕겠다는 여자의 설득에도 할아버지는 벽만 바라봤다. 할머니가 누운 채 끙, 끙, 앓는 소리를 내며 몸을 모로 틀었다. 말없이 듣고만 있던 할아버지가, 이주 보상금만 받으면 셋이 함께 살 수 있다며 그녀의 말허리를 잘랐다. “노인요양소? 늙은 애미 애비 돈 주고 버리는 데 아니오? 헛수고 말고 그냥 가소.”

여자가 자세를 고쳐 앉았다.

“사실 윤이 엄마 도망가고, 찾아오겠다고 간 윤이 아빠도 소식 끊긴 지가 벌써…….”

큼, 큼, 목을 가다듬던 할아버지가 열린 문을 쳐다보았다.

“요양소 못 들어가 안달하는 노인네들이 얼마나 많은데요. 대기자들이 줄을 섰는데, 여기 땅 주인이 특별히 부탁해서 자릴 만든 거예요. 아드님 대신 요양소 입주금까지 대 준다잖아요. 지금 아니면 기회도 없어요."

버너 귀퉁이에 말라붙은 라면 가닥을 곁눈질하던 여자의 목소리에 힘이 들어갔다.

"윤이 그 아홉 살짜리가 공원 화장실에서 물 받아 오는 게 안쓰럽지도 않아요? 피아노는 또 오죽 잘 쳐요? 재능이 얼마나 아까워."

"내 팔다리가 이렇게 멀쩡하니 할멈과 윤이 정도는 내가 건사할 수 있고……."

"요즘 젊은 애들도 일자리가 없어 고생하는 판에, 누가 노인네한테……."

늙어 털이 반나마 빠져 버린 254번의 몸은 뼈와 가죽뿐이었다.

직원이 다가와 254번이 있는 두 번째 철망 손잡이를 잡아 올렸다. 들려진 철망 밑 촘촘한 쇠창살 사이로도 헐렁한 가죽이 비어져 나왔다. 축 처진 젖가슴이 반동에 맞춰 흔들거렸다. 수술실 안으로 들려 가는 중에 254번은 오줌을 쌌다. 철망 아래로 쪼르륵, 오줌이 흘러내렸다. 수술실 문이 닫히기 전 254번이 쥐어짜듯 그르렁댔다. 탁, 닫히는 문소리가 소리를 삼켰다.

4

폐허 주위를 쇠기둥에 묶인 천이 둥글게 에워쌌다. 저 멀리 도로와 고층 아파트들이 가림막에 가려 보이지 않았다. 타앙, 탕, 건물 내려치는 굉음이 점점 가까워 왔다. 돌가루가 섞인 흙먼지가 날아왔다. 윤이의 연주는 허공에서 굉음과 부딪혀 뭉개졌다.

개 한 마리가 늑대처럼 길고 질기게 울었다. 그러자 인근의 개들이 허기를 호소하며 울어 대기 시작했다. 아저씨가 달려 나와 "떠날 거면 개새끼들도 데려갈 것이지!" 한 소릴 했다. 다시금 탕, 탕, 치는 타격에 바닥이 미세하게 흔들렸다. "다 저녁에, 개새끼들." 아저씨는 소리 나는 쪽을 향해 카악, 퉤, 침을 뱉고는 이를 앙다물었다. 그러고는 성큼성큼 걸어가 쓰레기봉투를 파헤치고 있는 검은 개를 발로 걷어찼다. 깨갱, 얕은 신음이 흘렀다. "똥개들이 아무 데나 싸 놓은 똥 냄새도 도저히 못 참겠다." 검둥이가 멈칫거리자 다시 걷어차겠다는 듯 몸을 앞으로 두어 걸음 내딛던 아저씨가 "에라! 쳐 먹든지." 뱉고는 꺼질 듯이 한숨을 내쉬었다. 아저씨는 내 쪽을 힐끗 보더니 "넌 똥도 안 싸냐?" 하고는 너털너털 집으로 들어갔다.

아저씨에게 발길질을 당한 검둥이가 가만 보고 있던 내게로 다가왔다. 나도 모르게 근육에 힘이 들어갔다. 검둥이가 곰팡이 핀

주둥이를 내 귀에 들이대곤 "넌 나랑 뭐 다른 줄 아냐?" 빈정댔다. 나는 배가 고파도 쓰레기 더미를 뒤지지 않았다. 굶거나 윤이가 주는 음식만 받아먹었다. 똥을 쌀 때는 윤이네서 멀리 떨어진 폐허까지 갔다 오고는 했다. 나는 훈련받은 개였다.

검둥이는 발길질을 당하고도 다시 쓰레기 더미로 가 코를 묻었다. 피부병에 걸렸는지 옆구리가 헐어 속이 벌겋게 드러났다. 나는 돌무덤을 오가느라 여기저기 긁힌 내 종아리를 보았다. 왜인지 검둥이가 보기 싫어져 고개를 돌렸다.

어느새 굴착기와 윤이네와 아저씨네 그리고 낡은 피아노만이 빈터에 오도카니 남았다. 개들은 숨을 데가 사라져 제 몸을 온전히 드러내고 돌아다녔다. 할아버지와 아저씨와 아줌마는 일터에도 나가지 않고 집을 지켰다. 아저씨는 할아버지 내외에게, 철거민 임시 거처에 가 있는 사람들 다 속고 있는 거라며 저들을 절대 믿지 말라고 단단히 일렀다. 복지과 직원도 뒷돈을 받은 것 같다고 했다. 아저씨는 걸핏하면 양복을 입고 온 사내와 다투었다. 굴착기를 모는 인부들과는 몸싸움을 했다. 떠돌이 개를 발로 걷어찼고, 허공을 향해 욕설을 뱉었다.

한 날은 휴학하겠다고 찾아온 대학생 아들에게 얼빠진 놈이라 욕하며 두들겨 팼다. "그만한 대학 들어갔으면 니 인생 니가 알아서 살아야지!" 아저씨가 열을 올리자, 과외하며 월세에, 생활비에, 학비까지 대느라 공부할 시간이 없다고 아들이 항변했다. 아저씨는 살아남으라고, 1등급이 되라고 했다. 저들과 싸울 때보다 더 길길이 날뛰었다.

아저씨는 하고 싶은 말이 많아서 이곳에서 제일 높은 건물 옥상까지 올라갔었다고 했다. 확성기까지 들고서 사람들을 향해 말을 쏟아 냈다고 했다. 그곳에서 며칠이고 숙식하며 말을 하고 또 해도 할 말은 끝이 없었다고 했다. 아저씨가 올랐던 건물은 부서져 이제 흔적조차 남아 있지 않았다.

아저씨가 옮겨다 준 피아노 의자에 앉아, 윤이는 건반에 귀를 갖다 댔다. 이내 건반 위에 손가락을 올려놓았다. 손가락의 움직임이 점점 빨라져 갔다. 피아노 소리도 빠르게 퍼져 갔다. 윤이의 시선이 가림막에 고정되었다.

"파랑새들은 저 무지개 너머로 날아가는데……."

음악 소리가 절정을 향해 가다 뚝, 끊겼다. 윤이의 시선을 좇았다. 하얀 티셔츠를 똑같이 맞춰 입은 거구의 사내들이 쇠파이프와 망치 등을 들고 이리로 오고 있었다. 윤이가 다급하게 일어났다. 의자가 뒤로 넘어졌다. 윤이는 "할아버지! 아저씨! 아줌마!" 부르며 집을 향해 슥탁슥탁 뛰듯이 걸었다. 오른 발목이 안으로 굽은 탓에 서두를수록 상체가 크게 흔들렸다. 제 걸음이 느린 게

야속한지 윤이는 절름거리는 다리를 손으로 잡아당겼다.

윤이는 선천성 발 기형아로 태어났다. 돈이 없어 미리 태아 검사를 받지 못한 탓에 낙태 시기를 놓쳤다고, 그래서 태어나게 된 거라고, 윤이는 어른들이 조심성 없이 나눈 얘길 기억하고 있다가 내게 말해 주었다. 부모에게 돈이 있었다면 윤이는 태어나지 못했을지도 몰랐다. 나무 밑에서 아사할 작정이던 내가 윤이를 따라나선 것은, 언젠가 보았던 태아의 초음파 사진 때문이었다. 발목이 굽은 윤이는 내게 낯익은 인간이었다.

나는 사방을 향해 짖어 댔다. 아저씨 내외가 밖으로 뛰쳐나왔다. 할아버지도 나왔다.

“시작해!” 사내 중 우두머리로 보이는 짧은 머리가 외쳤다. 사내들이 우르르 아저씨네 집으로 쳐들어갔다. “이 집이 골치야. 확실히 끝내 버려.” 우두머리가 다그쳤다. 아저씨와 아줌마가 문 앞에서 필사적으로 막았지만 잘 훈련된 아홉 명의 사내를 막지는 못했다.

아저씨가 밖으로 옮겨지는 가재도구들을 보며 “소송 결과 아직 안 나왔잖아, 이 개새끼들아!” 소리쳤다. “이주 관리 업무 중이라고요, 아저씨. 좀 비키라고!” 모자 쓴 사내가 이죽댔다.

아줌마는 집을 드나드는 사내의 몸을 붙잡았다가 내동댕이쳐지고 다시 붙잡았다가는 내동댕이쳐졌다.

"우리더러 나가 죽으라는 거요." 할아버지가 우두머리에게 달려들자 그가 "다 먹고살자고 하는 짓이라고!" 하며 가슴을 힘 있게 퉁겼다. 할아버지가 맥없이 나가떨어졌다. 할아버지의 주먹은 번번이 허공에서 허우적거렸다. 윤이가 거들어도 마찬가지였다.

나는 연신 사납게 짖어 댔다. 인근의 개들도 컹컹, 왕왕, 짖기 시작했다. 우두머리가 "시끄럿!" 했지만 개들의 울음은 점점 커져 갔다. "여기 개들 싹 다 잡아가라고 해. 공사 들어가면 거치적거릴 거 아냐!" 명령이 떨어지자 뒤에 섰던 젊은 사내가 서둘러 휴대폰을 꺼냈다.

그릇들이며 숟가락들이 바닥에 나뒹굴었다.

"돈 앞에선 무조건 개가 되는구나."

아저씨가 몸을 부들부들 떨었다. 나는 사내들과 싸잡혀 황당했다. 게다가 이럴 땐 무조건이 아니라 조건이라고 해야지 않은가. 과학 선생이던 예전 안주인이라면 그렇게 정정했을 거였다. 도리질을 치자 젊은 사내가 펄떡대는 내 허리를 발로 걷어찼다. 어디서 꺼냈는지 아저씨가 휘발유 통을 들고 와 자신의 몸에 부었다. "그래 개처럼 죽어 주마." 하고 라이터를 켜려는 순간 몇몇이 달려들어 아저씨의 팔을 뒤로 꺾고 피아노 위에 상체를 눕혔다. 낡은 피아노가 무게를 이기지 못하고 무너졌다. 퉁, 탕, 팅, 건반이 일제히 튕기는 소리가 났다. 사내들도 아저씨도 바닥으로 미끄러져 나뒹굴었다. 떨어진 라이터를 주우러 악을 쓰며 기어가는 아저씨를 사내들이 덮쳐 힘으로 눌렀다. 두툼한 손이 아저씨의 입을 틀어막았다. "신경 쓰지 말고 밀어 버려!" 우두머리가 귀를 후볐다.

굴착기가 삽을 들었다가 내리쳤다. 집이 순식간에 와르르 무너졌다.

이제 남은 철망은 세 개였다.

236번은 시종 창살에 얼굴을 짓이겨 댔다. 긁힌 이마에서 피가 흘렀다. 충혈된 눈가는 눈물 자국으로 털이 엉켜 있었다. 입을 열었다 닫았다 반복할 때마다 침이 뚝뚝 떨어졌다. 수술실로 들려가면서도 입을 벌린 채 고개를 흔들어 댔다. 236번은 성대가 제거되어 짖지 못했다.

5

반대편에서 주황색 옷을 맞춰 입은 사람 한 떼가 몰려왔다. 신고를 받고 출동한 119 구조대원들이었다. 그들은 그물망과 주사기가 꽂힌 총을 들고 개 몰이를 시작했다. 개들이 도망치느라 이리저리 날뛰었다. 어떤 개는 구조대원이 쏜 주사기에 맞아 비틀거렸고, 어떤 개는 그물에 포획되어 철망에 갇혔다.

집 하나를 부순 사내들이 몸을 돌려 윤이네로 향했다. 그 가운데에 아주머니가 주저앉아 있었다. "비켜요. 매장되고 싶어요?" 모자 쓴 사내가 밀어도 이미 기진한 아주머니는 넋 나간 사람처럼 반응이 없었다. 우두머리가 질질 끌고 가도 아무런 저항을 못했다. 아주머니는 정신을 아주 놓아 버린 것 같았다.

문 앞을 막고 서 있는 윤이와 할아버지를 밀치고 사내들이 안으로 들어갔다. 방구석에 누워 있는 할머니를 넘나들며 간이 옷장과 밥상 등을 밖으로 꺼냈다. 휑해진 집을 부수기 위해 젊은 사내가 할머니를 끌어내려 했다. "그러다 죽어요." 젊은 사내에게 붙잡힌 할아버지가 펄쩍 뛰었다. 덩치 큰 사내가 알아서 빨리 나오라는 듯 벽을 망치로 쳐서 부쉈다. 뻥 뚫린 구멍 속으로 어둡고 습한 윤이네 집 안이 고스란히 드러났다. 나는 덩치의 다리에 이빨을 박았다. 그가 발을 흔들어 나를 떨쳐 내려 할 때마다 몸이 이리저리 휘둘렸다. 순간 무언가가 등허리에 와 꽂혔다. 물고 있던 이에 힘이 풀렸다. 다리가 꺾였다. 나는 감기려는 눈을 부릅떴다.

구멍 속에서 윤이가 할머니를 부축해 일으키려 애쓰고 있는 게 보였다. 굽은 발목 때문에 오른쪽으로 기운 어깨가 번번이 밑으로 쓰러졌다. 덩치가 또다시 벽 쪽으로 망치를 들어 올렸다. 윤이는 그 아득히 깊고 축축한 어둠 속에서 밖을 향해 소리쳤다.

"사람 있어요! 여기 사람 있어요……."

178번은 그날, 그 폐허 속에서 함께 붙잡혀 온 검둥이였다.

쓰레기봉투를 뒤지며 떠돌던 검둥이에게도 주인이 있었다고 했다. 열 살, 열두 살 난 어린 자매와 그들의 부모는 검둥이를 가족이라 불렀다. 낡은 연립에서 살다 새 아파트로 이사 가게 된 주인은 검둥이의 덩치가 커서 아파트에선 키울 수가 없다고 했다. 울면서 떼쓰는 두 딸에게 주인은 대신 이층침대를 사 주겠노라며 달랬다. 딸들은 울음을 그쳤다. 검둥이는 그들이 이사할 때 두고 간 낡은 가구와 함께 버려졌다. '178번'이 된 검둥이는 철망에 갇힌 나를 보며 피식거렸다. 그의 철망이 허공으로 들려졌다. 수술실로 가는 검둥이와 눈이 마주쳤다. 그가 내게 눈으로 말을 건네는 것 같았다. 나는 고개를 끄덕였다.

6

수술대에는 먼저 다녀간 개들의 털 몇 올이 늘어져 있었다. 직원 두 명이 나를 철망에서 꺼내 그 위에 눕혔다. 나는 눈알을 굴려 수술실 안을 둘러보았다. 구석에 두툼한 검은 봉지 네 개가 쌓여 있었다.

"이놈이 마지막인가?" 나를 힐끗 보고는 수의사가 물었다.

"근데 왜 이렇게까지 묶어 놨어."

"워낙 저항이 심해서요."

마스크를 쓴 직원이 내 목덜미와 허리를 누르며 말했다.

"도망치려고 창살까지 물어뜯던 놈이라니까요."

"나가긴, 누가 반겨 준다고."

수의사가 두 개의 주사기에 각각의 용액을 넣었다.

또 다른 직원이 "걱정 마. 편안해질 거야." 하며 내 허리를 두드렸다.

지난 10일간 이곳에서 벗어나려 몸부림쳐 왔다. 탈출은 실패했다. 철망에 갇혀 내내 생각했다. 왜 날 가둔 거지, 저들이 뭐길래, 내 삶인데, 저들이 뭐길래…….

"오지 마. 오면 나한테 부담을 주는 거야."라던 최변의 말이 일순 떠올랐다. 심장이 거세게 쿵쾅거렸다. 몸소름이 돋았다. 나는 죽고 싶지 않았다.

수의사가 내게로 걸어왔다. 나를 잡고 있던 직원들의 손에 힘이 들어갔다. 퉁탕, 튕겨지며 부서지던 피아노의 불협화음이 머릿속에서 시끄럽게 울려 댔다. 휘익, 학습된 휘파람 소리가 섞여 들어와 머리를 쿵쿵 두드렸다.

최변이 모르는 게 있다. 내가 언제인가부터 그의 휘파람 소리에도 침을 흘리지 않게 되었다는 것을 말이다. 한 날, 나는 다짐했었다. 가끔은 나를 속이기도 하는 저 소리에 침 흘리지 말자고. 그러자 정말로 휘익, 소리를 듣고도 더 이상 침이 고이지 않았다.

수의사가 내 목덜미를 움켜잡고 주삿바늘을 찔러 넣었다. 감각이 둔해져 가고 있었다. 두 번째 주사액이 들어왔다. 사지가 떨어져 나가는 통증에 전신이 뒤틀렸다. 의식이 완전히 허물어져 내리기도 전에 직원이 내 목에서 번호표를 떼어 냈다. 먼 데서 수의사의 목소리가 아득하게 들려왔다.

"156번, 안락사 했음."

봄의 시詩

1

4월 초입의 대학 교정은 아늑했다.

낡아 페인트칠이 벗겨진 인문관 앞을 지나자 자연과학관이 나왔다. 건물을 빙 둘러 아래쪽으로 내려갔다.

내가 강의하러 다니던 몇 개의 대학은 도심 속 평지에 지어져 있었다. 이곳 종합대학은 산을 깎아 사이사이 건물을 들여놓은 탓에 길의 경사가 가팔랐다. 야생의 녹지가 살아 있어 얼핏 대규모 휴양 단지 같기도 했다.

길옆으로 늘어선 크고 작은 나무와 관상용 식물 앞에 이름표가 붙어 있었다. 개나리, 진달래, 황매화, 홍매화, 백매화, 능수매화,

라일락, 철쭉, 자목련, 벚나무, 조팝나무…… 낯선 이름을 하나씩 부르며 걷다 보니 대학원 건물 앞까지 와 있었다.

앞에서 두툼한 배낭을 어깨에 멘 여자가 노을을 등지고 다가왔다. 옆을 지나며 곁눈으로 내 병원복 바지를 힐긋거리고는 가방을 추슬러 메고 또박또박 걸어 학술정보관 쪽으로 사라졌다.

나는 재킷에 넣은 양손을 빼서 조금 흘러내린 바지를 추켜올렸다. 고무줄로 허리를 마감한 병원복은 내 몸피에 비해 컸다. 걷다 보면 반 뼘쯤 내려와 수시로 끌어 올려야 했다.

걷기 명상을 하러 나왔는데 참, 생각하며 왔던 길로 몸을 돌려세웠다. 숨을 고르고 병원 건물 쪽으로 천천히 걸었다.

바닥에 오른발을 디딜 때 체중이 오른쪽으로 실리는 것을 느낀다. 오른쪽 발뒤꿈치에서 발가락까지 전해 오는 감각을 느낀다. 오른쪽 다리 근육에 힘이 들어가는 것을 느낀다. 왼발로 옮겨갈 때 체중이 왼쪽으로 실리는 것을 느낀다. 왼쪽 발뒤꿈치에서 발가락까지 전해 오는 감각을 느낀다. 왼쪽 다리 근육에 힘이 들어가는 것을 느낀다. 오른발, 왼발, 오른발, 왼발, 몸의 변화를 감지하며 걷는다. 걸을 때는 오직 걷기만 한다.

아직은 싸늘한 바람이 통이 넓은 바지 아래쪽으로 스며들었다. 추웠다. 춥다는 생각을 하고 있구나, 라고 의식을 정정했다. 그러라고 '마음 챙김 명상' 안내 음성 파일에서 들었다. 이것이 걷기 명상인지, 제대로 하는 건지 의아해하면서도 20여 분 그렇게 천천히 걸었다.

저 앞에 병원 건물이 보였다. 명상을 멈추고 종종걸음 쳐 건물 로비로 들어섰다. 마스크를 쓴 사람들이 체온 측정기 앞에 줄을 서 있었다. 전염성 강한 바이러스가 전 세계를 잠식한 지 세 달째였다.

내 병원복을 본 직원이 고개를 끄덕였다. 입원 중인 환자는 체온 측정을 안 해도 되었다. 매일 아침저녁으로 간호사가 체온과 혈압을 측정해 주고 있었다.

엘리베이터 앞으로 가 7층 버튼을 눌렀다. 뒤에서 누군가 내 어깨를 와락 껴안았다. 앙상한 손목이 잡혔다. 수현이었다.

"언니, 같이 가!"

턱에 마스크를 걸친 수현의 입에서 토사물 냄새가 났다. 저녁 식사를 마치고 병실 문을 나설 때 본 수현의 탁자 위엔 스마트폰 배달 앱으로 주문한 갈비찜과 빵 다섯 봉지, 과자 세 봉지가 펼쳐져 있었다.

주머니에서 스마트폰을 꺼내 화면을 보니 7시 50분이었다. 오후 8시면 환자의 외출이 금지되었다. 저녁 식사가 나오는 오후 5시 30분부터 7시 30분까지 부지런히 음식을 먹어 치운 수현은 1층 화장실까지 내려와 20분 만에 먹은 것을 다 토해 내고 8시가 되기 전에 병실로 돌아왔다.

"안 힘드냐?"

"난 쉽다니까. 변기에 대고 고개만 숙이면 바로 다 나와."

나는 수현의 손을 잡아 내 재킷 주머니 안으로 밀어 넣었다. 내려온 엘리베이터를 타고 7층 입원실로 올라갔다.

수현의 거식증은 스무 살, 파리의 유명 미술대학에 입학한 즈음부터 시작되었다고 했다. 좋아하는 화가의 그림 속 뼈만 앙상한 여자의 몸에 매혹되었다고 했다. 닮고 싶어 식사를 줄이자 어느 순간 참아 온 식욕이 솟구치더라고 했다. 실컷 먹고 토해 버렸는데 나날이 말라 가는 게 마음에 들었다고 했다. 졸업하고 한국 와서는 그림을 한 점도 못 그렸어, 풀 죽은 수현의 얼굴이 어두워졌다. 캔버스를 펼치면 압박감이 몰려왔고 먹고 토하는 것으로 그 하중을 견뎠다고 했다. 막 스물아홉 살이 된 수현은 전시회도 열기 전에 늙어 버렸다며 제 뺨을 양손으로 눌렀다.

나란히 복도를 걸으며 수현의 손을 힘 있게 쥐었다.

"얼른 퇴원해서 그림 그려. 아깝다, 너."

"그래야지. 근데 나 따라다니는 그 스토커. 나가면 또 걔 때문에 스트레스 받을 텐데."

"경찰에 신고해."

몇 년째 집요하게 따라다닌다는 스토커 얘기를 할 때마다 수현은 어깨를 떨었다.

4인 병실 문은 열려 있었다.

"울보 갱년기 어디 갔냐? 휴게실서 또 남편이랑 싸우나 보다."

수현이 낮은 소리로 말했다.

마침 남편과 들어오는 갱년기를 보자 말끝을 흐리며 수현은 세면대로 가 이를 닦았다. 세안용 마사지기로 얼굴 구석구석 씻어 내고는 필러를 넣어 빵빵한 뺨을 찬물로 여러 번 헹궜다. 냉장고에서 팩을 꺼내 얼굴에 얹고 침대로 올라가 반듯이 누웠다.

수현이 다녀간 세면대 앞으로 가 나는 칫솔에 치약을 묻혀 입안에 넣었다.

"적당히 좀 해."

갱년기 남편 목소리였다. 갱년기가 되받았다.

"나 퇴원시켜 줘. 내가 왜 여기 있어? 왜 여기 있어야 하냐고!"

갱년기는 어제 오전에 입원한 후로 쭉 같은 소리만 반복해 댔다. 회사에는 뭐라고 말했어? 과장이 나 없다고 얼마나 좋아할까. 안 그래도 나 관두길 바라는 놈인데. 나 쫓아내고 어린애 들이려 안달인데! 침대에 올라앉아 안절부절못하며 중언부언했다. 그렇게 스트레스 받으면 정말 관두던가, 간이침대에 앉은 남편은 녹음기처럼 같은 말로 응수했다. 누구 좋으라고? 나 경력녀야. 일

잘한다고. 갱년기는 엉덩이를 들썩이며 발끈했다. 과장이고 남자 사원이고, 젊은 애들 앞에서는 조심하다가 내 앞에서는 지들끼리 야한 농담 막 한다니까. 난 알 만한 나이 아니냔 거지. 듣기 싫어 죽겠어. 손바닥으로 귀를 감싸며 머리를 흔드는 갱년기에게 남편이 다그쳤다. 당신 이상한 거 모르겠어? 진짜 갱년기라서 그래? 너무 심한 거 아냐? 갱년기의 안색이 벽돌 빛으로 변했다. 그래, 나 50대야. 그래서 내가 여자로서 끝났다는 거야? 말이 끝나기도 전에 남편이 받아쳤다. 이러니까 당신이 입원한 거야! 좀 쉬라고. 쉬러 온 거야, 병원에.

"여긴 정신병원이야!"

쏘아붙인 갱년기는 벽을 향해 모로 눕더니 이불을 홱 덮어썼다. 신경질적이고 날카로운 울음소리가 이불 밖으로 새어 나왔다. 남편도 간이침대에 드러누워 찡그린 눈을 감아 버렸다.

저렇게 밤늦도록 울어 젖히는 여자를 소리에 민감한 조미자 씨가 어떻게 참아 주고 있는지 신기할 따름이었다. 예순아홉 살인 조미자 씨의 청력은 남달리 좋았다. 조미자 씨는 갱년기 맞은편 침대에 앉아 발톱을 깎고 있었다. 이 병원 단골이라는 그녀는 해마다 한 번씩 '약 맞추러' 입원한다고 했다.

20여 일 전 내가 막 입원한 날이었다. 나는 자다가도 오줌이 마려워 화장실에 서너 번씩 드나드는 습관이 있었다. 평소처럼 화장실에 갔다가 병실로 들어오다 까무러칠 뻔했다. 창문을 등지고 선 조미자 씨가 나를 노려보고 있었다. 4인실에는 단둘뿐이었다.

조미자 씨는 얼어붙은 채 서 있는 나를 비켜 복도로 갔다. 간호사실 쪽에서 소리가 들려왔다. 지금 세 번째 화장실을 다녀왔다니까! 커튼 착착 여는 소리에 삼을 잘 수가 없어! 아주 오줌보에 지랄이 났다고! 벽시계가 새벽 4시를 가리키고 있었다. 간호사가 와서, 내게 조심히 움직여 달라고 간청하듯 말했다. 나는 고개를 끄덕였다.

침대에 누웠지만 좀처럼 잠이 오지 않았다. 긴장해선지 오줌이 더 마려웠다. 참기 힘들었다. 칸막이 역할을 하는 침대 옆 커튼을 살살살 열고, 신발을 살살살 신고, 병실 문을 살살살 열고, 화장실에 다녀와 침대로 살살살 올라가 누웠다. 초긴장한 내 움직임이 만족스러웠는지 조미자 씨는 이후로 내 밤중 화장실 출입에 이의를 제기하지 않았다.

수현이 들어오기 전 일주일을 조미자 씨와만 있었다. 그녀는 제 인생 역정을 한 편의 드라마처럼 들려주었다. 스무 살에 자살한 딸, 10년 전 교통사고로 사망한 바람둥이 남편, 장례 치르고 한 달 뒤 아침에 눈을 떴는데 앞이 보이지 않았다는 것, 병원을 전전했으나 안구와 시신경에는 이상이 없었다는 것, 이후 교회와 성당과 절과 무당집을 돌며 안 해 본 짓이 없다는 것까지, 조미자 씨는 남 얘기하듯 담담히 풀어 냈다. 효성 지극한 아들이 데려온 이 병원에서 의사가 준 약을 먹고 눈이 보이기 시작한 게 8년 전이라고 했다. 별일 없이 지내다가도 뭔가 신경을 크게 쓰고 나면 눈앞이 뿌예지곤 했는데, 그때마다 약을 '맞추러' 병원에 입원한다고 했다. 그사이 아파트 값이 스무 배로 뛰어 병원비 따위 부담스럽지 않다는 말도 덧붙였다.

"풍파를 직통으로 맞은 거지."

조미자 씨는 손바닥으로 바지를 탁탁 털었다. 그러니까, 우리는 정상이 아니라는 걸 인정해야 해. 마음의 병을 받아들여야 해. 신경 쓸 일 생기면 탈 나기 전에 알아서 입원해야 해. 와서 푹 쉬고, 적당한 약 찾아 나가는 게 현명한 거야. '우리'라고 나까지 싸잡아 말하는 조미자 씨가 불편했지만 '마음이 아프다'라는 표현이 가슴을 찔러 나는 이의 없이 고개를 끄덕여 주었다.

"그리고, 나 할머니 아니야. 나 예순아홉이야. 내 아들이 너랑 동갑이다. 40대 중반."

조미자 씨는 옆으로 흘러내린 흰 머리카락을 귀 뒤로 쓸어 넘겼다.

"이모라고 불러."

처음부터 할머니라고 불러 온 나는 정정해 준 호칭이 어색했다.

매번 저기요, 라고 했는데 다행히 조미자 씨는 그게 자신인 줄 알아들었다.

"넌 왜 입원했니?"

"번아웃, 아니 소진 증후군이라고……. 그래서 우울증이 왔다고."

"일중독? 왜 그러고 살았냐?"

나는 대답 대신 쓰게 웃었다.

못 먹고 못 자고 일에 몰두하느라 지친 몸에 사죄하듯 언젠가부터 나는 매 끼니를 강박적으로 챙겨 먹었다. 간식으로 견과류와 건과일을 종일 손에 들고 씹어 넘겼다. 몸매보다 많이 먹네, 하던 조미자 씨는 한 날 그만 좀 처먹어라, 뱉고는 뒷짐 진 채 창문 밖을 내다보았다.

복도에서 20대로 보이는 노랑머리 남자가 큰 소리로 유행가를 부르며 지나갔다. 꽤 긴 시간 왔다 갔다 하며 그러고 있는 걸 보던 조미자 씨가 무심하게 말했다.

"놔둬라. 사흘쯤 되면 조용해질 테니."

다음 날에도 노랑머리는 음정 박자 엉망인 실력으로 종일 발라드를 불러댔다. 그다음 날 오전에도 어김이 없었다. 오후부터 소리가 멈췄다. 사흘째였다.

"안 들리지?"

"어떻게 된 거예요?"

"첨엔 다 저래. 약발 듣기 시작하면 정신 돌아와. 쪽팔려서 한동안 누워만 있을걸."

나는 복도로 나가 남자 병실 앞을 지나는 척 안을 들여다보았다. 노랑머리가 이불을 덮어쓰고 침대에 누워 있었다. 뒤통수 가운데 커다란 새집이 지어져 있었다.

병실로 돌아오자 조미자 씨가 거 보란 듯 턱을 살짝 들었다.

"나 첨 입원했을 때, 며칠간 염불만 중얼댔다."

손에 쥔 염주가 검지손가락에 밀려 한 알씩 내려갔다.

"사흘짼가, 약발 확 받데. 미쳐 있을 때가 좋았지. 정신 돌아오니 괴로워 살 수가 없더라, 야."

괴롭다는 단어가 조미자 씨와 얼마나 어울리지 않았는지 나도 모르게 아랫입술이 비어져 나왔다. 딸이 자살했어도, 남편이 바람을 피우고, 교통사고로 죽었어도, 앞이 보이지 않았어도, 조미자 씨는 불같은 성질로 바락바락 소리 지르고 세상에 삿대질하며 지금처럼 꿋꿋하게 살아왔을 것만 같았다.

내가 이를 닦고 세수를 마치고 로션을 챙겨 바르는 동안에도 갱년기는 울음을 그치지 않았다. 오늘이 이틀째. 내일이나 모레면 그치겠구나, 조미사 씨의 예언에 따르면. 징징대는 울음소리가 듣기 싫어 귀마개를 하고 싶을 정도였지만 사흘쯤은 참아줄 만했다.

간호사가 약품 든 카트를 밀고 병실 안으로 들어왔다.

"요즘은 약이 좀 듣는 거 같아."

밤 약을 받으며 조미자 씨가 웃자 간호사가 다행이네요, 했다. 수현은 제 몫의 약을 받아 물과 함께 입 안에 털어 넣고 바로 침대로 가 누웠다. 나도 내 몫의 약을 받아먹었다. 갱년기는 이불을 머리 위까지 올려 쓴 채 꿈쩍도 안 했다.

"약 드셔야죠."

간호사의 채근에 갱년기가 이불 안에서 짜증을 냈다.

"내가 왜 약을 먹냐고요. 나 한 번도 정신과 약 먹어 본 적 없어요. 내가 왜 먹어, 이걸."

"그간 잠을 통 못 주무셨다면서요."

간호사의 대꾸에 조미자 씨가 참견했다.

"나이 들면 잠이 줄어. 노화야."

갱년기가 흑, 숨을 몰아쉬곤 더 크게 울었다. 남편이 몸을 반쯤 일으키더니 갱년기가 덮고 있는 이불을 손으로 확 걷어 냈다. 간호사가 밖으로 나갔다가 링거 수액을 들고 들어왔다. 남편이 갱년기의 오른팔을 꽉 잡고 고정한 사이 간호사가 링거의 주삿바늘을 꽂았다.

"불 끌게요."

스위치를 끄고 약품 카트를 밀며 간호사가 병실 밖으로 나갔다.

조미자 씨가 침대 안으로 들어가 커튼을 닫았다. 수현도 귀마개를 하나씩 꽂으며 커튼을 닫았다. 누군가의 몸 뒤척이는 소리와 갱년기의 울먹임 사이로 창문 밖에서 들어오는 창백한 달빛이 병실 안을 부유했다.

나는 커튼 안 침대에 앉아 간이 조명을 켰다. 밤 10시였다. 전공의가 내 스마트폰으로 전송해 준 '마음 챙김 명상' 오디오 파일을 찾아 열었다. 이어폰을 꽂고 파일을 재생했다. 낮고 잔잔한 목소리의 여자가 시키는 대로 가부좌를 틀었다.

등을 똑바로 세웁니다. 어깨 힘을 뺍니다. 얼굴의 힘도 뺍니다. 자, 이제 코로 숨을 깊게 들이쉽니다. 다음, 입으로 천천히 내쉽니다. 숨이 들어올 때 배가 풍선처럼 부풀어 오르는 것을 느낍니다. 내쉴 때 풍선에 바람 빠지듯 배가 들어가는 것을 느낍니다. 잡념이 생길지도 모릅니다. 괜찮습니다. 그저 생각이 나는구나, 알아차리고 호흡에만 집중합니다. 숨이 코로 들어오고 입으로 빠져나갑니다.

눈을 감은 채 갱년기의 구겨진 얼굴, 수현이 먹은 갈비찜, 조미자 씨의 발톱, 20여 일째 입원해 있는 나, 13년 사귀다 1년 전에 헤어진 남자친구, 그가 떠나며 했던 말 "너는 평생 변하지 않을 거야."를 떠올렸다. 고개를 흔들었다. 생각을 떨치려다가, 억지로 떨쳐내지 말라고 했던 낮고 잔잔한 목소리를 기억해 냈다. 다시 호흡을 따라 했다. 아무것도 판단하지 마라. 그저 호흡해라. 잡념이 올라오는 것을 알아차리면 그저 내려놓고 호흡에만 집중해라. '마음 챙김 명상'은 그런 거라고, 입원 후 매일 듣고 있는 낮고 잔잔한 목소리는 말해 주었다. 아무 생각도 하지 말자. 지금은 그거 외에 할 수 있는 게 없다. 숨을 크게 들이쉬고 내쉰 후 귀에서 이어폰을 떼어 냈다. 갱년기의 긴 흐느낌이 수면제의 힘으로 잦아들다가는 이내 멈췄다.

나는 침대에 누워 천장을 바라봤다. 눈을 감았다. 까무룩 잠이 들었다.

2

병실 유리창 밖에서 아침 햇살이 새어 들고 있었다.

식사를 마치고 간호사가 준 약을 받아먹었다. 복도로 나가 간호사실 앞 체중계로 갔다. 먼저 와 체중을 재고 간 사람의 기록이 적혀 있었다. 키 164센티미터, 몸무게 38킬로그램. 수현의 것이었다. 체중계에 올라갔다가 내려온 후 책상에 앉아 있는 간호사에게 어제와 변함없다고 알렸다. 간호사가 고개를 끄덕이며 기록지에 옮겨 적었다.

병실로 돌아오니 청소 직원이 쓰레기통을 비우고 소독액 묻힌 걸레로 바닥을 닦았다. 각각의 침대 프레임과 세면대도 소독약을 뿌려 닦았다. 환자들을 제외한 병원의 전 직원이 마스크를 쓰고 있었다. 건물 밖으로 나갈 때엔 환자들도 마스크를 써야 했다. 전염병 때문에 면회 시간도 최소한으로 줄었다.

갱년기는 벽을 보며 누워 있었다. 조미자 씨가 침대에 걸터앉아 불경 책을 넘기며 염불을 외웠다. 수현은 세면대 앞에서 세안용 마사지기로 뺨을 문질렀다.

간호사가 왔다.

"곧 담당 선생님 회진 있어요. 상담실 앞에서 대기해 주세요."

조미자 씨와 갱년기와 수현과 나는 상담실 앞 의자로 가 앉았다. 조미자 씨가 들어갔다가 10분 만에 나왔다. 수현이 들어갔다가 5분 만에 나왔다. 갱년기가 들어갔다. 크게 우는 소리가 들렸고 20분 뒤 퉁퉁 부은 눈을 하고 나왔다. 내 차례였다.

상담실로 들어갔다.

처음 볼 때부터 마스크를 쓰고 있던 의사는 눈만 내놓은 채 물었다.

"좀 어떠세요?"

"모르겠어요."

"뭘 모르겠죠?"

"다요. 내가 누군지, 어떻게 살아야 할지, 산다는 게 뭔지. 다 모르겠어요."

의사가 차트를 넘기며 잠시 침묵했다.

"아직도 안락사 하고 싶은가요?"

망설임 없이 네, 하던 며칠 전과 달리 나는 잠시 주춤했다.

이곳에 오던 날 밤, 나는 병원 세 군데에서 병실이 없다는 이유로 내쳐졌다. 6년째 일을 못 하고 있고, 차 소리와 빌딩 숲이 숨 막혀 한적한 데로 캐리어 끌고 다니며 전전하는 중이라고, 고통스럽다고 발을 동동 구르며 호소했다. 병원에선 당장 병실이 없으니 집에 가 쉬고 있으라고만 했다. 나는 길가에 앉아 스마트폰에 대고 119를 눌렀다. 도착한 구급대원에게 같은 말을 했다. 그들이 인근에 침대가 비어 있는 응급실을 찾아내 나를 이송해 주었다.

당직의의 물음에 거두절미하고 말했다. 안락사시켜 주세요. 응급실 침대에 눕혀진 내 엉덩이에 진정 주사가 들어왔다. 링거 수액 바늘이 손등에 꽂혔다. 나는 그제야 잔뜩 긴장한 몸의 힘을 풀었다. 받아들여졌다. 이곳에.

다음 날 아침 담당 의사를 만났다. 그의 질문에 나는 여러 병원에서 했던 말을 반복했다. 입원 절차를 밟으라는 허락이 떨어졌다. 눈물이 날 지경이었다. 원무과에 입원 접수를 하고 응급실 침대 옆에 세워 둔 캐리어를 병실로 가져갔다. 오래 들고 다녀 닳아 빠진 바퀴에서는 덜덜거리는 소리가 났다.

침대를 배정받고 환자복으로 갈아입자 전공의가 상담실로 불렀다. 책상을 사이에 두고 마주 앉은 전공의가 노트북을 두드렸다.

"힘드셨죠. 몇 가지 질문을 할게요. 어떤 일을 하시죠?"

"번역 일을 했었어요."

"지금은요?"

"6년째 못 하고 있어요."

"어떤 번역인가요?"

마른 입술을 축였다. 하나도 빼먹지 않고 얘기해야만 이 긴 지옥에서 탈출할 방도를 찾을 수 있을 것만 같았다.

……독일어 통번역학과를 나왔다. 유학은 못 가 보고 어학연수만 다녀왔다. 석박사 학위를 땄다. 강남 한복판의 아파트형 오피스텔에서 10년 넘게 살았다. 그사이 멀리 보이던 산봉우리 네 개 중 세 개가 새로 지어진 고층 빌딩과 아파트에 가려 보이지 않게 되었다. 집 인근에는 레지던스 호텔과 24시간 커피숍과 공유 오피스가 들어섰다. 교수 임용을 기다리며 독어 회화 강사로 몇 년째 여러 학교를 전전했다. 좀처럼 교수 자리는 나지 않았다. 출판

사에서 의뢰받아 독일 문학을 한국어로 번역하는 일도 했다. 원문과 번역문 사이에서 가장 정확한 문장을 찾으려 활자를 붙잡고 씨름했다. 밥은 늘 일하면서 먹기 좋은 김밥이었다. 밤샘이 잦았다. 방에는 꼭 필요한 가구와 물건만 있었다. 티브이나 화분, 액자 따위는 없었다. 남자친구는 동갑내기 웹툰 작가였으며, 13년 사귀다 1년 전 헤어졌다.

전공의는 내 말을 참을성 있게 들어 주었다. 다음 질문이 이어졌다.

"긴장감이 심하시다고요. 언제부터 그랬나요?"

언제부터였나……. 모교 교수가 제안을 해 왔다. 한국어 문학을 독일어로 공동 번역하자고 했다. 독일 문학을 한국어로 번역하는 일은 익숙했지만 한국 문학을 독일어로 번역하는 일은 처음이었다. 설렜다. 기회 같았다. 교수는 바빠서였는지 무성의해서였는지 도통 일을 안 했다. 나는 외려 좋았다. 의견 대립 없이 내 마음대로 번역할 수 있었다. 1년 반 동안 대학 강의 외 모든 시간을 번역 일에 쏟았다. 한글 원작의 문학성을 지키려 했다. 작가의 의도를 최대한 살리려 했다. 신경이 곤두서 잠을 도통 못 잤다. 시간을 아끼려 김밥 대신 우유에 미숫가루를 타 마셨다. 보다 못한 남자친구가 내게 일을 선택하든지 자기를 선택하든지 하라고 으름장을 놨다. 나는 하던 일을 마저 했다. 완성된 번역본을 교수에게 내밀었다. 교수가 며칠 원고를 검토한 뒤 나를 불렀다. 나쁘지 않아. 내가 몇 군데 수정했네. 하고는 공동 번역으로 자신의 이름을 앞에, 나의 이름을 뒤에 적은 원고를 손가락으로 톡톡 쳤다. 교수 자리가 잘 나는 건 아니지만 생기면 제일 먼저 추천할게, 그가 내 등을 손바닥으로 쓸었다. 저 깊은 곳에서 무언가가 울렁거렸다.

복잡한 심경으로 돌아오는 길이었다. 갑자기 어지러웠다. 당장이라도 토할 것 같았다. 다리 힘이 풀렸다. 눈을 뜨니 입에 산소마스크가 씌워져 있었다. 병원 응급실이었다. 당직의가 내게 과로사할 판이라고 경고했다. 이틀 뒤 퇴원하는 나를 집으로 데려다주면서 남자친구는 애원했다. 무얼 위해 이렇게까지 해야 하는 거니. 이제 결혼하자. 대출받아 아파트 사자. 소소하게 남들처럼 살자. 그의 오랜 청혼에 나는 늘 묵묵부답으로 일관했다. 그는 너무 순진했다. 결혼이라니, 제대로 이룬 게 없는데. 남들처럼이라니, 평균의 삶이 어떻게 소소한가…… 싶었다.

집에 와 몸 좀 추스르고 가라는 엄마의 성화에 부모님 댁으로 갔다. 사흘 내리 소고기와 곰탕을 먹으며 엄마의 장탄식을 들었다. 잘난 내 딸이 어쩌다 이렇게……. 듣고 있기 힘들었다. 나흘째 되는 날 나는 강남 한복판 내 오피스텔로 돌아왔다.

어둠이 깔린 6층 창밖으로 24시간 커피숍이 보였다. 사람들이 창가에 앉아 노트북을 두드리고 있었다. 새벽 2시였다. 숨이 가빠

왔다. 이들은 어디를 향해 가고 있는가. 이 대열에서 나는 어디를 향해 가고 있는가. 그때 다리 쪽으로 저림인지 소름인지 모를 불쾌함과 긴장감이 올라왔다. 허벅지를 타고 허리를 타고 가슴께까지 저릿했다. 숨이 막혔다. 나도 모르게 소리를 질렀다. 끔찍한 기분이었다. 참지 못하고 밖으로 뛰쳐나갔다. 8차선 도로 위를 달리는 자동차 소리가 귀를 때렸다. 높은 빌딩들이 답답했다. 택시를 잡아타고 한강 공원으로 갔다. 서너 시간을 뛰었다.

이후로 집에서는 잠만 자고 깨자마자 밖으로 나갔다. 한강 주변을 몇 시간이고 걷다가 돌아왔다. 남자친구가 서울 외곽으로 이사 가 살자고 했다. 결혼 얘기도 잊지 않았다. 나는 여전히 집을 꾸리고 산다는 게, 그 안에 가구와 전기와 물과 가스와 매 끼니의 식사와 식기들과 그것들을 닦는 세정제와…… 그 모든 것을 갖추고 유지하며 산다는 게 무거워 견딜 수가 없었다. 언제부터 이리된 건지 알 수 없었다.

자상한 그는 시간이 날 때마다 함께 걸어 주었다. 그간 못 한 데이트를 몰아서 하듯 인사동으로, 삼청동으로, 유명한 골목과 거리를 다니며 매일 새로운 농담을 들려주었다. 휴가를 내 지방으로 여행도 가 주었다. 나는 계속 걸어야만 했다. 그때에만 몸의 불쾌한 저림과 긴장과 갑갑증이 잦아들었다. 일을 멈추고 걷기만 하는 일상이 4년을 넘겼다. 통장의 잔액이 비어 갔다. 전세인 오피스텔을 담보로 대출을 받았다. 병원에 가 봐도 의사는 무리해서 온 일시적 현상이니 쉬라고만 했다. 신경안정제를 주었지만 먹어도 효과가 없었다. 그동안 굶겨 왔던 몸에 정성스레 음식을 넣어 주고 간식도 먹었다. 차도가 없었다. 그러던 5년 차에 남자친구가 체념한 듯 말했다. "너는 내가 안중에도 없지. 내가 뭘 해 줘도 네 마음에 위로가 안 돼. 네 경력, 네 일에만 관심이 있지. 너는 절대 변하지 않아." 그가 그 자신을 감당하며 살듯이 나도 나를 감당하며 살고 있었다. 그게 이해되지 않는가. 나는 떠나는 그를 붙잡지 않았다. 13년의 사랑이 한순간에 끝났다.

며칠 후 캐리어에 옷가지와 세면도구 등을 넣었다. 현관문을 열고 복도로 나왔다. 문이 뒤에서 닫히며 자동으로 잠겼다. 돌아서서 현관문을 보았다. 607호 문 앞에는 이렇게 쓴 종이가 붙어 있었다. '밤샘하고 자는 중입니다. 절대 벨을 누르거나 문을 두드리지 마세요. 택배는 문 앞에 보관 바랍니다.' 10년간 붙어 있던 종이를 거칠게 떼어 냈다. 두 손으로 갈기갈기 찢었다.

경기도의 한적한 동네에서 한 달, 충청도 시골 마을에서 한 달, 강원도 바닷가에서 두 달, 제주도에서 여섯 달, 서울 외곽의 소도시에서 한 달, 나는 이곳저곳 떠돌며 산과 바다와 나무와 바람 속으로 가 숨었다. 숙박은 에어비앤비 앱을 통해 타인의 빈집을 돈 주고 빌리는 식으로 해결했다. 주인이 살다가 장기 출장을 가게 돼 비운 곳, 이혼한 부부가 재산 처리를 하는 동안 비운 곳, 해외 연수를 가 몇 개월 비운 곳 등이었다. 타인의 집에는 살림살이가 그대로 있어 호텔보다 집 같았다. 내 집이 아니어서 삶의 무게가 느껴지지 않았다. 그들의 무게였다.

어느새 대출받은 돈도 바닥을 보이기 시작했다. 일해야만 하는데, 할 수가 없었다. 내가 나를 먹여 살려야만 한다는 게 직면한 현실로 다가왔다. 떠돌이 생활도 끝을 향해 가고 있었다.

"너무 많은 일을 겪으셨네요."

많은 일을 겪었다……. 나는 말을 곱씹었다.

"일단 오늘은 진정 주사를 맞고 푹 주무세요. 내일 담당의 선생님 회진 있어요."

노트북을 두드리던 전공의의 손이 멈췄다.

그날 밤. 나는 병원 침대에 누워 안도의 숨을 내쉬었다. 지금껏 다녀 본 어느 집보다 안전한 집. 가장 편안한 안식처. 믿을 만한 호텔에 와 있는 것 같았다. 오랜만에 깊은 잠을 잤다.

다음 날 담당의 면담이 있었다. 그는 마스크를 쓰고 눈만 내민 채 차트를 보았다.

"이렇게 무리하며 살면 누구나 지칩니다."

"남들도 다 그래요."

"누가 이렇게 사나요? 밥 먹을 때 먹고, 일할 때 일하고, 잘 때자면서 살아요. 주말에는 쉬지요. 보통 사람들은 그렇게 삽니다."

"그렇게 해서는 살아남을 수 없어요."

"30대까지는 그나마 이렇게 살 수 있어요. 지금 40대지요? 몸이 못 견딥니다."

어쩌라는 건지 알 수 없었다.

"이렇게까지 자신을 증명하지 않아도, 김연수 님은 자체로 존귀해요. 온전하고 완전한 존재입니다."

왈칵 울음이 터졌다. 이런 간지러운 거짓말에 눈물이 날 만큼 약해져 있었다.

의사는 그날의 눈빛으로 나를 보았다.

"당신은 자체로 존귀한……."

"믿기지 않습니다."

"권해 준 책은 읽고 있나요?"

'진정한 휴식'이란 제목의 책을 주며 의사는 읽어 보라 했었다. 이미 뇌 치료에 적용 중인 서양의 '마음 챙김 명상'이자 동양에서 말하는 '명상'을 연습해 보라고 했다. 방법이 담긴 음성 파일도 전공의를 통해 보내 주었다.

"네."

"어떻던가요?"

“아직은 책이 눈에 잘 들어오지 않아요. 번역이 어설퍼서 걸리는 부분도 많고.”

“내용이 중요하지요.”

“20일째 명상이란 걸 하고 있잖아요.”

“그래요. ‘마음 챙김 명상’은 과학적으로 증명된 휴식법이에요.”

의사는 덧붙였다.

“방황하는 뇌와 마음을 멈추어야 휴식이 옵니다. 지금, 여기에 집중하는 법을 알려 주죠.”

의사는 모든 것이 마음에 달려 있다는 빤한 말을 하고 있었다. 과학적으로 증명되었다는 것만이 종교나 미신과 달랐다.

“몸의 긴장감은 어떤가요?”

“덜해요. 확실히.”

“오전에 먹는 약이 한 알이죠? 호소하고 있는 증상을 이 정도 양으로 진정시키기는 쉽지 않아요. 당장 끊어도 그만일 정도로 적은 양이에요.”

좋은 소식인지 나쁜 소식인지 알 수 없었다.

“여기는 안전하니까요.”

“그 생각 하나가 긴장과 숨 막힘을 사라지게 했다는 거죠. 마음에 달린 문제예요.”

나쁜 소식으로 여겨져 불안해졌다.

"그래서 나를 내보낼 건가요?"

다리 쪽으로 긴장이 올라왔다. 창문 밖으로, 깎인 산 사이사이 들어선 대학 건물과 그 아래 늘어선 빌딩과 아파트가 보였다.

"밖으로 나가고 싶지 않아요. 무서워요. 다시 그렇게 쥐어짜며 살 내가 싫어요. 다르게 사는 방법을 모릅니다."

"보통만 하며 사세요."

소리 지르고 싶었다. 보통이 얼마나 힘든 건데요! 말을 삼키고 입술만 깨물었다.

병실로 돌아오자 점심 식사가 탁자 위에 놓여 있었다. 조미자 씨가 말했다.

"너는 상담실만 가면 종일 있더라. 무슨 말이 그렇게 많냐."

수현은 제 몫의 식사를 내 쪽에 이미 옮겨 놓았다. 식사 쟁반 두 개가 나를 기다리고 있었다.

컵에 단백질 셰이크와 우유를 함께 넣고 저으며 수현이 말했다.

"오늘 언니가 좋아하는 생선 나왔더라."

수현은 셰이크를 들이켜고 운동하겠다며 밖으로 나갔다. 가장 완벽한 모습으로 가장 완벽한 그림을 그려 전시할 거야. 그때 난 예뻐야 해. 수현은 말했었다.

수현의 침대 옆 벽면에는 포스트잇과 그림엽서가 다닥다닥 붙어 있었다. 퇴원 후에 그리고 싶은 그림 목록, 가고 싶은 전시회, 본인의 전시 일정까지 몇 년간의 계획이 적혀 있었다. 그림엽서에는 바짝 말라 뼈다귀만 남은 여자가 정면을 응시하고 있었다. 또 한 장의 그림엽서에는 뼈다귀만 남은 남녀의 해골이 서로를 껴안고 있었다. 환시 미술의 거장 '벡신스키'야. 멋지지? 수현은 입원 이틀째 되던 날 나와 안면을 트자마자 벽에 붙인 그림엽서를 가리키며 넋 놓은 표정으로 말해 주었다. 나는 그림 가까이 눈을 가져다 대고 자세히 보았다. 뼈와 가죽뿐인 남자와 여자, 골반과 척추 마디마디와 해골이 드러난 서로의 몸을 빈틈없이 밀착해 껴안고 있는 그림은 처절했다. 껍데기 따위 상관없는 존재 간의 사랑이지. 최고야. 더는 없어. 이 이상은 없어. 강조한 수현은 금세 풀 죽어 덧붙였다. 이미 이렇게 완벽한 그림이 있는데, 내가 무슨 수로 그 이상을 그릴까.

'이 정도는 해야 해.' 채근하며 살아 온 지난날의 내가 떠올랐다. 그딴 거 다 소용없어, 라는 말이 튀어나올 뻔했지만 참았다. 덧붙일 다음 말이 내겐 없었다.

갱년기는 식사를 앞에 두고 휴지로 눈물을 찍어 내고 있었다. 잔뜩 찌푸린 얼굴을 보는 게 슬슬 짜증스러웠다. 사흘째 계속이었다. 조미자 씨의 예언은 틀렸는가.

"과장이 얼마나 고소해할 거야. 나랑 입사 동긴데 지만 과장이고. 내가 어디 입원한 줄 알면 절대 안 돼. 그리고, 여기 너무 건조해. 피부가 찢어질 거 같아. 가려워 미치겠다고."

스마트폰에 대고 남편에게 보채는 갱년기의 응석을 들으며 나는 밥을 한술 뜨다 말고 숟가락을 내려놓았다. 음식 쟁반을 그릇 수거함에 내다 놓고 들어왔다.

식사를 마치고 침대에 앉아 불경 책을 읽던 조미자 씨가 고개를 들었다.

"다 내려놔요, 이제. 이왕 병원에 왔으면 좀 쉬라고. 붙들고 있으면 뭐 해."

스마트폰을 내려놓은 갱년기가 휴지로 코를 풀었다.

"세상에 사연 없는 사람이 어딨어? 밖에 있는 사람들도 다 힘들게 살아. 병원에 안 와서 그렇지, 다들 아프다고. 이제라도 나는 아프다, 받아들여요."

한 손으로 염주를 돌리는 조미자 씨의 표정은 온화했다.

"어차피 산다는 게 고통이랬어. 살아 있는 건 다 늙고 병들고 죽게 돼 있거든. 영원한 건 없어. 울고불고한다고 뭐 달라지나. 그러니까 생명 있는 것들은 다 가엾은 거예요. 변하는 게 당연해. 그게 자연이지. 그냥 물 흐르듯 사는 거야. 순리대로."

조미자 씨가 일어나 갱년기에게 다가갔다. 쟁반 위에 놓인 숟가락을 들어 갱년기의 손에 쥐여주었다.

"밥 먹어요. 응?"

갱년기가 숟가락을 들어 국물을 한술 뜨자 조미자 씨는 만족한 듯 침대로 가 불경 책을 넘겼다.

마침 남편이 들어와서는 밥 먹네? 당신 잘하네, 라며 웃었다. 갱년기가 쏘아댔다.

"뭐가 잘한다는 건데. 내가 정신병원에 있는 게? 내가 미친 사람인 줄 알아?"

말이 끝나기 무섭게 조미자 씨가 책을 탁 소리 나게 덮었다. 벌떡 일어났다.

"뭐야? 그럼 나는 미쳐서 여기 있다는 거야?"

남편이 그런 뜻이 아니라고 달랬다. 조미자 씨가 갱년기에게 삿대질을 했다.

"며칠째야? 응? 이쯤 되면 정신 차릴 줄 알았더니. 나 여기 내 돈 내고 쉬러 왔어. 약 맞출 겸 쉬러 왔다고. 근데 요즘 밤에 잠을 설쳐. 누구 때문에!"

갱년기가 비명 같은 울음을 터뜨렸다.

조미자 씨가 병실 문을 발로 뻥 차 열어 젖히곤 밖으로 나갔다. 복도를 타박타박 걷는 소리가 예사롭지 않았다. 간호사실 쪽에서 쩌렁쩌렁한 목소리가 들려왔다.

"담당의 오라 그래! 내가 아주 조져 버릴 테니까!"

밖의 소란에 병실마다 환자들과 간병인들이 얼굴을 내밀고 쳐다봤다.

"나 여기 내 돈 주고 쉬러 왔거든? 약 찾으러 왔다고! 근데 지금 나더러 미쳤다잖아, 저 여자가. 지가 미친 줄 모르고! 쉬러 왔는데 시끄러운 환경에 방치시켜? 당장 병원장 오라고 해!"

갱년기가 자지러지게 울어 댔다. 담당 의사가 불려 왔다.

"퇴원시켜 주세요. 나 진짜 정상이란 말이에요."

"지금 퇴원하시면 위험합니다."

"나 그냥 평범한 사람이에요. 보통 사람이라고요. 내가 왜 여기 있어야 하는데요!"

조미자 씨가 병실로 달려왔다. 의사에게 어깨를 들썩이며 일렀다.

"저 여자 말하는 거 보라고! 그럼 나는 미쳐서 여기 와 있다는 건가? 어? 순리대로 내가 살려고 하는데! 내가 물 흐르듯이! 그저 순리대로! 순리대로!"

한바탕 난리가 났다. 의사의 지시로 갱년기가 상담실로 불려 갔다. 조미자 씨를 진정시키러 온 간호사들이 그녀를 에워싼 채 어깨를 주무르고 등을 두드렸다.

막 운동하고 돌아온 수현이 귀엣말을 했다.

"언니. 나 여기서 얼른 나가야겠어. 폐쇄 병동에만 정신병 환자가 있는 줄 알았는데, 개방 병동도 만만치가 않아. 내가 다 돌겠다."

수현은 저녁 시간이 다가오자 스마트폰으로 치킨과 피자와 파스타를 주문했다. 그러곤 포스트잇에 '캔버스 위에 알약을 뿌리자.'라고 적어 벽에 붙였다.

상담실에서 돌아온 갱년기가 침대에 앉아 질기게 울어 대는 동안 남편이 캐비닛에 있는 짐을 꺼내 가방에 넣었다.

"퇴원하나 보다."

수현이 속삭였다.

갱년기의 침대가 비었다. 조미자 씨는 뒷짐 지고 병실 안을 두어 바퀴 돌다가 제자리로 돌아갔다. 중얼중얼 염불을 외웠다.

나는 저녁 식사를 마치고 대학 교정으로 나갔다. 내려앉은 저녁 해가 붉은빛을 뿜어 내고 있었다. 기숙사 쪽으로 내려가자 건물 증축하느라 벽돌, 시멘트, 모래가 줄지어 쌓여 있었다. 그 뒤로 움푹 팬 산 귀퉁이가 붉은 흙을 속살처럼 드러내 놓고 있었다. 어쩐지 심장이 두근거려 왔다. 크게 숨을 들이쉬고 내쉬었다. 손바닥으로 왼쪽 가슴께를 눌렀다.

의사가 준 책《진정한 휴식》에는 고난을 성장의 기회로 삼는 긍정적 사고를 기르라고 쓰여 있었다. 성장이라는 단어를 떠올리니 구역질이 났다. 어떤 목적도, 어떤 의무도, 어떤 요구도 싫었다. 그냥 나대로, 그냥 좀 놔둬. 나 좀 놔둬. 나도 모르게 혼잣말이 튀어나왔다.

산책을 마치고 로비로 들어서자 수현이 팔짝대며 다가와 팔짱을 꼈다. 토사물 냄새가 더럽다는 생각이 들었다.

"언니. 나 사흘 뒤 퇴원해."

"의사가 그러래?"

"엄마한테 나간다고 했어. 답답해."

가슴이 덜컹 내려앉았다. 한 명씩 퇴원하고 있었다. 나도 곧 퇴원해야 했다. 여기서 나가야 한다고? 집을 다시 구해야 한다고? 집을 꾸리며 살기 위한 돈벌이, 그 전쟁터로 다시 들어가야 한다고? 나는 체머리를 떨었다.

3

다음 날 아침 9시가 좀 지나서 나는 전공의에게 집을 구하러 외출을 나가겠다고 했다.

"괜찮겠어요?"

집을 구하겠다는 생각만으로도 숨이 콱 막혔다. 그렇다고 언제까지나 여기 있을 순 없었다. 강남 한복판의 그 오피스텔로 돌아

가고 싶지도 않았다. 이미 집주인에게 이사 가겠다고 말해놓은 참이기도 했다. 담보로 받은 대출금을 갚고 나면 돌려받을 보증금도 거의 없었다. 남아 있는 통장의 잔액으로는 보증금이 저렴한 월셋집을 구해야 했다.

외출증을 끊고, 서울에서 집값이 가장 싸다는 외곽의 끝자락으로 갔다. 바로 이사 올 수 있게 비어 있는 집만 보았다. 부동산에서 보여 주는 집들은 외관이나 내부나 비슷비슷했다.

에어비앤비를 통해 묵었던 타인의 집에는 편안해 보이는 4인용 소파, 마음을 느슨하게 해 주는 고풍스러운 라탄 의자, 냄새만으로도 살 것 같던 식물 화분 등이 놓여 있었다. 효율이 아닌 미적으로 꾸민 집들이 신기했다. 이사하면 나도 그렇게 꾸며 보고 싶었다.

빈집을 하나씩 볼 때마다 긴장이 올라오는 건 어쩔 수 없었다. 40대 중반에 삶을 다시 시작해야 한다는 게 막막했다. 긴장이 올라오는구나, 알아차리자. 판단하지 말고 호흡에 집중하자. 나는 숨을 깊게 들이쉬고 입으로 천천히 내쉬었다.

마땅한 집을 구하지 못하고 병원으로 돌아왔다. 수현이 벌써 짐을 싸고 있었다.

“모레라면서?”

“그래도.”

“거식증이 안 나았는데 나가?”

"그건 입원해서 고치는 게 아니라던데?"

"그럼 왜 입원한 거야?"

"모르지. 엄마가 입원시킨 거니까."

"내일 의사한테 병명이라도 물어봐. 거식증도 그대로고. 이렇게 나가면 뭐 해."

그럴까, 하며 수현은 포스트잇을 한 장 한 장 떼어 노트에 붙였다. 애지중지하는 그림엽서를 떼어서는 가만히 보았다. 말라붙은 남녀 뼈다귀의 포옹은 당장이라도 바스러질 것같이 아슬아슬했다. 한 겹 껍데기는 이미 풍화되어 사라졌고, 안고 있는 것은 몸이 아니라 영혼이거나 그저 존재일 것이었다.

뼈마디가 보이는 수현의 손가락 안에서 그림이 파르르 떨렸다.

4

오전부터 수현의 전공의가 와서 수현에게 내일 퇴원과 관련한 주의 사항을 설명했다.

나는 소리 없이 입으로만 '병명 물어봤어?' 건넸다. 나를 본 수현이 고개를 옆으로 저었다. 내가 손가락으로 전공의를 가리키며 '물어봐' 했다.

수현이 물었다.

"근데 선생님. 제 병명이 뭐예요?"

전공의가 당황한 듯 잠시 머뭇거렸다.

"네?"

거듭 묻자 그가 나직하게 말했다.

"조현병요."

수현이 고개를 갸웃거렸다.

"그중에서 망상……."

귀를 쫑긋 세우고 듣던 나는 멍해졌다. 조현병? 망상? 그건 우울증이나 불안증과는 다른 정신질환에 해당한다고 들었다. 무슨 소리지? 수현은 별 관심 없다는 듯 퇴원 후 주의 사항을 들었다.

"내일 어머니 오시죠?"

"네. 아침에요."

그날 저녁 나는 수현과 빈 휴게실 소파에 마주 앉았다.

"내일 퇴원이네? 가서 거식증 좀 고쳐라."

"그러게."

"그림도 그리고."

"응. 근데, 나 그 스토커가 끔찍해. 내 일거수일투족을 감시해."

"신고하라니까."

"소용없어. 걔가 엄마 눈에 칩을 심어 놨거든."

얼빠진 얼굴로 진지한 표정의 수현을 보았다. 지난 몇 주간 나는 누구랑 무슨 얘길 나눈 것일까. 하릴없이 실소가 터졌다.

"야, 너 퇴원하지 마. 너 정신 이상해. 너 환자야. 환자."

수현이 해맑게 따라 웃었다.

창밖으로 스며든 저녁노을이 수현의 오른뺨에 얼비쳤다 사그라들었다.

5

다음 날 오전 수현이 떠났다.

조미자 씨와 또 단둘이 남았다. 그녀는 내일 퇴원 예정이었다. 바깥세상에 전염병이 돌고 있는데 나가려니 불안해. 차라리 병원이 안전한 거 아닐까? 구시렁대더니 내 손목을 잡아끌고 휴게실로 갔다.

"저 봐봐."

티브이 화면을 뚫어지라 보며 전염병 발병 현황을 지켜보는 조미자 씨는 불안한 기색을 못 감추고 다리를 흔들었다. 속보가 떴다. 어느 교회에서 집단 감염자가 속출했다는 뉴스였다. 다른 병실에서 온 환자들이 자기들끼리 술렁거렸다.

나가려 몸을 돌리자 따라나선 조미자 씨가 그새 단호해진 어조로 뱉었다.

"자연의 경고야. 괜히 전염병이 생겼겠어? 지구가 망할 거면 빨리 망하는 게 나아. 늦게 망하면 후회해도 늦거든."

조미자 씨는 병실에 들어서자마자 자신의 침대로 몸을 던졌다.

"그래. 나가지 뭐. 영원한 게 어딨어. 이것도 끝이 있겠지. 우린 운 좋은 거 아녔어? 남들 다 전염병 피해 집에 갇혀 있을 때 우린 병원에서 시간 보냈잖아. 우리가 아무것도 못 할 때 남들도 아무것도 못 했잖아. 그치?"

수현이 하면 어울릴 것 같은 말을 조미자 씨가 하고 있었다. 그녀는 하루 두 번 매일 넘겨야 하는 네 종류의 약을 '찾아냈고', 퇴원 후에도 한동안 그 약을 먹으며 잘 지낼 거였다.

오전 11시 즈음 집을 구하러 외출증을 받아 나갔다. 오늘은 반드시 집을 구해야만 했다. 어제 봐 둔 여러 개의 집 중에서 하나를 선택하는 게 아무래도 최선일 것 같았다. 비어 있어 언제든 들어갈 수 있고, 창밖은 낮은 단독주택과 마당이어서 눈에 걸리는 게 없었던, 그나마 가장 기억에 남는 집을 지목해 다시 보러 갔다.

"요즘은 바로 계약 안 하면 금방 다른 사람에게 빼앗겨요."

부동산 업자의 말에 나는 서둘러 계약금을 넣었다. 차 소리가 안 들렸고, 근처에 빌딩이 없었으며 외곽이지만 서울이었다. 계약하고 나자 차라리 마음이 가벼웠다. 무엇보다 인근에 근린공원과 작은 산이 있어 좋았다. 눈 딱 감고 들어가 살자 생각했다. 눈앞의

한 걸음에만 집중하세요. 먼 미래를 생각하지 마세요. 지금, 이 순간에 집중하세요.《완전한 휴식》에는 그렇게 쓰여 있었다.

부동산 업자와 헤어진 후 근린공원을 지나 산 입구로 갔다. 등산복을 입고 챙 넓은 모자를 쓴 초로의 남녀 몇이 산에서 내려오고 있었다. 내 옆을 지나는 그들의 몸에서 흙내음이 났다.

위로 오를수록 사위가 나무들로 빼곡해 왔다. 숲이었다. 오후의 햇살이 비스듬히 숲 위로 쏟아져 내렸다. 풀 냄새가 훅 끼쳐 왔다. 나의 들숨으로 빨려 온 그것은 호흡기를 통해 날숨으로 뱉어졌다. 눈에 보이는 어느 나무나 어느 풀잎이나 우월할 것도 열등할 것도 없이 평등했다. 자체로 온전했다. 살아 있었다. 너무나 분명하게 살아 있어 나는 머쓱해졌다. 나 역시 자연임에도 어째서 분명치 못한 존재감으로 서 있나. 어느 때엔 우월해지고 어느 때엔 열등해지나. 자괴감이 밀려왔다.

꼭대기에서 반대편으로 난 길을 따라 내려갔다. 저 멀리에서부터 시작된 작은 개울이 경사를 타고 아래로 졸졸 흐르고 있었다. 따라 내려가는데 나무 위에서 담분홍색 벚꽃 잎이 물 위로 툭툭 떨어졌다. 꽃잎은 물의 줄기를 따라 오른쪽으로 왼쪽으로 굽이굽이 흔들리며 아래로, 아래로 내려갔다. 작은 돌부리에 부딪혀 잠시 동동 떠 있을 때 나는 걸음을 멈추었다. 돌을 건지려고 허리를 숙여 손을 뻗자 마침 바람을 맞은 개울이 낮게 출렁였다. 꽃잎이 물결을 따라 돌 옆을 빙 돌아 다시 아래로 흘러내려 갔다. 뻗은 손을 거두고 허리를 폈다. 고개를 뒤로 젖혔다. 색색의 꽃잎이 나뭇가지에 소복소복 쌓여 있었다.

병원에 도착해서 외출증을 반납하는데 간호사실 저편에 있는 폐쇄 병동 내부가 유리 벽을 통해 보였다. 간호사실을 사이에 두고 이쪽은 개방 병동 저쪽은 폐쇄 병동으로 나뉘어 있었다.

그 유리 벽 안에서 누군가가 이쪽을 빤히 쳐다보고 있었다. 낯익은 여자였다. 갱년기였다. 여자는 초점 없는 눈으로 이쪽을 향해 시선을 두고 있기만 했다. 무표정한 얼굴에서는 감정을 읽을 수가 없었다. 내가 여자로서 끝났다는 거야? 발끈하던 여자의 목소리가 들리는 것 같았다. 나는 평범한 사람이에요, 보통 사람이라고요, 라던 울먹임도 들렸다. 순리대로 살겠다며 악을 쓰던 조미자 씨의 칼칼한 음성과 감시당하는 게 끔찍하다던 수현의 진저리까지 귓가에 어지러이 맴돌았다.

단전에서부터 무언가가 훅 북받쳐 왔다. 벚꽃 놀이나 갈 것이지……. 매화는 벌써 지고 있는데…….

낮에 보았던 숲을 떠올리며 잠시 내리깔았던 눈을 들었다. 유리 벽 저쪽의 여자는 그새 사라지고 없었다.

6

다음 날 오전, 의사의 회진이 있었다.

상담실에서 의사를 마주 보고 앉았다.

“내일 퇴원이네요.”

의사의 눈이 웃고 있었다.

“괜찮은가요?”

“나가 볼게요.”

“앞으로 뭘 할 건가요.”

“모르겠어요. 뭐라도 해야겠지요, 먹고 살려면.”

어깨가 움츠러들었다. 입을 앙다물었다.

“욕심내지 마세요. 천천히 한 걸음씩 가는 겁니다. 순간에 집중하면서.”

“네.”

면담 후 병실로 돌아오자 조미자 씨가 내 침대 앞에 서 있었다. 효성 지극한 아들이 짐을 넣은 가방을 들고 복도에 서 있었다.

“상담 좀 짧게 해라. 좀 대충, 대충.”

마지막까지 핀잔을 놓으며 조미자 씨는 마스크를 귀에 걸었다.

“건강하세요.”

나는 허리 굽혀 인사했다. 조미자 씨가 가고 나자 청소 직원이

와서 그녀가 머물던 침대의 시트를 벗기고 주위를 소독한 후 새 시트로 갈아 끼웠다.

20대 초반으로 보이는 여자애가 엄마와 함께 들어와 수현이 쓰던 침대 위에 털썩 앉았다. 환자복을 가져다준 간호사의 손을 제 손으로 탁, 밀치며 여자애가 소리 질렀다.

"인 입어! 딩장 죽어 버릴 거야!"

엄마와 여자애는 환자복을 입느니 마느니로 한참 실랑이를 했다. 조미자 씨가 봤다면 못 참고 한마디 했을 거였다. '어차피 죽게 돼 있어. 서두르지 않아도.'

나는 소란 속에서 밥 한 그릇을 다 비웠다.

점심 식사 후 병원 밖으로 나가 대학 교정을 걸었다. 완연한 봄 햇살이 따사로웠다.

붉은 매화는 어느새 시들어 빈 가지를 드러냈다. 하얀 벚꽃잎이 바람에 날려 사방으로 흩어졌다. 맞은편 도서관 앞에 늘어선 장미꽃이 제 차례라는 듯 몽우리를 살짝 벌리고 있었다. 세상의 모든 생명이 피고 지고를 반복하고 있었다. 변하고 있었다.

나라고 다를 것 없다는 사실이 두려웠다. 한편으로 다행스러웠다.

'안락사회'에 포획된 MZ세대의 루틴한 삶

조동선 | 작가

1. 프레카리아트[1], 그리고 호모 사케르[2]

언제부턴가 MZ세대 사이에서 '이생망(이번 생은 망했다)'이라는 말이 회자되다시피 한 것은 이들이 얼마나 절실한지 말해 준다. 이들에게 '아프니까 청춘이다', '당신은 괜찮다', '이대로 괜찮다, 쉬어도 좋다', '당신은 온전하다, 자신을 사랑하라'라는 말은 낭만

1 프레카리아트(precariat)는 이탈리아어로 불안하다를 뜻하는 precario와 무산계급을 뜻하는 proletariat의 합성어로 일용직, 임시계약직, 파견직, 이주노동자 등 단순노동에 종사하면서 근근이 살아가는 계층을 지칭한다.

2 호모 사케르(homo sacer)는 이탈리아 출신의 정치철학자 조르조 아감벤에 의해 일반화된 용어로 주권 권력, 국가권력에 의해 벌거벗겨진 생명을 지칭한다. 라틴어로 '성스럽게 되다'라는 의미와 '저주받다'라는 의미를 아울러 지니고 있는 용어다. 고대 로마법에 등장하는 개념으로 사회로부터 배제시키는 형벌을 받은 죄인들을 가리키는 용어에서 유래되었다. 이들은 신체적으로 사형을 당하지는 않지만 시민으로서의 법적인 모든 권리를 잃게 되며 단순한 생명체로 살아가는 존재다. 법적으로 존재하지 않는 생명체이기 때문에 종교의 희생양으로도 삼을 수 없고, 그를 죽여도 살인죄가 성립되지 않는 존재를 가리킨다. 현대 사회에서도 비정규직, 사이버 폭력 피해자, 또는 몰카 피해자를 벌거벗은 생명으로 메타포 할 수 있다.—Giorgio Agamben., 박진우 옮김, 『호모사케르-주권 권력과 벌거벗은 생명』, 새물결, 2008, 참조.

적 거짓일 뿐이다.

최면과도 같은 달콤한 위로가 판을 치는 이 시대의 젊은이들은 주권 권력으로부터 추방당한 자들이다. 최소한의 희망에조차 기대는 것이 불가능할 때, 벗어날 길 없는 오늘의 무게에 압사당할 때 젊은이들은 사회로부터 스스로를 단호히 추방시키는 데까지 나아간다.

첫 소설집을 펴낸 나우주 작가의 작품들은 MZ세대가 스스로를 추방시킬 것이 아니라 오히려 제자리에 버티고 서서 절망과 고통을 직시할 것을 주문한다. 세대를 향한 강렬한 응시, 총체성에 바탕을 둔 서사, 그것을 드러내는 해학적인 문체, 이 세 가닥을 축으로 형상화한 작품들은 마이크로적 묘사에 치중한 개인의 내적 존재론에 함몰된 작품들과는 확연히 다르다. 서사 전개는 마치 그물망처럼 촘촘하면서도 중층적으로 직조된 세계로 단일한 서사 구조와는 거리를 둔다. 눈에 익숙한 소재들이 동원되지만 그것들이 모여 만들어진 세계상은 익숙하면서도 낯설고, 친숙하면서도 섬뜩하다. 이전에 볼 수 없었던 또 다른 세계상을 재현함으로써 독자에게 심적 동요를 일으키고, 그로 인한 마음의 파장은 여운이 길다.

소설집에 묶인 여덟 편의 단편 중 토지문학상 대상 수상작인 「안락사회」를 제외한 일곱 편은 MZ세대들이 처한 현실, 그들이 줄기차게 꿈꾸고 처참하게 실패하고 방황하는 이야기를 때로는 알레고리적이고, 때로는 해학적인 문체로 담아 낸다. 그의 작품에 등장하는 인물들은 선험적 지식에 의존하기보다는 구체적인 삶의 현장에서 체득한 생각에 따라 행동하는 개별화된 인물들이다. 작가는 한결같이 프레카리아트, 호모 사케르적 처지에 놓인 자들, 나아가서는 정치, 경제, 사회, 문화적 모더니티[3]로부터 배제된 자들의 삶을 다루고 있다. 의인화된 진돗개의 시점으로 쓰여진 「안락사회」의 개조차도 호모 사케르적 처지에 놓여 있기는 MZ세대와 다를 바 없다.

2. 배제된 자들, MZ세대

「코쿤룸」의 주인공은 17평 풀옵션 원룸에서 재택근무 중인 12년 차 웹 에이전시 홍보과 소속의 팀장이다. 어느 날 그녀의 엄마가 아버지의 귀농 강요를 받아들일 수 없어 이곳으로 피신해 온다. 엄마는 철물점과 보험 설계사로 발품을 팔아 마련한 32평 아파트를 떠나고 싶은 생각이 추호도 없다. 주인공은 억압적인 아

3 모더니티란 17세기 서유럽에서 시작해 전 지구적으로 확산된 사회제도와 의식을 말한다. 제도로서의 자본주의와 민주주의, 의식으로서의 개인주의와 민족주의가 모더니티의 중핵을 이룬다. 우리 역사에서 20세기 초반부터 부여된 시대적 과제란 자본주의, 민주주의, 개인주의, 민족주의가 바탕을 이룬 '근대적 국가와 사회 만들기'였다. 사실 판단의 관점에서 지난 20세기 한국 모더니티가 자본주의, 국민국가, 민족주의, 전통주의의 십자포화 한가운데 놓여 있었다고 할 수 있다. 사회학적 시각에서 한국 모더니티는 압축적 산업화였고, 보수적 민주화였다. 개인주의는 공동체주의에 압도돼 빈곤했으며 민족주의는 국가주의의 위험을 안고 있었다. 규범 판단 차원에서 공정한 시장경제, 성숙한 민주주의, 연대적 개인주의, 개방적 민주주의가 한국 모더니티가 가야 할 길이다.

비를 향한 살부 의식이 작동하여 술에 락스를 타기까지 한 전력이 있다. 그런 주인공이 끝내는 욕조에 물을 받아 락스를 붓고는 스스로 몸을 담근다. 그녀는 부모의 대책 없는 낙천성과 자신의 콤플렉스 때문에 '고치'를 스스로 뚫고 나올 수 없어서 자신을 녹여 버리고서야 날갯짓 할 수밖에 없다. 어릴 때 아비를 녹이지 못한 '락스'가 결국엔 자신을 녹일 수밖에 없는 결말은 아이러니하다.

옷을 벗고 욕조 안에 몸을 담그자 액체가 출렁이며 욕조 밖으로 넘쳐흐른다. 몸을 누이려 욕조 깊숙이 파고든다. 미끌한 액체가 배꼽, 가슴, 목을 휘감는다. 엉덩이 밑에 깔린 여러 개의 줄에 살이 눌린다. 줄을 들어 올린다. 5구, 4구, 3구짜리 멀티탭에 난 두 개의 깊은 구멍들이 사람의 눈 같다. 긴 줄을 펴 양 발목에, 허벅지에, 허리에, 양팔에, 손목에 둘둘 말아 묶는다.

휘발되어 가는 락스의 냄새를 맡으며 눈을 감는다. 몸을 내려 정수리까지 묻는다. 입과 코 속으로 액체가 넘어 들어온다. 입을 벌려 마신다. 뇌로 스며든 락스가 썩어 가는 세포를 살균한다. 녹여 버린다. 위장이 싸륵싸륵하다. 토할 것만 같다. 욕조 밖으로 얼굴이 튀어 오른다. 락스 위로 토악질을 한다. 이를 악물고 다시 상체를 내려 정수리까지 묻는다. 얼마 못 가 다시 튀어 오른다. 토악질을 한다. 더럽다. 나가고 싶다. 일어서려는데 몸이 움직이지 않는다. 켜켜이 감아 놓은 코드 줄이 팽팽하다. 빠져나오려 몸을 비튼다. 그럴수록 미끈거리는 욕조 안으로 상체가 끌려 내려간다. 락스가 코와 입 안으로 밀려들어온다. 몸을 움직여 겨우 고개를 내민다. 입을 벌리기도 전에 몸이 끌려 내려간다.

나는 결박된 발목을 버둥대며 발끝으로 욕조의 모서리를 더듬는다. 발바닥으로 모서리를 세차게 밀친다. 반동으로 상체가 욕조를 타고 오르다가 바닥으로 맥없이 미끄러져 내린다. 락스가 이룬 결들이 출렁거린다. 가슴 저 깊은 곳에서 무언가 뜨거운 것이 치받아 올라온다. 그것은 아주 오랜만에 느껴 보는, 처음 가져 보는 것일지 모를 생에 대한 기력이다.

한 떼의 나방이 펄럭대며 날아오는 소리를 듣는다. 아득해지려는 정신을 가다듬으려 몸을 이리저리 뒤튼다. 웅, 웅, 나방들이 더 가까이 몰려온다. 나는 저 무리들과 꼭 만나야 할 것 같아, 다시금 결박된 두 발을 있는 힘껏 들어 올린다.(「코쿤룸」, pp. 45~47)

어릴 적 상처로 트라우마를 안고 사는 그녀의 직업과 주거 환경, 일상 패턴을 따라가다 보면 디지털 다매체 시대의 보편적 생활상과 그것이 개인의 사고체제 및 트라우마에 미치는 영향이 구체적으로 드러난다. 그녀는 디지털 세계를 유랑하듯 사는 이른바 디지털 유목민이다. 서울 한복판 오피스텔에 살지만 주변부로 밀려났다는 의식 속에서 인터넷에 접속해 칠레에 출장 중인 여동생과 대화하고, 도서관에 가지 않고도 인터넷에 공유된 모든 자료를 앉아서 수집하며, 출근하지 않고도 회사 업무를 보고 사람들과 대화한다. 접촉이 아니라 접속의 시대에 방 안에서 하루에도 수십 곳을 돌아다니고 많은 사람을 만난다. 재택 근무자의 보편적 모습이자 디지털 유목민의 전형이기도 하다. 다시 말해 디지털 코쿤(누에고치)족이자 1인 가족의 나홀로족이기도 하다. 1인용으로 포장된 쌀, 반찬, 배달음식, 풀옵션의 원룸, 인터넷 쇼핑몰 등은 혼자 살기 족한 삶을 더욱 추동한다.

'집이 사람을 인식합니다'라는 첫 문장처럼 집은 '나'를 닮아 가고 '나'로 인식한다. 사람이 공간을 사용하는 것인지, 공간이 사람을 이용하는 것인지 그 경계가 모호해 진다. 하여 스스로 칩거한 것인지, 집에 포획된 것인지 헷갈릴 지경에 이른다. 이는 비단 작중 주인공인 '나'의 사례만이 아니고 우리들의 생활환경, 주거 환경, 디지털 환경은 아닌지 생각해 볼 일이다.

돈을 벌어 집을 넓혀 가는 것이 삶의 이유가 되어 버린 이 시대에 갑자기 오피스텔에 들이닥친 엄마 또한 평수 지향의 유목민이기도 하다.

디지털 유목민의 전형이라고 할 수 있는 동생은 외국을 제집 드나들 듯 옮겨 다니며 디지털 기기로 소속 회사와 업무를 처리

한다. 이에 반해 아날로그적 삶을 살고 있는 아버지는 정주적 삶을 고집하는 인물로 그려진다. 이들의 가족사와 상처가 디지털 시대와 만나 삶의 방향을 끌어 가고 상처를 드러내기도 혹은 감추기도 하며 어떻게 변모해 가는가를 탐색한다. 작가는 이를 향해 끊임없이 매체와 인간과의 관계, 인간과 인간과의 관계, 인간과 사회와의 관계를 묻는다.

팬데믹 시대인 현재, 비대면 현상이 더욱 심화함으로써 활동 반경이 좁아질 수밖에 없고 인간의 내적 성장도 위축될 수밖에 없다. 재택 근무자들은 회사로부터 자유로워진 듯 보이지만, 오히려 열심히 일하고 있다는 현존감 자아 내기에 사로잡혀 있으며 소셜 매체에 의존해 소통을 연출하는 아이러니적 상황에 내몰리고 있는 형국이다. 직접 겪은 것만이 내재화되는 법. 성장을 위해 거쳐야 할 것들이 제외되거나 마치 겪은 듯한 착각 속에 빠지는 현실은 진정한 내적 성장을 가로막는다.

누에고치 안에서 스스로 밖으로 나와야만 나방이 될 수 있듯, '나'를 감싸고 있는 자아가 타자와 만나 그 껍질을 벗어야만 성장할 수 있다. 우리를 감싸고 있는 고치인 내적 장애물은 디지털 기기의 메타포다. 그 기기들의 코드 줄이 주인공의 몸을 둘둘 묶는 모습은 디지털 코쿤룸에 갇힌 한 존재이자 우리들의 자화상에 다름아니다.

녹아 버릴 것이 자신일지 둘둘 감긴 디지털 기기의 줄일지, 아니면 고치일지 궁금하게 되는 마지막은 처절하다.

「집구석 환경 조사서」는 가족 구성원 모두가 그들이 살아온 시대와 사회적 궤를 같이하는 전형적인 가족사 소설이다. 인간은 사회적 존재로서 가족은 그 최초이면서 최소 단위다.

초등학교 5학년 담임교사인 주인공은 반 학생들에게 '가정 환경 조사서'를 제출하라고 이른다. 그런데 한 아이가 제출한 조사서의 장래 희망이 '정규직'이라고 되어 있어 충격을 받곤 자신의 가족들의 지나온 삶과 현재의 위상을 어쩔 수 없이 돌아보게 된다. 미장공인 아버지, 영양사인 엄마, 프리터인 오빠, 인터넷 쇼핑몰의 MD인 언니 모두가 신용불량자 그룹으로 전락한 지 오래다. 화가가 꿈이었던 주인공은 꿈을 접고 교대에 진학하여 임용고시를 거쳐 교사가 된다. 유일하게 집안에서 '신용 대출이 가능'한 사람이다. 주인공은 회고 끝에 아이의 정규직 희망을 긍정하게 되고 아이에게 '다만 이제는 어떠한 직종의 정규직이어야 할지 고민해 보기 바란다. 그 꿈이 정해지면 선생님에게도 알려 주었으면 좋겠다.'라는 메모를 남긴다.

주머니 안에서 스마트폰이 진동했다. 엄마였다. 늘상 하는 안부가 유난히 길게 늘어진다 싶더니 기어코, 아빠의 미장일이 줄어든 데다 수금의 어려움까지 겹쳐 애태우고 있다는 구구한 말이 변명처럼 이어졌다. 결국 돈 얘기였다. 그렇게 대놓고 말은 안 했지만 대출을 부탁하는 취지였다. 이미 두 번의 대출을 받아 주기까지 했다. 그러니 더 가능할지도 알 수 없었지만, 우리 집에서 신용대출을 받을 수 있는 사람은 나뿐이었다. 나는 거칠게 몸을 돌려 나무둥치에 던지듯 등을 기댔다. 묵혀 왔던 뭔가가 목구멍까지 차올랐다.

"엄마 나……."

엄마는 침묵했다. 격앙된 내 목소리에 주눅 든 엄마의 모습이 그려졌다.

"아니야. 알아볼게요."

말을 애써 삼키고 전화를 끊었다. 해답을 찾기도 전에 만나지는 것은 언제나 생의 복병이라고, 15년 전 나의 장래 희망과 15년 후 우리 반 아이의 장래 희망이 같더라고, 왜 이럴 것 같으냐고, 그런 투정이 하고 싶었던 것일까, 모르겠다.

나는 뛰듯이 걸어 교실로 들어갔다. 책상 앞 의자에 앉아 컴퓨터 전원을 켰다. 가정통신문서를 띄우고 아까 쓰다 멈췄던 형식적인 문장을 마저 적은 다음 출력을 했다. 뽑아 놓은 '진로 희망사항 조사표'에 '가정통신문'을 포개어 서랍 안에 넣었다. 그러곤 프린터기 위에 놓인 빈 종이 한 장을 책상 위에 펼쳤다. 방금 전 들었던 엄마의 주눅 든 목소리가 되살아났다. 나는 펜을 들었다.(「집구석 환경 조사서」, pp. 84~85)

개발 위주의 시대, 젊은이들이 여전히 도시로 몰려드는 시대, 카드대란과 취업난과 대형마트의 출몰과 미디어의 횡포와 직업 형태의 변화와 인공지능의 시대, 가족 구성원은 그 고비마다 사회의 변화를 온전히 겪으며 혹은 간신히 넘어서면서 시대와 사회와 궤를 같이하는 가족사를 만들어 간다. 예측 불허의 삶과 세상사의 난관들을 한 가속 구성원들이 어떻게 헤쳐 나가는가를, 개별화되고 구체화된 세밀한 묘사를 통해 시대사로 확장하고 또한 시대사를 가족사로 연결 지어 넘나든다. 이러한 넘나듦이 시대와 사회와의 관계성과 밀접함을 깨닫게 하는 것이 이 작품의 의도이기도 하다. 가족의 문제는 구성원들에게 지대한 영향을 미치지만 어떠한 큰 이슈도 생활과 밀접하게 엮여 있기 때문에 문제적 상황은 곧잘 구질구질해지고 쪼잔해지며 우스워지게 된다. 작가가 '가정환경 조사서'가 아닌 '집구석 환경 조사서'라고 제목을 단 이유가 바로 여기에 있다. 비극적이지만도, 희극적이기만도 않은 것은 우리들의 집구석의 이야기이기 때문이다. 그래서 작품은 너네 집구석이나 우리 집구석이나 다르지 않다는 동질감을 유발한다. 가족이기에 꾸며지지 않고 드러나 버리는 날것, 그래서 어처구니없고, 사소하고, 반면 심각하고, 진지하고, 그럼에도 실소가 터지는 상황들을 작가 특유의 간결하면서도 해학적인 문체로 드러낸다.

3. 아비 부재하의 모녀의 갈등

부재하는 아비, 폭력적인 또는 추레한 아비는 작가의 여러 작품에서 반복적으로 등장한다. 이와 같은 아비는 개인사적 차원에 국한되지 않고 한국 사회의 근본적인 모순과 연결되어 있어 피해가 심각하다. 엄마와 딸의 갈등을 다루고 있는 「클리타임네스트라」와 「기억의 제단」은 기존의 모녀 갈등을 다룬 소설들과는 사뭇 다르게 독자의 의표를 찌른다.

영목문학상 수상작이자 등단작인 「클리타임네스트라」는 '엘렉트라 신화'를 모티브로 하고 있다. 주인공 소녀는 일곱 살 때 미국으로 건너간 아빠와 어느 날 연락 두절이 된다. 그 때문에 엄마는 소녀에게 '락스'를 마시고 죽자고 하는 소동을 벌인다.

> 아빠의 송금이 조금씩 늦어지고, 전화가 뜸해지고 있었지만 엄마의 기대는 여전했다. 나는 동네 꼬마들에게 미국으로 갈 거라며 자랑하고 다녔다. 그즈음 아빠가 사라졌다. 수소문할수록 아빠의 실종이 확실시되고, 사고가 아닌 의도적인 사라짐이었다는 정황이 분명해질수록 엄마는 일곱 살인 나를 여러 날씩 방치해 두기 일쑤였다. 엄마 자신도 방치되어 있었다고 해야 맞겠다. 그런 어느 날 밤, 엄마는 락스를 가득 담은 대접을 앞에 두고 내게 말했다.
>
> "먹고 죽자."

나는 그때 락스를 먹으면 정말 죽는 건 줄 알았다. 엄마가 왜 하필 독약이나 수면제도 아닌 락스를 먹자고 했는지는 아직도 의문이다. 하지만 그날 밤 락스를 마시고 정말 죽을 뻔한 건 나였다. 아빠가 나를 버렸다는 사실이 얼마나 큰 슬픔인 건지 나는 몰랐으므로, 사실 죽어야 할 이유는 없었다.(「클리타임네스트라」, pp. 96~97)

건강식품점을 운영하며 가까스로 자립하게 된 엄마는 목하 하숙생으로 들인 극작가 아저씨와 썸 타는 중이다. 소녀는 둘 사이를 갈라놓기 위해 젊은 몸으로 아저씨를 유혹한다. 그 장면을 목격한 엄마가 놀란 나머지 아저씨를 집에서 내보낸다. 그러한 과정을 겪고 난 소녀가 엘렉트라 콤플렉스에서 벗어나 엄마가 사랑할 자유를 비로소 인정하게 되는 과정을 발랄한 감수성으로 형상화한 작품이다. 비디오테이프, 오디오, 벼룩시장 등 추억 소환 소품의 등장이 레트로풍의 유행과 무관하지 않지만 '어머니와 딸'이라는 인간의 원형적 갈등을 낯설게 다루고 있다. 작가는 이 신화에서 아버지를 두고 바람을 피운 어머니 '클리타임네스트라'에 주목한다. 10년간 전쟁터에 나가 있는 남편, 그의 부재로 인해 겪었을 클리타임네스트라의 처지를 뒤집어 '주체적 선택'으로 자리매김한다.

작가는 아버지의 부재를 '의도적인 유기'로 설정하고, 딸의 복수심을 '모성 상실의 불안'으로 바꿔 놓는다. 이를 위해 선택한 '나'의 복수가 '여자 대 여자'로 겨루기를 선택하는 설정이 '여성성'을 부각시키는 새로운 시도인 셈이다. 그리스 신화의 비틀기를 통한 재해석이 돋보이는 작품이다. 부재하는 아버지가 아니라 내게는 애초에 아버지가 없다, 라는 김애란의 「달려라 아비」와 일맥상통하는 데가 있다.

「기억의 제단」은 1인칭 시점인 현재진행 서사와 2인칭 시점인 회고형 서사를 교직하고 있는 작품으로 제단에 올려진 제물은 엄마인가 나인가를 묻는다. 잔인한 기억을 끊어내기 위한 제물이라면 엄마여도 괜찮다. 어린 자식을 지켜 주지 못한 책임 또한 엄마 몫이기 때문이기도 하다. 소설에서 1인칭 시점은 현실의 나, 2인칭 시점은 나의 무의식인 나다. 나와 내 무의식과의 싸움은 기억의 왜곡과 변형을 사이에 두고 팽팽한 신경전을 벌인다.

주인공은 일찍이 정신줄을 놓아 버린 엄마와 살며 출소한 아버지를 피해 거주지를 옮겨 다니다가 4년 전 가까스로 한곳에 정주한다. 하지만 외숙으로부터 '또' 아버지가 찾아갈 거라는 소식을 듣고 무의식 중에 딸꾹질을 한다. 어느새 머무는 삶에 익숙해진 그녀는 도망치기가 두렵다. 회사에서 일하다 손가락 네 개를 잃고 쫓겨난 아버지는 멈추지 않는 딸꾹질과 알코올중독에 빠져 엄마와 오빠에게 폭력을 행사하기 일쑤였다. 그녀는 지적장애자인 오빠를 부추겨 아버지에게 칼을 휘두르도록 하지만 이에 맞선 아버지의 실수로 집에 불이 나는 바람에 오빠는 불에 타 죽는다. 주인공 몰래 밖에 나갔다가 바지에 오줌을 지린 채 돌아온 엄마는 그녀를 향해 오빠의 이름을 부른다. 그녀는 의류 수거함에서 소년의 옷을 주워 온 엄마의 몸을 락스로 정갈하게 닦아 준다. 과기를 몰고 올 아버지에게 제물로 보내기 위해서다. 하지만 딸꾹질은 멈추지 않는다.

엄마가 몸을 뒤틀 때마다 왼 몸에 새겨진 흉물스러운 허물이 꿈틀거린다. 나는 변기 옆에 놓인 락스의 뚜껑을 연다. 엄마의 왼쪽 어깨에 락스를 붓는다. 젖가슴을 따라 배꼽을 지나 종아리에까지 화상 자국을 타고 맑은 액체가 흐른다. 우욱, 끅, 욕지기인지 딸꾹질인지 모를 외마디가 튀어나온다. 엄마의 몸에 락스를 마저 붓는다. 꿈틀대는 화상의 흔적을 따라 수세미로 몸 구석구석을 박박 문지른다. 발가락 사이사이까지 닦는다.

자꾸만 저 밑바닥에서부터 머리를 들이미는 오빠가, 눌러도 내려가지 않는 오빠가, 발버둥을 친다. 의식의 외피를 가볍게 헤치고 '네'가 튀어나온다. 누른다. 솟아오른다. 누른다. 튀어 오른다. 나는 락스 통을 들어 입 안에 붓는다. 비어 있다. 빈 통을 쥔 손이 떨린다. 내 안에 겹겹이 쌓인 저 밑 도려내지 못한 무의식…… '너'는 제어되지 않는다.(「기억의 제단(祭壇)」, pp. 142~143)

아버지와 나의 '딸꾹질'은 불안 심리가 초래한 신체적 징후이지만 아버지처럼 딸꾹질이 멈추지 않는 병에 걸린 증상과는 다르다. 아버지가 자신을 쫓아다닌다는 공상에 사로잡혀 있으면서도 그것이 허위라는 사실을 인식하지 못하는 정신병적 증세를 보이고 있으나 문득문득 과거의 기억을 떠올리며 부정하기도 한다는 점에서 역시 정신병자가 아니다. 분명한 징후를 지녔으나 환자가 아닌 나는 나에게서 파생된 이른바 '파생 환자'다. "그가 미친 사람 행세를 잘하는 것은 정말로 미친 사람이기 때문이다."라는 장 보드리야르의 말처럼 나의 기억과 싸우다 마침내 딸국질을 멈추지 못하고 환영을 보는 자신이야말로 가장 순수하게 나로부터 파생된 나다. 과거 고철을 지키던 검은 개를 두려워하던 나, 그 개가 아버지의 허벅지를 물어뜯던 장면을 잊지 못하는 나, 아버지에 의해 등이 찢긴 개와 목에 매인 목줄을 안타까워하던 나의 기억은 전부 사실인지 아닌지 헷갈린다. 실재하는 나는 끝내 그 개마저 자신이었다고 털어놓는다. 참과 거짓의 경계가 모호해진 지점, 작품의 의미가 여기에 집약되어 있다.

「클리타임네스트라」와 「기억의 제단」 속 어머니는 흔히 '어머니는 여자보다 강하다.'는 구호 속 문장과 달리 화자보다 연약하다. 이들은 딸의 근심 대상이며 보호받아야 할 '여자'다. 어머니가 강하지 못한 '여자'로서만 딸에게 비춰질 때, 그 딸은 상대적으로 강해져야 하며 모질어져야 하고 세상에 단련되어야 한다. 이러한 딸이 어머니에게 갖는 양가감정은 연민과 배반감이다. 자신을 지켜 줄 모성이 결여되어 있는 듯 보이는 어머니는 「클리타임네스트라」에서 한 명의 '여자'로서 '자유'를 얻지만 「기억의 제단」에서는 한 명의 희생양으로서 제물로 바쳐진다. 그 어머니의 죄명은 딸의 기억 속에 있다.

4. 하이퍼 리얼리티[4]에 포획된 삶

「아름다운 나의 도시」와 「조용한 시장」은 남성을 화자로 내세워 하이퍼 리얼리티에 포획된 현대인의 초상을 형상화한 작품이다.

현대인은 온라인과 사이버 공간에 의존해 살아간다고 해도 과언이 아니다. 현대사회에서는 생산물이 소비되는 것이 아니라 그 상품의 기호(브랜드)가 소비된다. 기호란 상품 그 자체가 아니라

4 하이퍼 리얼리티란 현실을 대체하는 모사된 이미지, 즉 존재하지 않는 대상을 존재하는 것처럼 만들어 놓은 복제물을 가리키는 용어로, 시뮬라크르라고 한다. 허구이면서 동시에 실제보다 더 실제적이라는 점에서 하이퍼 리얼리티이다. 시뮬라크르는 들뢰즈가 확립한 개념으로 가상, 거짓, 시늉, 흉내, 모의 등의 뜻을 지닌 라틴어 시뮬라크룸에서 유래한 말이다. 시뮬라크르는 플라톤의 이데아로부터 시작, 들뢰즈를 거쳐 보드리야르에 이르기까지 많은 철학자가 다룬 개념이다. 보드리야르는 모사된 이미지가 현실을 대체한다는 시뮬라시옹 이론을 주장했다. 오늘날의 포스트모던한 세계에서 현실의 거의 모든 이미지를 일컬어 하이퍼 리얼리티라고 한다. 따라서 현대인은 어디를 가든지 하이퍼 리얼리티로 이루어진 세계를 벗어날 수 없다.

상품을 재현하는 이미지를 말한다. 예컨대 당신이 소유한 BMW 자동차는 기능(사용가치)이 아니라 사회적 지위를 구입하는 것이다. 따라서 우리 시대의 소비란 이미지를 흡수하고 이미지에 흡수되는 과정이기도 하다.

현대인의 욕망은 특정한 상품에 대한 욕망이 아니라 차이에 대한 욕망이다. 그래서 명품 로고를 선호하고 욕망하게 되는 것이다. 욕망의 세계를 관장하는 것은 미디어다. 미디어가 쏟아 내는 온갖 정보는 현실을 가상공간으로 구축해 버린다. 시뮬라크르에 포획되면 진실을 찾아가는 과정으로서의 사유는 정지되고, 소비자 자신이 실제와 이미지를 구분 못 하는 '허깨비'가 된다. 이를 이용해 자본은 돈을 벌고 정치는 권력을 강화한다. 참고로 부언하면 마르크스가 생산에 중점을 두었다면 보드리야르는 소비에 중점을 두었다.

「아름다운 나의 도시」는 우리가 지향하는 중산층의 안온한 삶의 허상과 그 허상을 자극하는 매개를 까발리는 작품이다. 내세울 거라곤 훤칠한 키와 근육질 몸매뿐인 주인공이 '강북 삘'에서 벗어나 '강남 스타일'로 '간지' 나게 살기로 결심하고 분수에 맞지 않는 월세를 끼고 강남에 입성한다. 은행 대출을 끼고 산 32평 아파트에 살고 있는 그의 형은 대한민국의 중산층을 지향하는 전형적인 인물이다. 하지만 그에게는 실업자인 동생과 경제력 없는 어머니가 꼬리표처럼 달렸고, 아등바등 살아야 지금의 정도를 유지할 수 있는 팍팍한 현실이 앞에 놓여 있다.

한강의 남쪽을 강남으로, 북쪽을 강북으로 나눈 것이라면 사실 관악구 봉천동은 강남 쪽이었다. 그러나 그날 이후 내겐 그렇지가 않았다. 내가 만난 서울 사람들은 강남구와 주변의 몇 개 구역만을 강남으로 그 외의 지역은 전부 강북이라는 듯 말했다. 강남은 지역적 명칭이 아니라 일종의 상징이었다. 인터넷이나 텔레비전을 통해 보고 듣던, 뭔가 있어 보였던 '강남 스타일'도. 나는 내가 앞으로 가져야 할 것이 무엇인지, 무엇을 갖춰야 하는지 어렴풋이 알 것 같았다. 그로 인해 누릴 수 있는 것이 무엇인지도. 다음 날 나는 12개월 할부로 최신형 고급 휴대폰을 구입했다. 페라가모 구두를 위해 5개월 할부 카드매출전표에 사인까지 했다. 압구정 멀티숍에서였다. 철 지난 명품을 40퍼센트나 싸게 구입하는 곳이 멀티숍이라며 일러 준 네티즌들의 조언 덕분이었다.(아름다운 나의 도시」, pp. 160))

그는 강남의 공인중개소에서 전월세 담당 알바를 하며 카드와 대출, 사채는 물론 고객의 계약금에까지 손을 대며 명품 구두와 양복, 외제 스포츠카를 구입하고 회원권 3천만 원짜리 헬스클럽에 다니며 인생 역전의 '끗발'을 노린다. 주인공은 그곳에서 만난 탑팰리스 64층의 120평형에 살면서도 집이 지긋지긋하다는 인철과 어울리며 여자친구까지 그에게 빼앗기고 태생적 패배감에 휩싸이다 고객이 맡긴 전세금으로 꿈에 그리던 명품 시계를 사는 등 소비 욕구를 충족한다. 하지만 계약이 취소됐다는 사장의 연락을 받고 써 버린 돈을 채워 넣기 위해 강원도의 카지노로 향한다. 결국 남은 돈까지 거덜 낸 그는 스포츠카를 저당 잡히고 명품 시계까지 포기해야 하는 지경에 이른다. 다행히 전세 계약자가 자신이 작성한 월세와 전세 계약서대로 들키지 않고 무사히 입주했다는 소식을 듣고 카지노에서 여비를 얻어 버스를 타려다가 멋들어진 명품 카를 타고 들어오는 VIP를 보곤 마음을 바꿔 택시를 향해 손을 번쩍 든다. 아무래도 버스를 타고 아름다운 나의 도시, 서울로 갈 수는 없다고 허세를 부린다.

어쩌면 나야말로 도시에 중독되어 있는지도 몰랐다. 교통비를 받아든 나는 추스를 것도 없는 작은 가방을 들고 호텔 밖으로 나왔다. 고속버스 터미널까지 가려면 호텔의 셔틀버스를 타야 했다. 나는 정류장을 찾아 주위를 둘러보았다. 호텔 앞 정문으로 람보르기니가 멋들어지게 미끄러져 들어오고 있었다. 호텔보이는 VIP 앞에서 허리를 90도로 꺾었다. 문득 내 몸 안에 잠복해 있던 익숙한 무언가가 꿈틀거렸다. 나는 손을 번쩍 들어 올렸다. 모퉁이에 서 있던 택시가 람보르기니를 지나쳐 내 앞으로 왔다. 나는 택시 뒷좌석에 몸을 밀어 넣었다. 아무래도, 버스를 타고 갈 수는 없었다. 나는 눈을 감았다. 이대로 쭉, 서울로 가자.(「아름다운 나의 도시」, pp. 212~213)

작가는 마지막 절에서 현대인이 타자에 의해 촉발된 욕망으로부터 벗어나기가 얼마나 지난한지를 잘 보여 주고 있다. 타자에 의해 촉발된 욕망은 또 다른 신분제를 만들고 평등이 아닌 차별의 확대 재생산으로 우리들의 삶을 극한으로 몰아 간다. 도시는 그러한 자극의 매개물을 끊임없이 토해 내는 공간이다. 삶을 위해 일하는 것이 아니라 일을 위해 살게 되는 아이러니한 상황 속에 상품으로서의 자신의 가치를 높이기 위해 분투함으로써 현대인의 소외가 한층 심화된다. 태생부터 망해 버린 주인공의 '간지' 나는 삶을 향한 분투기가 작가 특유의 해학적인 문체에 의해 웃음을 자아낸다. 허무맹랑하지만 끝까지 희망을 버리지 않고 '우린 간지나게 살면 왜 안 돼?'라는 주인공의 되물음에 우리는 어떻게 응답해야 할지 고민해 볼 일이다.

「조용한 시장」은 남자와 사내의 교차 시점으로 쓰여진 작품으로 이 둘은 일상성의 세계에서 무화된 존재로 살아간다. 그 무화된 일상성의 세계는 국가, 자본으로 대변되는 수직 권력과 일상

생활에서 다양하게 전개되는 수평 권력의 교차 공간이다. 수직 권력은 일상성의 세계에서 거시적 또는 암묵적으로 폭력을 행사한다. 특히 우리 시대를 지배하는 자본은 야누스의 얼굴을 하고 있어서 표면적으로는 정보 매체와 각종 상품을 통해 물질적 풍요로움과 삶의 편리함을 제공해 주는 한편으로, 그 이면에서는 자신의 탐욕스러운 욕망을 확대 재생산하기 위해 우리들의 삶의 세목까지 억압한다.

위계적 사회관계의 산물로서의 수평 권력은 개인 간의 상호 교류 속에서 미시적, 직접적으로 나타난다. 수평 권력은 예컨대 남녀 간의 성별 관계, 어른과 아이의 관계, 상사와 부하의 관계 등 광범위하게 존재한다. 그런데 수직 권력은 매스미디어를 동원해 수평 권력 사이에서 야기되는 갈등을 집중적으로 부각시켜 스캔들화한다. 이렇듯 수직 권력에서 야기되는 구조적 폭력은 통치행위로 간주하는 데 반해 수평 권력 공간에서 개인의 이기심과 욕망에 의해 야기되는 물리적 폭력은 실제적이고 선정적이어서 불법행위로 간주 매도되기 일쑤다.

평생 죽어라 일만 하다 퇴직당한 남자와 만년 취준생인 사내는 부자지간이다. 남자는 자신의 퇴직금으로 피부숍을 차려 생계를 꾸리는 마누라가 고마우면서도 눈치를 줄 때는 원망스럽기만 하다. 영업을 목적으로 교회에 다니던 마누라가 5시에 가정심방이 있다며 아들을 데리고 집을 비우라고 한다. 남자는 남아도는 낮의 길이를 견디지 못하고 티브이 리모컨을 쥔 채 잠이 든다. 사내는 그런 아버지처럼 살지는 않겠다고 다짐하면서도 자신이 아버지보다 못한 인생이라고 여긴다. 실직도 일단은 회사에 들어가 봐야 겪을 수 있는 거니까. 여자친구마저 구질구질한 삶에 지쳤다며 이별을 통보하자 못난 자신을 자책하던 사내는 온라인 공간을 헤매다가 여자가 대기업에 다니는 남자와 양다리를 걸치고 있었다는 걸 알게 된다. '키보드 워리어'가 된 사내는 전화번호도 바꾸고 직장도 바꾸고 살던 집에서 이사까지 한 여자를 찾기 위해 온라인에 접속한다. 오래된 미니홈페이지, 페이스북, 인스타그램 등을 누비며 여자의 흔적을 찾는다. 백수 생활의 암담함과 사회로부터 배제된 자의 스트레스는 포털 사이트 등의 뉴스 댓글 게시판에 감정을 발설하는 것으로 해소한다.

5시가 되어서야 잠에서 깬 남자는 서둘러 사내를 데리고 현관을 나서다가 방문객의 기척에 놀라 도로 방으로 들어가 스스로를 유폐시킨다.

남자가 러닝셔츠 위에 웃옷을 아무렇게나 걸치고 마루로 나오자 무릎 나온 트레이닝복 차림의 아들이 서 있었다.

사내는 현관으로 내달렸다. 문고리를 잡자 바깥쪽에서 인기척이 들려왔다. 운동화를 벗어던지고 자신의 방으로 후다닥 뛰어들었다.

허둥대던 남자도 엉겁결에 아들을 따라 황급히 안으로 들어가 문을 잠갔다. 긴장한 남자의 청신경으로 사람들이 들어와 앉는 소리, 마누라가 무어라 말하는 소리가 들렸다. 마누라는 현관의 신발을 보고 자신과 아들이 집 안에 있다는 걸 짐작하고서도 시치미를 떼고 있는 모양이었다. 목사의 기도 소리가 들리기 시작해서야 남자는 아들의 침대 끄트머리에 엉덩이를 대고 앉았다. 방 안에 흐르는 정적이 머쓱해 작게 헛기침을 했다.(「조용한 시장(市場)」, pp. 238)

한데 온갖 정보는 아버지인 '남자'와 아들인 '사내'의 방구석까지 침투해 들어온다. 디지털 매체를 통해 보고 들은 정보 홍수 속에 촉발된 간접화된 욕망은 그들을 사로잡아 놓아주지 않는다. '남자'가 탈모치료기 렌털과 워킹화 광고를 보며 '매일 걸어야 사람다워질 것 같다.'고 생각하게 되는 과정은 매체가 만들어 낸 활력이란 이미지의 성과다.

한편 '사내'는 소셜 매체에 포획되어 하루를 보낸다. '사내'는 연인과 헤어진 이별 후유증을 겪으며 그녀가 그리울 때마다 그녀의 미니홈페이지에 드나든다. 여자가 설정한 슬픈 이별 노래를 듣고 '사랑했다면 잊어 줘.'라는 문구를 읽으며 자책한다. 여자의 1인 매체는 매체가 아니라 여자 그 자체가 된다. 여자가 매체를 활용하는 방식은 거대 매체를 소유한 수직 권력이 동원하는 모습과 다르지 않다. 여자의 '미니홈페이지'에서 드러난 '보여 주고 싶은 것만 보여 주기', '감추고 싶은 것 감추기', '슬픔의 이미지화', '진실 왜곡', '말해야 할 것을 말하지 않기' 등은 거대 매체, 특히 포털 사이트의 행태와 다르지 않다. 1인 매체를 통해 사기를 당한 '사내'는 모든 매체에 대해 같은 원리로 해석해 볼 필요를 느껴야 옳겠지만 그의 인식은 거기에까지 도달하지 못한다.

교인들의 방문을 받고 찬송가를 부르는 아내이며 어머니는 조금만 참아 달라는 메시지를 스마트폰으로 전달한다. 사적 공간은 미디어에 의해 이미 시장에 포획되어 버렸다. 아무 일 없다고 생각한 남자와 사내의 하루는 결코 집에서 티브이만 보고 인터넷과 스마트폰만 보았던 하루가 아니다.

5. 안락사회 지향을 위한 '안락사'

「안락사회」는 2014년 토지문학상 대상 수상 작품으로 유명한 '파블로프의 개'에서 모티브를 취했음을 유추할 수 있다. 파블로프의 개를 대상으로 한 실험은 인간의 정신을 연구하기 위한 것으로, 우등인과 열등인은 유전에 근거한다는 학설이 과학으로 유행했던 당시, 나치의 유대인을 학살하는 근거로 작용했을 뿐만 아니라 그 후에도 여러 나라에서 인종이나 피부색, 장애인, 우울증 환자, 유전병 환자, 알코올중독자, 심지어 생김새의 잘남과 못남까지 구분해 열등으로 간주된 사람들을 강제 불임시키거나, 감금시키기까지 하였다. 이러한 우생학적 폭력이 모습을 바꿔 자본주의적 우생학으로 유지되고 있지는 않은지, 무한경쟁, 약육강식, 적자생존과 같은 형태로 등급이 매겨짐으로써 과거의 종족 제거와 다를 바 없는 사회적 제거가 이루어지고 있는 것은 아닌지, 국가나 사회가 안락한 사회를 유지하기 위한 명목으로 누군가를 안락사시키고 있지는 않은지, 조용한 제거를 안락한 제거로서의 '안락사'로 본 것은 아닌지 의심스럽다. 유기견 시점이라는 알레고리적 기법으로 쓰여진 이 작품은 안락한 삶을 꿈꾸는 변호사 가족에게 입양된 진돗개가 끝내는 파양되고, 그 후 재개발 지역에 사는 소녀에게 구조되지만 얼마 지나지 않아 개몰이 하는 철거반원들에게 붙잡혀 유기견 센터에 넘겨진 뒤 10일 만에 수의사에 의해 안락사당하고 만다는 극적 아이러니를 형상화한 작품이다.

"오지 마. 오면 나한테 부담을 주는 거야."라던 최변의 말이 일순 떠올랐다. 심장이 거세게 쿵쾅거렸다. 몸소름이 돋았다. 나는 죽고 싶지 않았다.

수의사가 내게로 걸어왔다. 나를 잡고 있던 직원들의 손에 힘이 들어갔다. 퉁탕, 튕겨지며 부서시넌 피아노의 불협화음이 머릿속에서 시끄럽게 울려 댔다. 휘익, 학습된 휘파람 소리가 섞여 들어와 머리를 쿵쿵 두드렸다.

최변이 모르는 게 있다. 내가 언제인가부터 그의 휘파람 소리에도 침을 흘리지 않게 되었다는 것을 말이다. 한 날, 나는 다짐했었다. 가끔은 나를 속이기도 하는 저 소리에 침 흘리지 말자고. 그러자 정말로 휘익, 소리를 듣고도 더 이상 침이 고이지 않았다.(「안락사회」, pp. 271~272)

도시의 재개발 지역이란 프레카리아트, 호모 사케르적 인물 또는 모더니티의 세계로부터 배제된 자들의 서식지에 불과하기 때문에 철거 대상이 될 수밖에 없다.

최 변호사는 '정자 활동성이 적어 불임의 원인이 된 열등감'을 갖고 있다. 그런 최 변호사의 아이가 태어나지 못한 이유는 태아가 오직 장애라는 것. 그것이 그에겐 더 견딜 수 없는 열등함의 증거였던 셈이다. 그와 반대로 장애를 지녔음에도 태어난 윤이는 피아노를 놀랍도록 잘 치는 아이이다. 신체적 조건으로 인간의 우열을 나눌 수 없음을 암시한다. 그런데도 윤이네는 가난하다는 이유로 사회적 죽임을 당한다. 의인화된 화자인 진돗개는 완전히 죽기도 전에 '안락사 했음'이라는 선고를 듣는다. 자신이 쓸모없는 존재라고 자신도 모르는 사이 사회로부터, 나아가서는 국가로부터 선고를 듣게 되는 현실의 메타포로 호모 사케르적 존재라고 할 수 있다. 작가는 마지막 대목에서 감정을 배제한 과단순화한 묘사로 독자에게 풍크툼까지 안겨 준다.

6. 번아웃 증후군

「봄의 시」는 40대 작가의 자전적 성격을 띤 작품으로 번아웃 증후군에 시달리는 자기 자신을 서사의 대상으로 삼은 일종의 메타 내러티브다.

번아웃 증후군이란 한 가지 일에만 몰두하던 사람이 극도의 신체적 · 정신적인 피로감을 겪으며 무기력증, 자기혐오, 직무 포기 등에 빠지는 증상으로 연소 증후군이라고도 하는데 복잡다기한 현대사회에서 빈번히 발생하는 현대인의 질병이라 할 수 있다. 번아웃은 잠시 쉰다고 해결되는 게 아니다. 그 자체를 받아들이고 일할 수 있는 상태를 만들어 놔야만 한다. MZ세대의 대다수가 번아웃에 시달리고 있다고 해도 과언이 아니다. 그래서 사회적 문제일 수밖에 없다. 이런 불안 속에서 언제까지 일할 수 있을지 모르기 때문에 끊임없이 스스로의 능력을 끌어올려 교환가치를 입증해야만 한다. 이런 행위야말로 루틴 만들기에 집착하는 꼴이 되어 악순환이 반복될 수밖에 없다.

작가인 화자는 번아웃 증후군으로부터 탈출하기 위해 끊임없이 이동하면서 에어비앤비 앱을 통해 임시 거주할 곳을 마련해 노마드적 삶을 영위한다. 그럼에도 번아웃 증후군을 극복하지 못한 화자는 벚꽃이 피는 계절 산자락에 있는 한 대학 병원 신경정신과에 입원한 지 20여 일째다. 같은 입원실에는 화가인 수현, 울보 갱년기 여자, 69세의 조미자 씨가 있지만, 수현이 먼저 퇴원하고 울보 갱년기 여자가 폐쇄 병동으로 수용되어 옮겨 가고 마지막으로 조미자 씨까지 퇴원하게 되면서 혼자 남게 된다. 화자는 여러 인물들의 만남과 헤어짐을 통해 '보통으로 산다는 것'의 기준이 지나치게 상향되어 있음을 인식하게 된다. 자본주의의 심화와 인간 노동력의 상품화는 '양질의 좋은 노동력'을 요구한다. 인간은 자본이 요구하는 '노동력'에 부합하기 위해 이른바 스펙을 쌓아 간다. 동시에 아름다움과 젊음에 대한 무언의 요구 또한 그 '양질'에 해당됨을 암묵적 압박으로 내면화한다. 끝없는 타자와의 경쟁과 더불어 시간과도 경쟁해야 하는 현대인은 만성적 번아웃 상태다. 화자는 이 모든 굴레에서 벗어나길 원하지만 방법을 알 수 없어 사회에의 정착을 거부하고 떠돈다. 그 회피는 해결안이 될 수 없음을 알지만 화자는 병원에서 만난 인물들이 스스로를 닦달하는 모습에서 자기 자신을 본다. 순리대로 살고자 하는 조미자 씨가 매번 순리에의 순응에 실패하는 모습이 자신의 초상이라 여긴다. 결국 번아웃 증후군으로부터 벗어나기 위해서는 회피가 아니라 정면 대응하는 길밖에 없음을 깨닫고 퇴원을 결심하고, 자신이 거처할 곳을 알아보기 위해 의사의 허락을 받아 외출한다. 덜 도시적인 곳으로 집을 구하면서 화자는 그나마 자연 속에서 조금이나마 숨을 쉬곤 했던 자신을 되짚어 본다. 그 자연은 존재 자체로 의미가 있으며 존귀하다는 의식 속에서 인간도 자연의 일부임을 자각하곤 그나마 산이 가까운 곳에 있는 집을 얻기로 한다.

"요즘은 바로 계약 안 하면 금방 다른 사람에게 빼앗겨요."

부동산 업자의 말에 나는 서둘러 계약금을 넣었다. 차 소리가 안 들렸고, 근처에 빌딩이 없었으며 외곽이지만 서울이었다. 계약하고 나자 차라리 마음이 가벼웠다. 무엇보다 인근에 근린공원과 작은 산이 있어 좋았다. 눈 딱 감고 들어가 살자 생각했다. 눈앞의 한 걸음에만 집중하세요. 먼 미래를 생각하지 마세요. 지금, 이 순간에 집중하세요.《완전한 휴식》에는 그렇게 쓰여 있었다.

부동산 업자와 헤어진 후 근린공원을 지나 산 입구로 갔다. 등산복을 입고 챙 넓은 모자를 쓴 초로의 남녀 몇이 산에서 내려오고 있었다. 내 옆을 지나는 그들의 몸에서 흙내음이 났다.

위로 오를수록 사위가 나무들로 빼곡해 왔다. 숲이었다. 오후의 햇살이 비스듬히 숲 위로 쏟아져 내렸다. 풀 냄새가 훅 끼쳐 왔다. 나의 들숨으로 빨려 온 그것은 호흡기를 통해 날숨으로 뱉어졌다. 눈에 보이는 어느 나무나 어느 풀잎이나 우월할 것도 열등할 것도 없이 평등했다. 자체로 온전했다. 살아 있었다. 너무나 분명하게 살아 있어 나는 머쓱해졌다. 나 역시 자연임에도 어째서 분명치 못한 존재감으로 서 있나. 어느 때엔 우월해지고 어느 때엔 열등해지나. 자괴감이 밀려왔다.(「봄의 시(詩)」, pp. 309~310)

작가는 에코페미니즘적 관점에서 작품의 실마리를 열어 두고 있다. 굽이굽이 흘러가는 개울물을 거스르지 않고 흐르는 벚꽃잎이 가장 순리대로 흐르고 있음을 암시하는 이 대목은 세상의 높은 기준으로 인한 타인과의 경쟁 및 자연 순리와의 싸움까지 이어지는 지난한 상황에서 벗어나도 좋을 것임을 드러내고 있다. 영원한 것은 없다는 것이 자연의 순리이며, 완벽한 것은 완벽하게 없다는 것만이 진실이다. 자연은 불완전하나 그런 것을 포함하여 완벽하다. 자연 또한 영원하지 않고 끝없이 변하며 순환 구조를 지니고 있다. 만물은 변한다. 변하지 않는 것은 소멸에 이를 수밖에 없다.

꼭대기에서 반대편으로 난 길을 따라 내려갔다. 저 멀리에서부터 시작된 작은 개울이 경사를 타고 아래로 졸졸 흐르고 있었다. 따라 내려가는데 나무 위에서 담분홍색 벚꽃 잎이 물 위로 툭툭 떨어졌다. 꽃잎은 물의 줄기를 따라 오른쪽으로 왼쪽으로 굽이굽이 흔들리며 아래로, 아래로 내려갔다. 작은 돌부리에 부딪혀 잠시 동동 떠 있을 때 나는 걸음을 멈추었다. 돌을 건지려고 허리를 숙여 손을 뻗자 마침 바람을 맞은 개울이 낮게 출렁였다. 꽃잎이 물결을 따라 돌 옆을 빙 돌아 다시 아래로 흘러내려 갔다. 뻗은 손을 거두고 허리를 폈다. 고개를 뒤로 젖혔다. 색색의 꽃잎이 나뭇가지에 소복소복 쌓여 있었다.(「봄의 시(詩)」, pp. 310~311)

한국 사회는 전 지구적 신자유주의 시스템에 포획되어 있는 형국이다. 아울러 여성의 시각에서 본 신자유주의 시스템은 가부장제적 폭력이 더해져 여성들의 삶을 한층 더 억압한다. 제 몫의 노동력에 의한 생산성을 갖추면서도 여성이라는 또 다른 상품성에 갇혀 이중으로 고통받는다. 젊어야 하고 아름다워야 하고, 고분고분해야 더 좋은 상품으로 평가받기 때문이다. 이 시스템의 바깥이 없다는 사실을 받아들인다면 이 안에서 지배 이데올로기에 어떻게 대응할 것인가에 대한 탐색이 절실한 시점이다. 이에 대해 작가는 가부장제적 폭력의 변화 양상과, 여성의 야심, 야심에 대한 사회적 억압, 여성성에 대한 폭력적 주입을 이야기로 펼쳐 보이며 에코페미니즘으로의 전환을 제시하고 있다.

7. 루틴한 일상성의 세계

이상에서 살폈던 작품들에서 보았듯 작가는 언어에 대한 예민한 감각, 냉철한 시선과 인식으로 한국 사회가 안고 있는 문제를 충실한 세부 묘사를 통해 총체적으로 드러내는 데 성공하고 있다. 다시 말해 도시의 자본주의적 삶에서 배제된 도시 유목민들의 부유하는 삶의 모습을 날것으로 드러내기도 하고 때론 창조적 상상의 변용을 시도해 보여 주면서 그 인물들이 얼마나 처절하게 몸부림치는지에 집중한다. 인간은 누구나 제 삶이 안정적이길 바라면서 타인의 삶은 충격적이길 바라는 속물임에 틀림없다. 그의 소설은 세태에 대한 비판의식이 매우 강하기 때문에 이분법적 재단으로 나아갈 소지가 있다. 이분법적 현실 인식은 현실에 대한 제대로 된 이해를 가로막는 도그마가 될 수 있지만 작가는 현실의 다양한 스펙트럼을 꿰뚫어 보는 폴리포닉(polyphonic)한 시각을 지니고 있어 그러한 우려는 필자의 기우이지 싶다.

자본주의적 삶의 일상은 지루한 루틴의 반복이다. 인간은 반복하는 행동 내에서 발전을 이루어 낸다. 그런데 일상은 우리의 모든 것을 무화시키는 힘을 지니고 있다. 그 어떠한 변화도 일상의 질서를 통과하지 않고서는 이루어질 수 없다. 존재와 일상 사이에 아슬아슬하게 발을 걸치고 있는 게 오늘을 사는 우리들의 위상이다. 따라서 일상성의 세계에서 벌어지는 폭력으로 인해 무너지고 변해 가는 인물들의 모습을 통해 이 세계가 얼마나 고통스럽고 견딜 수 없는 세계인지 지속적으로 관심을 이어 가는 작가의 시선은 끈질기다. 여기에 더해 세계의 변화에 대응하고 스스로 좌절과 패배를 극복하려는 의지를 표출하는 인물들의 이야기로 한 발 더 나아갈 것을 기대해 본다.

등단 시기에 비해 다소 늦게 첫 소설집을 펴낸 나우주 작가의 문학 여정은 그 신중함 만큼이나 새로운 비상을 위해 한껏 자세를 가다듬고 있다고 본다. 여덟 편의 작품 속에 이미 그러한 기운이 움트고 있음으로 독자들은 작가의 이후 작품들에 기대를 걸어도 좋을 듯하다.

작가의 말

그간 써 온 소설을 책으로 엮기까지 오랜 시간이 걸렸습니다.

'조금만 더…….'

욕심을 내려놓으며,
제 소설 속에서만 살았던 인물들을 이제야 세상 밖으로 내보냅니다.

독자분들의 '안녕'을 위해 탄생된 그들이기에, 나가서 제 몫을 해 주기를 바랍니다.
더불어 위로받기를 바랍니다.
소설 속 인물도, 독자도. 그러니까 '당신'도.

때로 힘겨워질지라도, 속 깊은 곳에서 어떤 힘 같은 것이 빛처럼 나타났으면 좋겠습니다.

2022년 여름에, 나우주

안락사회

초판 발행일 2022년 8월 31일
지은이 나우주
발행인 박종원
편집 김정현
디자인 남현
발행처 북티크
등록 2022년 8월 14일 제2022-000215호
주소 04096 서울특별시 마포구 독막로31길 9, 2층
대표 02-6084-1123
홈페이지 www.booktique.kr
ISBN 979-11-979848-0-8(03810)

- 책값은 뒤표지에 있습니다.